国家社会科学基金“十三五”规划2018年度教育学重大招标课题
“建设教育强国的国际经验与中国路径研究”阶段性研究成果
国家社科基金（教育学）重点项目“构建人类命运共同体视域下国际教育援助
理论与我国教育援助策略研究》”（批准号：ADA190016）的阶段性成果

全球教育治理研究系列

英国教育治理研究

A Study of Education Governance in the UK

主 编 周洪宇　副主编 王建梁
阚 阅 著

长江出版传媒 | 湖北教育出版社

（鄂）新登字 02 号

图书在版编目（CIP）数据

英国教育治理研究/阚阅著.

—武汉：湖北教育出版社，2020.6

（全球教育治理研究系列）

ISBN 978-7-5564-1773-5

Ⅰ.①英…

Ⅱ.①阚…

Ⅲ.①教育管理-研究-英国

Ⅳ.①G556.16

中国版本图书馆 CIP 数据核字（2020）第 049803 号

英国教育治理研究　YINGGUO JIAOYU ZHILI YANJIU

出品人	方　平	策　　划	刘　艺
责任编辑	余欣然	责任校对	王艳波
封面设计	牛　红　何亦明	责任督印	张遇春

出版发行	长江出版传媒	430070　武汉市雄楚大道 268 号
	湖北教育出版社	430070　武汉市雄楚大道 268 号
经　　销	新　华　书　店	
网　　址	http://www.hbedup.com	
印　　刷	湖北恒泰印务有限公司	
地　　址	武汉市江夏庙山开发区汤逊湖工业园	
开　　本	710mm×1000mm　1/16	
印　　张	16.75	
字　　数	241 千字	
版　　次	2020 年 6 月第 1 版	
印　　次	2020 年 6 月第 1 次印刷	
书　　号	ISBN 978-7-5564-1773-5	
定　　价	80.00 元	

总　序

站在人类历史拐点探求全球教育治理之道

当我们把目光做一个转向聚焦，跳出教育，纵观世界，我们会惊奇地发现当今人类历史发展已处在新的拐点处——第四次工业革命正扑面而来，势不可当。这将给人类社会带来前所未有的系统而深刻的变革，也无疑会成为下一个时代教育的起点，并促使教育的变革与发展也随之迎来新的拐点。第四次工业革命的车轮驱动着全球化、新工业化、生态化、智能化和数据化时代滚滚向前，对教育发展变革，尤其是教育治理，带来了前所未有的冲击与挑战。这是全球教育治理以及中国教育治理必须构建的宏观视野。

一、人类历史拐点与教育发展的十字路口

在人类社会发展的历史长河中，技术革新和传播持续推动着人类创造新的世界。从农耕时代到工业时代再到信息时代，人类历史不断从一个阶段迈向另一个阶段。信息时代是人类正在经历的发展阶段，这个阶段无疑只是人类漫漫历史征程中的一个特定时期。未来，人类将走向何方？还可以走多远？

历史上，工业革命是指工业化进程中所发生的重大变革。新的制造工具的应用，推动了工业发生根本性的变革，引起了工业从旧质飞跃到新质，使国民经济的产业结构发生了重大的变化，进而使经济社会各方面出现了崭新面貌，推动了人类社会发展的进程和文明的程度。[①]人类进入工业文明阶段后至今已经发生了三次工业革命。从18世纪第一次工业革命的机械化，到19世纪第二次工业革命的电气化，再到20世纪第三次工业革命的信息化，一次

① 周洪宇. 周洪宇论第三次工业革命[M]. 武汉：湖北教育出版社，2014：215.

次颠覆性的科技革新，带来社会生产力的巨大解放和生活方式的大变革，从根本上改变了人类发展的历史轨迹。

统观前三次工业革命，可以发现它们对世界发展格局都产生了巨大影响。一是都极大地促进了社会生产力的发展，带来了工业布局的新变化。第一次工业革命随一波创新浪潮而来，例如蒸汽机和棉纺机的发明。它伴随着一次历史性剧变，带来许多系统性的变化，如城市化、大众教育和农业产业化等。第二次工业革命的核心是电气化和大规模生产，为世界带来了全新的社会模式和生产方式。第三次工业革命，以电子、信息技术和网络为核心，也被称为数字革命，在过去的七十多年，实现了生产的自动化，世界互联互通，使传统的物理世界彻底颠覆。二是都引起了社会关系的重大变革。第一次工业革命导致近代社会工业无产阶级和资产阶级产生，并开启了大规模的城市化进程。第二次工业革命致使垄断组织出现，并与国家政权结合，使自由资本主义过渡到垄断资本主义。第三次工业革命使国家垄断资本主义强化，第三产业比重上升。三是都对世界格局产生巨大影响。第一次工业革命确立了资本主义对世界的统治，殖民扩张造成东方从属于西方。第二次工业革命最终形成资本主义世界体系、殖民体系，世界成为一个密不可分的整体。第三次工业革命推动了国际经济结构的调整，全球化加速，世界各国经济相互依存，联系日益紧密。相较农耕文明时代而言，工业文明时代的人类更深刻地改变和影响了地球。第一、二次工业革命所创造的财富与统治力所向披靡、无可抵挡。第三次工业革命呈现了信息技术革命、生物技术革命等新形态，表现为新能源、新技术、新材料与互联网的融合、创新和运用。①它继续推进及强化了人类对自然的改造和控制力。

进入21世纪，科技推动社会飞速发展，大数据、人工智能、云计算等前沿技术不断取得突破，新技术、新业态、新产业层出不穷。这些因素促使第四次工业革命浪潮汹涌而至，这是一场更大范围、更深层次的科技革命和产业变革，即将深刻改变人类社会的发展进程。“第四次工业革命论”首倡者、世界经济论坛主席克劳斯·施瓦布所著的《第四次工业革命》一书认

① 周洪宇.周洪宇论第三次工业革命[M].武汉：湖北教育出版社，2014：218.

为这场革命正以前所未有的态势向我们席卷而来。其发展速度之快、范围之广、程度之深丝毫不逊于前三次工业革命。第四次工业革命的核心是智能化与数据化，它将数字技术、物理技术、生物技术有机融合在一起，即通过技术融合消除数字世界、物理世界和生物世界之间的界限。[①]因此迸发出强大的力量，对我们的经济和社会产生深刻影响。可植入技术、数字化身份、物联网、3D打印、人工智能、区块链、大数据、纳米技术、生物技术、材料科学、能源储存、量子计算等技术变革同步进行，融合形成一个高度灵活、人性化、数字化的产品生产与服务模式。与前三次工业革命不同，本次工业革命呈现出指数级而非线性的发展速度。原因在于我们目前生活在一个万物互联的世界，而且新技术也在不断催生更新、更强大的技术。创新的发展速度和传播速度比以往任何时候都快。这是一场深刻的系统性变革。它不仅从根本上改变了我们的生活、工作以及相互之间的关系，更改变了整个社会和我们的身份。

这些变革让各国、各类组织、人与人之间的利益和命运紧密相连，深度交融。我们认识和理解这次革命需要跨界思维。这次革命在推动生产力水平提高、物质丰富的同时，也将从速度、深度、广度上给个人以及经济、政治、社会和文化的发展带来新的冲击和变化、机遇与挑战。然而，世界经济新旧动能转换尚未完成，南北失衡等深层次、结构性问题还未消除。地缘政治冲突此起彼伏，保护主义和单边主义愈演愈烈。[②]这些问题与第四次工业革命带来的冲击合流，将成为影响世界和平与发展的不稳定因素。这正是我们今天所处的时代，是我们正面临的人类发展的历史拐点。

第四次工业革命和伴随着它的系统性变化，将会比以往任何时候都更加强调合作参与，要求进一步改变协同参与的方式，要求我们共同构想自己将要创造的未来。面对全球发展对沟通、合作越来越多的需求和依赖，每个国家都应该积极推进开放分享。德国政府在《德国2020高技术战略》中提出的

① World Economic Forum. The Fourth Industrial Revolution, by Klaus Schwab [EB/OL].[2020-01-14]. http://www. weforum. org/about/the-fourth-industrial-revolution-by-klaus-schwab.

② 习近平. 让美好愿景变为现实——在金砖国家领导人约翰内斯堡会晤大范围会议上的讲话[N]. 人民日报，2018-07-27（3）.

十大未来项目之一——工业4.0，旨在提升制造业的智能化水平，建立具有适应性、资源效率及基因工程学的智慧工厂，在商业流程及价值流程中整合客户及商业伙伴。其技术基础是网络实体系统及物联网。这是发达国家对第四次工业革命的积极回应。

全人类历史拐点的出现，把正在现代化建设道路上奋力前行的东方第一大国——中国再一次推到了历史的十字路口。前两次工业革命的缺席，使中国没有赶上西方的工业化进程，而成为工业化的后发国家。从中华人民共和国成立后的第一个五年计划起，中国在工业基础十分薄弱的条件下，开始了以工业化为核心的现代化征程。经历了从传统的社会主义工业化道路到改革开放后的中国特色社会主义工业化道路的转型，中国工业化取得了巨大的成就，中国已经从农业经济大国转变为工业经济大国。但它的工业化仍然没有完成，工业化进程仍在途中。今天，正当中国即将快速跨入工业化国家行列之际，人们眼前却横出一块“工业文明将就此止步”的警示牌，令中国蓦然站在时代大转型的历史关口。

站在人类历史拐点处，中国该何去何从？作为全球化进程的重要参与者，当前的中国也面临着经济、社会转型等重大问题。中国经济已由高速增长阶段转向高质量发展阶段，正处在转变发展方式、优化经济结构、转换增长动力的攻关期，迫切需要抓住第四次工业革命的机遇，寻找可持续发展的原动力。

放眼全球，人类正面临百年未有之大变局。基于互联网技术的智能化、数据化高度融合的第四次工业革命已经来临。我们不仅需要反思我们的经济、社会和政治体制，还需要反思我们的教育是否能够适应和引领这场深刻的变革，反思教育这把钥匙能否打开一扇可以让我们看到希望和未来的思考之门。

二、全球化新文明时代的教育治理

如果说告别工业化社会、迎接第四次工业革命带来的新文明是人类走出当前困境的必由之路，那么，由此催生的全球化时代则使全球治理成为现实。正在蓬勃发展的全球治理实践给全球教育治理带来了新的动力，进一步推动了全球教育治理的发展。

21世纪，随着全球化、区域一体化进程的持续发展，人类日益成为一个命运共同体。以人工智能、数据化等深度融合为标志的第四次工业革命让这种趋势愈发加速。人工智能及相关技术带来的安全和治理挑战是需要全人类共同面对的问题。同时，人类还面临许多领域的问题，如核威胁、气候变化、环境污染、疾病流行等。这些问题一旦爆发，各国很难独善其身。这就需要各国具备全球视野，协同合作，共同解决这些问题。“人类的政治生活正在发生重大的变革，其中最引人注目的变化之一，便是人类政治过程的重心正在从统治（government）走向治理（governance），从善政（good government）走向善治（good governance），从政府的统治走向没有政府的治理（governance without government），从民族国家的政府统治走向全球治理（global governance）。”[①]全球治理是国际体系中以主权国家为核心的各个行为体共同合作，通过正式制度和非正式制度安排，协调各自利益和政策，以应对全球化时代人类社会必须面对的各种跨国的全球性挑战，并支持各个国家实现国家治理水平提升的活动。从中国的角度看，全球治理与国家治理是当代中国两大战略考量。日渐崛起的当代中国，经济总量居于世界前列，成为世界经济增长的新引擎，国际社会赋予中国更多责任与希望。中国积极参与全球治理，有助于澄清当下国际社会对中国的质疑与误解，表明当代中国的担当，有助于化解国际社会对中国“参与不足”的指责，表明当代中国维护人类共同利益、推进人类共同进步的理念与追求，有助于赢得国际社会的尊重，从而引领着人类的发展。

教育治理是全球治理的一个重要组成部分，也是国家治理的具体内容。全球治理和国家治理的推进势必促进教育治理的发展。第四次工业革命必将深刻改变人类的学习方式和生活方式，引发人们对于“人”的价值的进一步思考。教育和教育治理的理念、规则、方式也不可避免地要受到影响和冲击。世界银行发布的年度旗舰报告《2018年世界发展报告：学习以实现教育的承诺》(World Development Report 2018：Learning to Realize Education’s

① 俞可平. 全球治理引论[J]. 马克思主义与现实，2002（1）.

Promise)指出，全球教育面临“学习危机”——上学却没学到知识，这不仅是浪费发展机遇，也是对全世界儿童和青少年的巨大不公。造成“学习危机”的一个重要原因就是低效的教育管理和治理。

近年来，全球教育治理的理念正在出现新的变化。2015年年底，联合国教科文组织发布了一份新的研究报告《反思教育：向“全球共同利益”的理念转变？》（Rethinking Education: Towards a Global Common Good？）。这是联合国教科文组织成立七十多年以来，继1972年出版的研究报告《学会生存：教育世界的今天和明天》（Learning to Be：The World of Education Today and Tomorrow，又称《富尔报告》，即Faure Report）和1996年出版的研究报告《教育——财富蕴藏其中》（Learning：The Treasure Within，又称《德洛尔报告》，即Delors Report）之后，又一份非常重要的报告。联合国教科文组织总干事伊琳娜·博科娃在这一报告的《序言》中开门见山地写道：“我们在21世纪需要怎样的教育？在当前社会变革的背景下，教育的宗旨是什么？应如何组织学习？本出版物的思想便是因这些问题有感而发。”她继而写道：“我确信，我们今天需要对教育再次做出高瞻远瞩的思考。”博科娃认为“再没有比教育更加强大的变革力量”。她进而强调“教育促进人权和尊严，消除贫穷，强化可持续性，为所有人建设更美好的未来”，“教育以权利平等和社会正义、尊重文化多样性、国际团结和分担责任为基础”。她最后指出：“我们必须高瞻远瞩，在不断变化的世界中重新审视教育。”这种重新审视的结果就是我们21世纪的教育应该向“全球共同利益”的理念转变。可以断定，这份报告必定像前两份报告那样对世界教育的发展产生重大影响。

随着全球一体化进程加速，全球性教育问题（如教育不平等、“学习危机”等）将持续存在而且有复杂化的趋势。通信技术、信息技术和互联网技术的飞速发展，也让教育领域的许多问题，如信息技术背景下的核心素养、信息技术教育、教育与经济同步发展、教育与创新等，成为具有全球性特质的难题。要解决这些问题，客观上要求全球教育治理这一理念、方式及行动在世界各国教育领域中发挥越来越重要的作用。它要求世界各国站在全球的高度，运用现代治理的理论和理念，以主权国家为主体，充分运用国际政府组织、国际非政府组织、公民社会等的力量，寻求问题的最佳解决方案。教育领域已显现了全球化的负面影响，需要更有效的全球治理。[①]世界主要国家，国际组织如联合国教科文组织、世界银行、经合组织、联合国儿童基金会、二十国集团、全球教育合作组织等，全球知名智库如卡耐基教学促进会、布鲁金斯学会、兰德公司、澳大利亚教育研究委员会等，都是参与全球教育治理的行为主体。它们正通过各种方式介入全球教育领域的治理。全球教育治理是顺应时代发展趋势的一种新型治理理论，如何从参与全球教育治理的诸多行为主体的行动中总结全球教育治理的实践经验、提炼理论，如何运用其推动全球教育的发展，成为当前迫切需要研究的课题。

当前，中国正处于推进国家治理体系与治理能力现代化建设的关键阶段，教育领域也不例外。中国实行改革开放的国策，把自身置于世界的开放体系之中。改革开放推动中国教育取得了举世瞩目的巨大成就，教育同步助力改革开放走向更高水平、更高层次。与此同时，教育也面临着新的更大的机遇与挑战。党的十九大确定了中国发展新的历史方位——中国特色社会主义进入了新时代。新时代的社会主要矛盾发生了变化，教育领域的主要矛盾集中体现为人民对优质教育日益增长的需求与教育发展的不平衡不充分之间的矛盾。2019年2月，中国颁布了《中国教育现代化2035》和《加快推进教育现代化实施方案（2018—2022年）》，明确了未来一段时期中国教育发展的总体思路、战略任务、实施路径与保障措施。《中国教育现代化2035》提出对内要“加快推进教育现代化、建设教育强国，办好人民满意的教育”，对外则是要开创教育对外开放新格局，“积极参与全球教育治理，深度参与国际教育规则、标准、评价体系的研究制定。推进与国际组织及专业机构的教育交流合作。健全对外教育援助机制”。[②]文件方案的出台标志着中国教育现代化走向新时代、新目标和新征程。[③]推进教育现代化、建设

---

① 卡伦·芒迪. 全球治理与教育变革：跨国与国际教育政策过程研究的重要性[J]. 申超，译. 北京大学教育评论，2011（1）.

② 中共中央、国务院印发《中国教育现代化2035》[N].人民日报，2019-02-04（1）.

③ 周洪宇，刘大伟. 中国教育现代化走向新时代新目标新征程[N]. 中国教育报，2019-04-01（1）.

教育强国和参与全球教育治理势必对教育治理的理念、体系、制度、内容、方法等提出新的要求。当前，中国已置身于第四次工业革命主导的全球化、智能化、数据化、信息化、生态化时代，教育治理理念也将升级换代。第四次工业革命这一全人类共同面临的巨大变革，同样对不断深化改革、扩大开放的中国产生影响，也对中国的教育治理提出全方位挑战。对于当今的中国而言，建立现代教育治理体系、完善学校内部治理结构、推进教育治理体系与教育治理能力的现代化，不仅是重要的，而且是十分紧迫的时代任务。2019年10月召开的中共十九届四中全会通过了《中共中央关于坚持和完善中国特色社会主义制度、推进国家治理体系和治理能力现代化若干重大议题的决定》，提出要把我国制度优势更好地转化为国家治理效能，具体在教育领域，要“发挥网络教育和人工智能优势，创新教育和学习方式，加快发展面向每个人、适合每个人、更加开放灵活的教育体系，建设学习型社会”。十九届四中全会关于教育的论述及时地回应了第四次工业革命给教育带来的机遇和挑战，为国家教育现代化指明了方向。同时，参与全球教育治理亦是中国由教育大国走向教育强国的必由之路。中国由教育大国向教育强国迈进的征程中，在努力实现本国教育现代化的同时，秉持共商共建共享的全球治理观，积极参与全球教育治理，为人类社会贡献中国特色的教育智慧、教育治理方案和力量，既是中国的使命，亦是担当，更是走向教育强国、负责任大国的必然选择。①研究国家教育治理及全球教育治理的理论、实践、经验及教训，成为中国教育学术界的当务之急。

三、研究全球教育治理是中国教育学术界的当务之急

作为当代中国怀抱着理想、洋溢着激情、时刻关注着中国乃至人类命运、富有社会责任感和历史使命感的学术研究者，我们有义务也有责任从事教育治理包括全球教育治理的研究工作。作为当下中国主要民间教育智库之一的长江教育研究院及高校教育智库——华中师范大学国家教育治理研究

---

① 周洪宇，付睿. 参与全球教育治理：从教育大国走向教育强国的必由之路[J]. 世界教育信息，2018（3）.

院的重要成员，我们有义务也有责任从事教育治理包括全球教育治理的研究工作。我们的研究原则是“全球视野，中国本位，问题导向，专业研究”，这与我们智库的定位与目标“立足华中，影响全国，走向世界”，研究风格“全球视野，中国特色，专业能力，实践导向”，以及基本宗旨“民众立场，建设态度，专业视野”等，都是一致的。我们希望通过开展全球教育治理研究，“出思想，出人才，出产品，出效益”，真正发挥学术研究者的作用，推动中国的教育改革和发展，推进中国的教育治理体系与治理能力现代化进程，乃至促进全球教育治理理念、结构与体系的变革。

为此，我们以长江教育研究院、华中师范大学国家教育治理研究院的专家学者为主，同时邀请国内外知名高校的一批国别教育研究专家参与，组织撰写了这套“全球教育治理研究系列”。这套丛书的编写目的，就是要在全球化及第四次工业革命的背景下，探讨全球教育治理的理念、经验教训和趋势，进而讨论中国教育治理的发展道路。丛书涉及三个层面的视角，即超国家层面、国家层面、次国家层面。超国家层面主要研究联合国相关部门、国际组织、大型跨国公司等，分析其对全球教育治理进行研究的成果、形成的研究报告和政策是怎样影响世界各国的。国家层面研究各国在全球教育治理的背景下是如何根据本国国情进行本国国家教育治理的。次国家层面更加中观和微观地审视一个国家各级行政区划内部的教育治理，甚至细化研究一类教育类型的治理或者一所学校的治理。丛书围绕上述三个层面开展研究，力图完整清晰地展示全球教育治理的全貌及其基本特征，为教育研究者、教育工作者提供一个全面深入了解全球教育治理的窗口。

几年前，我在组织编写“教育智库与教育治理研究丛书”（共14册，湖北教育出版社2016年出版）的同时，就已经设想接着要向两头延伸，继续组织编写“全球教育治理研究系列”和另一套“全球教育智库研究丛书”，最终形成“教育智库与教育治理研究”的“三部曲”。为此，2016年编写出版第一套研究丛书后就以第一套丛书的部分作者为基础，本着五湖四海、众志成城的基本原则，在全国物色合适作者，在综合考虑研究能力与研究专长的基础上，最终确定了本丛书各册的写作者。与此同时，由湖北教育出版社牵头积极申报国家出版基金资助项目，“全球教育治理研究系列”成功获批

2017年度国家出版基金资助立项，使后续工作有了良好的开局。

“全球教育治理研究系列”共10册，具体如下：

1.《全球教育治理研究导论》（华中师范大学教授、博士生导师周洪宇，华中师范大学副教授付睿著）

2.《中国教育治理研究》（华中师范大学教授、博士生导师周洪宇，湖北大学教务处副处长、博士后李中伟，华中农业大学教授陈新忠著）

3.《美国教育治理研究》（华中师范大学教授戴伟芬，湖北幼儿师范高等专科学校学前教育系副主任李娜等著）

4.《英国教育治理研究》（浙江大学教授阚阅著）

5.《德国教育治理研究》（华中师范大学副教授岳伟著）

6.《日本教育治理研究》（湖北大学教授赵霞著）

7.《加拿大教育治理研究》（中南民族大学教授汪丞，加拿大布鲁克大学教授、博士生导师路春雷，加拿大布鲁克大学博士后荣文婷著）

8.《俄罗斯教育治理研究》（辽宁师范大学副教授乔桂娟著）

9.《印度教育治理研究》（华中师范大学教授、博士生导师王建梁著）

10.《南非教育治理研究》（华中师范大学副教授李先军著）

“全球教育治理研究系列”有总有分，总分结合，以分为主，由点到面，兼顾发达国家和欠发达国家，覆盖面尽量广一些。其中，《全球教育治理研究导论》主要从超国家层面研究全球教育治理的基本理论，以及重要的国际组织、知名智库、机构参与全球教育治理的理论及其实践，并对中国参与全球教育治理的情况进行梳理分析，试图从整体上建构全球教育治理的一般理论体系，为中国及其他行为主体参与全球教育治理提供理论和实践基础。其他各册以国家层面为主，同时兼顾次国家层面，对全球重要国家的国家教育治理理论及经验进行研究，指出对中国进行国家教育治理及参与全球教育治理的可借鉴之处及启示。

受湖北教育出版社委托，全套图书由我担任主编，提出研究思路，规划整体布局，拟定研究大纲，草拟写作体例，统审系列书稿。比较教育专家王建梁教授担任副主编，协助我联络作者，审改初稿，处理日常事务。我们希望未来在此基础上再组织一套以教育治理不同方面为重点的研究系列，与此套丛书相辅相成，相得益彰。在此，我代表丛书编委会向丛书的各位作者及编辑人员表达诚挚的敬意，向对此套丛书编写出版工作作出指导与提供支持的各界人士表示感谢。由于教育治理研究，尤其是全球教育治理研究，在国内才刚刚起步，基本上没有什么可供参考的论著，完全是靠我们自己的摸索，此套丛书不成熟之处在所难免，还请各位读者不吝指教。

周洪宇

2020年5月1日

目　录

第一章　英国教育治理的概念与背景

20世纪80年代以来，“治理”（governance）一词在西方学术界开始流行起来。正如英国兰开斯特大学社会学教授鲍勃·杰索普（Bob Jessop）所指出的：“过去15年来，它在许多语境中大行其道，以至成为一个可以指涉任何事物或毫无意义的‘时髦词语’。”[①]在对治理问题进行考察时，英国是一个无法回避的国家。张君劢曾说，“学政治，要在英国”。尽管20世纪中叶以后，英国国势早已不复当年，但毫不夸张地说，不了解英国人的政治观念与制度，恐怕很难洞悉人类政治文明的幽微机理。[②]作为治理思想的一个重要来源地和“试验田”，英国在治理方面的理论、政策与实践发展具有特殊的研究价值和现实意义。

第一节　教育治理的概念解析

“治理”一词虽然不是一个新词，但在不同的学术场域和不同的实践范围呈现出纷繁多样的认识与理解。追溯概念本源、厘清发展脉络是有效把握治理含义的重要前提。

一、词源学视野中的“治理”

从词源学的角度来看，英语中的governance源于古希腊和古拉丁语中的

---

① Bob Jessop. The Rise of Governance and the Risks of Failure：The Case of Economic Development[J]. International Social Science Journal，1998，50（155）：30.

② 比尔·考克瑟，林顿·罗宾斯，罗伯特·里奇. 当代英国政治[M]. 孔新峰，蒋鲲，译. 4版. 北京：北京大学出版社，2009：678.

相关词汇。[①]例如，古希腊语中的动词κυβερνεῖν或κυβερνάω，主要是指“指导”（steering）、“引导”（guiding）或“操控船舶或陆上车辆”。古希腊哲学家柏拉图首次以比喻的形式将该词描绘为对人（men）或人们（people）的统治。[②]古法语中也有gouvernance，意为“统治的行为或方式”。governance的动词govern由13世纪晚期古法语中的governer发展而来。拉丁语中也有其词源gubernare，意为“指导”“统治”“引导”和“管理”。

在英语中，该词在特定场合被用来表述统治一个国家或政府的具体活动，可追溯到现代英格兰早期，当时威廉·廷代尔（William Tyndale）的作品以及苏格兰詹姆士五世和英格兰亨利八世之间的王室信件中已经出现了“治理王国”这个词。长期以来，该词的使用主要限定于与实施“国家事务”有关的宪法和法律问题以及对特定机构或职业的多方面利益相关者的指导。[③]在现代英语中，“治理”往往与“政府”和“统治”相关。因此，有的学者将治理界定为政府如何进行统治。[④]例如，《现代英语用法词典》（A Dictionary of Modern English Usage）认为：“‘治理’现在仍具有早期古语的意味，但它可能还是延续其原始意义，即政府的执政能力。”[⑤]

二、国际组织视野中的“治理”

现代意义上的“治理”一词的使用和推广与国际组织有着密切的联系。联合国社会发展研究所（UNRISD）副所长阿尔卡塔拉（Cynthia Hewitt de Alcantara）曾指出，使用“治理”“善治”和“全球治理”这些概念可以使国际金融机构从经济主义中挣脱出来，去重新思考与经济重组相关的关键性政治和社会问题。而且，使用这些概念可以有效避免触动受援国敏感的国内

①③ Bob Jessop. The Rise of Governance and the Risks of Failure: The Case of Economic Development [J]. International Social Science Journal, 1998, 50 (155): 30.

②④ David F. J. Campbell and Elias G. Carayannis. Epistemic Governance in Higher Education: Quality Enhancement of Universities for Development [M]. Dordrecht: Springer, 2013: 3.

⑤ Henry Fowler. A Dictionary of Modern English Usage [M]. Oxford: Oxford University Press, 2003: 276.

政治与行政问题。借用“善治”和“全球治理”而不用敏感的“国家改革”或“社会政治变革”等字眼，使得世界银行（以下简称“世行”）等国际组织有可能处理棘手的受援国国内政治问题，而又避免使人觉得它们超越了自身的职责和权限而干预了主权国家的国内政治事务。①

早在1989年，世行在其研究报告《撒哈拉以南非洲：从危机到可持续增长》（Sub-Saharan Africa：From Crisis to Sustainable Growth）探讨“治理的危机”（crisis of governance）问题时首先使用了“治理”的表述。时任世行行长巴伯·科纳布尔（Barber B. Conable）在该研究报告的序言中首先将“善治”（good governance）解释为：公共服务有效，司法体系可靠，行政管理向公众负责。②而治理的含义则是运用政治权力管理一个国家的事务。③1992年，世行在首份以治理为主题的研究报告《治理与发展》（Governance and Development）中探讨了治理的含义以及为什么治理对发展来说是重要的。该研究报告指出，可以将治理定义为：在管理一个国家的经济和社会资源促进发展中所行使的权力。对世行来说，善治就是健全的发展管理的代名词。④世行还指出，就一般意义而言，治理包括三个不同的方面：（1）政治体制的形式（即议会或总统、军事或民事、专制或民主的形式）；（2）在管理一个国家的经济和资源的过程中行使权力的过程；（3）政府设计、制定和执行政策的能力，也就是一般所说履行政府职能的能力。世行明确表示，由于第一个方面是其法定职责以外的事情，因此世行关注的重点是第二和第三个方面。⑤该研究报告主要从“公共部门管理”“问责”“发展的法律框架”以及“透明度与信息”等四个维度对治理与发展问题进行了系统的阐述与探讨。1994年世行还发布了题为《治理：世界银行的经验》（Governance：The World Bank's Experience）的报告，对其开展的治理实践

① 俞可平. 全球化背景下的治理、善治和全球治理[R]. 台北：财团法人夏潮基金会，2001：15.

②③ The International Bank for Reconstruction and Development / The World Bank. Sub-Saharan Africa：From Crisis to Sustainable Growth [R]. Washington：World Bank，1989：xii、60.

④⑤ The International Bank for Reconstruction and Development / The World Bank. Governance and Development [R]. Washington：World Bank，1992：1，58.

做出初步的总结。

随后经济合作与发展组织（OECD，以下简称“经合组织”）也开始关注治理问题。经合组织下属的发展援助委员会（DAC）在1993年12月的高层会议上通过一份有关参与式发展（participatory development）与善治的指导文件，并于其后专门设立名为“参与式发展与善治工作组”的特别机构。经合组织文件在认同世行治理概念的基础上进一步指出，“法治”“公共部门管理”“控制腐败”和“减少过度的军费开支”是治理的四个重要维度。① 同时，经合组织还发布了《善治与发展援助：背景文件》（Good Governance and Development Assistance：A Background Paper）。经合组织在1996年发布的《促进参与式发展与善治项目的评估》（Evaluation of Programmes Promoting Participatory Development and Good Governance）中强调，有效的民主和善治要求公民参加各种协会和组织（民间社会），这些协会和组织将倡导其对政府的利益。②

联合国开发计划署（UNDP）1995年发布了长达160页的有关治理与可持续发展的讨论文件。在该文件中，联合国开发计划署认为，治理的概念包括对国家公共事务的直接和间接管理以及对侵犯人类事务的私人活动的监管控制。③ 此后，该组织于1997年发布的第二份有关治理的长篇讨论文件中进一步将治理界定为：行使经济、政治和行政权力来管理一个国家各个层面的事务。它是公民和各有关群体通过其表达自己的利益、行使其合法权利、履行义务和调解其分歧的各种复杂的机制、过程、关系和制度。治理包括社会用来分配权力、管理公共资源的所有方法（无论这种方法是好是坏）。④ 同年，联合国开发计划署在题为《可持续人类发展治理》（Governance for Sustainable Human Development）的政策文件中采用了与第二份讨论文件中

---

① OECD. DAC Orientations on Participatory Development and Good Governance [Z]. OCDE/GD（93）191，Paris：OECD，1993：18.

② OECD. Evaluation of Programmes Promoting Participatory Development and Good Governance [R]. Paris：OECD，1996：26.

③ UNDP. Public Sector Management，Governance，and Sustainable Human Development [R]. New York：UNDP，1995：2.

④ UNDP. Reconceptualising Governance：Discussion Paper 2 [R]. New York：UNDP，1997：8.

相同的治理的概念。①

1995年，全球治理委员会（CGG）在题为《我们的全球之家：全球治理委员会报告》（Our Global Neighborhood：The Report of the Commission on Global Governance）的研究报告中对治理作出了迄今为止最为经典、也是引用率最高的一种界定。该报告认为，治理是个人和各种公共的或私人的机构管理其共同事务的诸多方式的总和。它是使相互冲突的或不同的利益得以调和并且采取联合行动的持续的过程。它既包括有权迫使人们服从的正式制度和规则，也包括各种非正式的制度安排。它有四个特征：（1）治理不是一整套规则，也不是一种活动，而是一个过程；（2）治理过程的基础不是控制，而是协调；（3）治理既涉及公共部门，也包括私人部门；（4）治理不是一种正式的制度，而是持续的互动。②

2009年联合国教科文组织（UNESCO）发布的年度系列全民教育全球监测报告也专门将“治理”作为主题。这份题为《消除不平等：治理缘何重要》（Overcoming Inequality：Why Governance Matters）的报告首次从国际组织的视角对教育治理做出全面的阐述。该报告提出，从最广泛的意义上讲，治理就是将教育领域的众多行动者联系起来的程序、政策和体制安排。③治理通过对机制、规则和准则进行描述，从而制定与实施政策，推行问责制度。从最广泛的意义上说，治理改革关注的是改变游戏规则，也就是说，改变一个组织或社会的成员代表制定和执行决策的程序。然而，治理不仅仅关乎抽象的机制程序或正式规则，还关乎社会的权力关系。在最基本的层面上，治理体系界定了谁决定政策、资源如何在全社会进行分配、如何问责于政府。对于教育治理，该报告指出：“教育治理并非简单地指一国的教育行政与管理体系。就最广泛的意义而言，它指的是制定政策、确定优先事

① UNDP. Governance for Sustainable Human Development：UNDP Policy Document [R]. New York：UNDP，1997.

② Commission on Global Governance. Our Global Neighborhood：The Report of the Commission on Global Governance [M]. Oxford：Oxford University Press，1995：2-3.

③ UNESCO. Overcoming Inequality：Why Governance Matters [M]. Oxford：Oxford University Press，2009：6.

项、分配资源以及执行和监测改革所依据的所有正式与非正式程序。治理并非只是中央政府的问题，也是各级体系——上到教育部下到学校和社区——的问题。它最终涉及的是各级决策权力的分配问题。”①

三、学术研究视野中的“治理”

“治理”这一术语在当代公共管理领域被广泛使用。根据乔治·费雷德里克森（H. George Frederickson）和凯文·史密斯（Kevin B. Smith）的定义，治理是指在主权衰落、管辖边界重要性下降和一般机构分裂的背景下行政管理中的横向关系。②

按照乔恩·皮埃尔（Jon Pierre）的理解，治理指的是维持不同目的和目标的各种行动者（actors）之间的协调和一致性。其中，各种行动者包括政治行动者和机构、利益集团、公民社会、非政府组织和跨国组织。这个定义表明，虽然传统国家的政府必须应对上述行动者带来的各种内外部挑战，但是一些以前由政府保留的职能可能会被一些政党接管。③除了上述以社会为中心的治理定义外，皮埃尔和盖伊·彼得斯（Guy B. Peters）还作出更突出国家中心的定义。他们认为，治理涉及国家与社会之间不断变化的关系，越来越依赖不太强制性的政策工具。他们断言“国家仍是具有相当大的政治权力的中心”。他们认为，治理是国家发挥主导作用制定优先事项和确定目标的过程。④

保罗·赫斯特（Paul Hirst）认为，治理通常可以定义为控制或指导一个活动手段，以便根据某些既定标准提供可接受范围内的结果。⑤

---

① UNESCO. Overcoming Inequality：Why Governance Matters [M]. Oxford：Oxford University Press，2008：129.

② H. G. Frederickson and Kevin B. Smith. The Public Administration Theory Primer [M]. Boulder, Colorado：Westview Press，2003.

③ Jon Pierre. Debating Governance：Authority，Steering，and Democracy [M]. Oxford：Oxford University Press，2000.

④ Jon Pierre and Guy B. Peters. Governance，Politics and the State [M]. New York：St. Martin's Press，2000.

⑤ Paul Hirst. Democracy and Governance [M] // Jon Pierre (ed.) . Debating Governance：Authority，Steering and Democracy. Oxford：Oxford University Press，2000.

全球治理理论主要创始人詹姆斯·罗西瑙（James N. Rosenau）在其代表作《没有政府统治的治理：世界政治的秩序与变革》（Governance without Government：Order and Change in World Politics）中明确指出：治理与政府统治不是同义语，它们之间有重大区别。他将治理定义为一系列活动领域里的管理机制，它们虽未得到正式授权，却能有效发挥作用。与统治不同，治理指的是一种由共同的目标支持的活动，这些管理活动的主体未必是政府，也无须依靠国家的强制力量来实现。①

英国学者格里·斯托克（Gerry Stoker）在对各种治理概念进行梳理后归纳出治理理论的五种观点：（1）治理指的是源自政府、但又不限于政府的一整套机构和行为者；（2）治理认识到在解决社会和经济问题过程中边界和责任的模糊性；（3）治理明确肯定涉及集体行为的各个社会公共机构之间存在的权力依赖；（4）治理是关于行为者网络的自主自治；（5）治理意味着，办好事情的能力并不限于政府的权力，不限于政府的发号施令或运用权威。治理理论认为政府能够使用新工具和技术来掌舵和指导。②

罗兹（R.A.W. Rhodes）认为，治理意味着统治的含义有了变化，意味着一种新的统治过程，意味着有序统治的条件已经不同于前，或是以新的方法来统治社会。③接着，他详细列举了六种关于治理的不同定义：（1）作为最小的国家管理活动的治理，它指的是国家削减公共开支，以最小的成本取得最大的效益；（2）作为公司管理的治理，它指的是指导、控制和监督企业运行的组织体制；（3）作为新公共管理的治理，它指的是将市场的激励机制和私人部门的管理手段引入政府的公共服务；（4）作为“善治”的治理，它指的是强调效率、法治、责任的公共服务体系；（5）作为社会-控制体系（socio-cybernetic system）的治理，它指的是政府与民间、公共部门与私人

---

① James N. Rosenau and Ernst-Otto Czempiel（eds.）. Governance without Government：Order and Change in World Politics [M]. Cambridge：Cambridge University Press，1992.

② Gerry Stoker. Governance as Theory：Five Propositions [J]. International Social Science Journal，1999，50（155）：18.

③ R. A. W. Rhodes. The New Governance：Governing without Government [J]. Political Studies，1996，44（4）：652-653.

部门之间的合作与互动；（6）作为自组织网络（self-organizing networks）的治理，它指的是建立在信任与互利基础上的社会协调网络。[①]

加拿大治理研究院（IOG）也对治理作出了一般性的定义，认为治理是社会或组织做出重要决策、决定它们由谁参与以及它们如何提供报告的过程。

四、英国政治发展中的“治理”

英语中的“治理”可以追溯到古拉丁语和古希腊语中的“操舵”一词。其原意主要是指控制、指导和操纵，与“政府”的含义有所交叉。[②]但在英国政治发展的现实情境中，治理更加具有与传统政府和政治理念不同的一些特征。如威尔逊等指出的，十几年以前，“governance”这个词没有那么多理论上的含义；如果用这个词的话，它就是政府的同义词。但是20世纪90年代出现了把治理作为一个概念的倾向，作为一个构建的框架，它特别有价值，这使得我们可以更加了解治理的过程。[③]

在当今国家变得更趋复杂的背景下，“治理”这个时髦术语更多强调治理的过程而非政府制度，使统治者与被统治者之间的区别变得模糊。治理不仅包括大臣、文官、民意代表等传统“政府”的组成部分，而且还包括产业界、志愿部门、政党及压力集团，后者同样参与到治理过程及社群服务提供之中。行政代理部门与公私部门之间的合作乃是治理的应有之义，同时，合作关系取代了较为传统的管理等级制中清晰的权责界限。[④]考克瑟等进一步解释，治理是一种活动，而非一项制度。在这种活动中，首相和公务员可

① R. A. W. Rhodes. The New Governance：Governing without Government [J]. Political Studies，1996，44（4）：653–658.

② 鲍勃·杰索普. 治理的兴起及其失败的风险：以经济发展为例的论述[J]. 国际社会科学杂志（中文版），1999（1）：32.

③ 戴维·威尔逊，克里斯·盖姆. 英国地方政府[M]. 张勇，胡建奇，等，译. 北京：北京大学出版社，2009：155.

④ 比尔·考克瑟，林顿·罗宾斯，罗伯特·里奇. 当代英国政治[M]. 孔新峰，蒋鲲，译. 4版. 北京：北京大学出版社，2009：506.

能参与其中，但是公司、志愿性机构和社区群体也往往参与其中。它强调合作而非命令、网络而非等级、包容而非排斥。这表明，权力被稀释而非集中了。实际上，治理背后的修辞语暗示是吸纳和影响大众，把权力下放并授予投票者、消费者等普通公民。治理意味着协商、合作和妥协而非强迫，而且看起来和公众参与高度吻合，这给民主提供了一个比投票箱这一受到限制的机制更为广阔的前景。[①]（参见表1-1）

表1-1 从旧式政府到新式治理

旧式政府	新式治理
国家	国家与公民社会
公共部门	公共部门、私人部门和志愿部门
政府机构	治理过程
组织结构	政策、产出与成效
提供者（“划桨”）	赋权者（“掌舵”）
命令、控制、指挥	领导、促进、协作、商讨
等级制和权威	伙伴关系和政策网络

资料来源：比尔·考克瑟，林顿·罗宾斯，罗伯特·里奇. 当代英国政治[M]. 4版. 孔新峰，蒋鲲，译. 北京：北京大学出版社，2009：508.

对于治理与政府间的关系，罗兹认为治理即指自我组织起来的、组织间的网络，其内涵比政府更加丰富。这个定义可以分解为四个特点。（1）组织间的相互依赖。治理比政府的概念要宽，包含了非国家行为人。改变国家的边界意味着公共、私人和志愿部门间的界限变得多变而模糊。（2）网络成员间的持续互动，这是交流资源和磋商共同目的的需要引起的。（3）像游戏一样的相互作用，以信任为基础并且受网络参加者磋商和同意的游戏规则的控制。（4）保持高度的自治。网络不对国家承担义务，它们是自我组

① 比尔·考克瑟，林顿·罗宾斯，罗伯特·里奇. 当代英国政治[M]. 孔新峰，蒋鲲，译. 4版. 北京：北京大学出版社，2009：653-657.

织起来的。虽然国家占据着一个享有特权、独立自主的位置，但它只能间接和不完善地掌控网络。[①]而更重要的在于治理方法的灵活性，因为公共部门和私人部门的界限已经变得越来越模糊不清，管理上传统的等级和官僚方式已经不适宜了。[②]

第二节 教育治理发展的社会背景

20世纪70年代末期以来，治理在英国的兴起和发展与社会经济和公共管理危机之下宏观经济政策的调整、国家政府角色的转变以及整个公共部门的转型有密切的联系。在新的社会背景下，包括教育在内的公共部门治理发生了深刻的变革，长期居于支配地位的传统公共行政管理的那种僵化死板、科层官僚体制形式逐步为一种灵活的、以市场为基础的新公共管理形式所取代。

一、“货币主义”与公共部门改革的市场取向

从1945年到1979年的战后时期，英国保守党和工党两个主要政党组成的政府都奉行凯恩斯主义，致力于战后的混合经济和福利国家的发展，用财政政策和货币政策对经济加以干预。推行凯恩斯主义的结果是，为英国创造了短暂的繁荣，也给英国带来了灾难。到了20世纪70年代末，急速加剧的通货膨胀与失业、缓慢的经济增长、高昂且日益增长的公共支出，使得工党政府开始在某种程度上告别凯恩斯主义的经济管理。[③]

随着1979年撒切尔夫人的上台，原有的政治经济观念受到了更为激进

---

① R. A. W. Rhodes. Control and Power in Central-Local Government Relations [M]. Aldershort: Ashgate, 1999: xvii.

② 戴维·威尔逊，克里斯·盖姆. 英国地方政府[M]. 张勇，胡建奇，等，译. 北京：北京大学出版社，2009：155.

③ 比尔·考克瑟，林顿·罗宾斯，罗伯特·里奇. 当代英国政治[M]. 孔新峰，蒋鲲，译. 4版. 北京：北京大学出版社，2009：67.

的保守党的挑战。面对严重的“滞涨”问题，撒切尔夫人率先将宏观经济政策思路调整为货币主义倡导的“供给管理”，严格实行货币紧缩政策，压缩公共开支，将主要政策目标由充分就业转向控制通胀，将宏观经济政策的作用定位为：为市场正常运转提供一个长期稳定的环境，进而框定政府权力界限，进一步释放市场活力。撒切尔政府试图“从上面”改革他们所认为的庞大而臃肿的公共部门，其主要假设包括：（1）个人比国家更清楚什么对他们有好处；（2）与凯恩斯福利国家相比，市场是能使商品和服务配置更公正、更高效的机制；（3）团体和个人之间的不平等是社会的一个自然特征，不能通过社会补救行动来克服；（4）国家机构几乎总是有害而低效的；（5）应尽量减少国家的作用。①从1979年至1997年，历届保守党政府在财政、教育、住房等领域都采取了明确的干预主义策略。即使控制被证明更加难以把握，但干预已变成一种现实。其主要目的是削弱和绕开地方当局以及向消费者赋权。②

民营化改革是撒切尔夫人框定政府边界的一个重要手段，这一政策贯穿她的三个任期。改革的主要内容是：（1）出售国有资产，实现国有资产从公共部门向私人部门的转移；（2）放松政策管制，打破产业垄断格局，取消新企业进入产业的行政法规壁垒；（3）通过特许投标、合同承包，鼓励私人部门提供可市场化的产品或服务，不涉及资产所有权的转移。撒切尔政府积极推动将市场扩散到公共领域，例如以“准市场”的概念为例，它通常被解释为经济理论从经济系统扩散到其他系统（子系统）或社会部门。③

---

① Sverker Lindblad and Thomas S. Popkewitz（eds.）. Education Governance and Social Integration and Exclusion：National Cases of Educational Systems and Recent Reforms［M］. Uppsala：Department of Education Uppsala University，1999：229.

② John Greenwood，Robert Pyper and David Wilson. New Public Administration in Britain［M］. London：Routledge，2002：138.

③ David F. J. Campbell and Elias G. Carayannis. Epistemic Governance in Higher Education：Quality Enhancement of Universities for Development［M］. Dordrecht：Springer，2013：19.

二、“多层治理”与治理主体权力的重新调整

在很多人看来，由于民族国家已成“病树沉舟”，“多层治理”（multi-level governance）在当代世界是自然而不可避免的趋势，对于英国来说，同样如此。英国已不再是那个统一的、高度中央集权的、以威斯敏斯特[①]和白厅[②]（White Hall）为中枢的国家。一个复杂的、分殊化的、多层次的政府体系正出现在英伦诸岛，而其发展趋势如何，至今仍不可知。[③]

如今影响英国人民生活的重大决策的产生地已经不仅是伦敦，而且包括布鲁塞尔、爱丁堡甚或遍布英伦的医院信托组织、基础医疗信托组织以及学习与技能委员会这一系列权力下放后的行政代理机构、区域及地方政府和政策网络。1998年，英国首相托尼·布莱尔（Tony Blair）曾警告说：“对通过中介提供不合标准的服务，政府不会容忍。如果需要的话，政府会寻找其他的当局和机构来承担那些职责，因为有的当局现在已经明显不能提供有效的服务而且还不愿意采取必要的行动来改善它们的服务。”[④]

从表1-2能够清晰地看到，英国多层治理体系中至少有八个层级。全球层面主要包括联合国机构及其他政府间和非政府的国际组织、跨国组织与跨国公司等，这些组织和机构在国家外部发挥着全球治理的功能。跨地区层面主要包括北大西洋公约组织（NATO）等地缘政治和军事实体，这类组织跨越地理和国家边界，以一种战略同盟的组织特性共同行使集体防务和维持和平与安全方面的职能。第三个层面是欧洲地区层面，主要以欧盟（EU）和欧洲委员会（COE）为主导机构，以成员国让渡部分主权来推进欧洲一体化建设为重要目标。可以说，欧洲层面是在政策和实践上对包括英国在内的成员国（尽管英国已“脱欧”）切实发生作用和影响的一个层面。第

① 威斯敏斯特代指英国议会，是英国的最高立法机关，也是英国政治的中心舞台。

② 白厅是英国伦敦市内连接议会大厦和唐宁街的一条街道。由于英国国防部、外交部、内政部、海军部等一些政府机关设在这条街及其附近，因此人们用白厅作为英国行政部门的代称。

③ 比尔·考克瑟，林顿·罗宾斯，伯特·里奇.当代英国政治[M]. 孔新峰，蒋鲲，译. 4版. 北京：北京大学出版社，2009：527.

④ Tony Blair. Leading the Way：A New Vison for Local Government[M]. London：Institute for Public Policy Research，1998：20.

四个层面是最为传统的，以民族国家为疆界，以内阁和议会等国家行政和立法机构为核心，是实施国家治理的最基本也是最重要的一个层面。第五个层面体现了英国近年来国内政治发展的一个重要趋势即针对苏格兰、威尔士和北爱尔兰的权力下放，上述三个地区均已建立权力不等的议会和行政当局。以苏格兰为例，苏格兰政府负责苏格兰境内的教育、卫生、司法、交通等绝大部分日常事务。第六个层面是英格兰除大伦敦地区以外的其他8个地区[①]的治理机构，其中，区域政府办公室（Government Office for the English Regions）、区域发展局（Regional Development Agencies）和非选举产生的区域议事会（Regional Chambers，后改为Regional Assembly）是区域治理的“三驾马车”。第七个层面主要为郡、区、自治镇、教区委员会等地方政府。最后一个层面为医院、大学、学院、学校等享有不同程度自主权的相关机构。（参见表1–2）

表 1–2　英国新兴的多层级治理

层级	机制
全球	联合国、国际货币基金组织、世界贸易组织、跨国组织和公司
跨大西洋	北大西洋公约组织
欧洲	欧盟、欧洲委员会、欧洲议会、欧洲法院、欧洲理事会
联合王国	内阁和核心行政部门、威斯敏斯特议会
分权后地区	苏格兰议会与行政当局、威尔士议会与行政当局、北爱尔兰议会与行政当局
区域	区域政府办公室、区域发展局、区域议事会
地方	郡、区、自治镇、教区委员会、非民选地方政府

---

① 英格兰分为大伦敦地区以及东北地区（North East）、西北地区（North West）、约克郡与亨伯郡地区（Yorkshire and the Humber）、中东部地区（East Midlands）、中西部地区（West Midlands）、东英格兰地区（East of England）、西南地区（South West）、东南地区（South East）。1994年梅杰政府在上述9个地区设立区域政府办公室。

续表

层级	机制
机构	医院信托组织、大学与学院、基金会学校等

资料来源：比尔·考克瑟，林顿·罗宾斯，罗伯特·里奇. 当代英国政治[M]. 4版. 孔新峰，蒋鲲，译. 北京：北京大学出版社，2009：528.

“多层治理”既是一种治理理念，同时也是一个不同层级机构与机制互动的框架和网络，并在其中实现权力的重新分配。例如，从1973年到20世纪80年代末，在“多层治理”理念的推动下，英国一方面将对外谈判贸易协定等权力向上转移至布鲁塞尔的欧盟总部，另一方面则将有关农业和渔业的行政决策权向下移交给苏格兰等地方政府。到了90年代后期，随着欧洲一体化进入快车道，英国的地方分权也渐趋加速，1997年5月布莱尔工党政府上台后，推动苏格兰、威尔士和北爱尔兰分别建立起地方分权议会，将最核心的部分立法权和财政权转移至地方，逐渐形成了如今的分权体制。①

三、“政府再造”与新英国式治理的模式转变

20世纪80年代初期保守党政府上台后，英国政府日益接受和采取治理的理念。②其主要体现就是保守党政府以大卫·奥斯本（David Osborne）和泰德·盖伯勒（Ted Gaebler）提出的形式开始重新设计政府，主要方向：转向服务交付、赋权而非服务于社区，根据结果而非投入提供资助，满足消费者而非官僚的需求，强调收入而非支出，强化事前预防而非事后补救，从科层制到团队合作与参与。③

按照公共管理理论的发展趋势，政府应由“划桨”向“掌舵”转型，或

① 忻华. 英国面临分离与分权的两难[EB/OL]. [2017-04-27]. http://world.people.com.cn/n1/2017/ 0427/c1002-29239178.html.

② Maria Balarin and Hugh Lauder. The Governance and Administration of English Primary Education [R]. Cambridge: University of Cambridge, 2008: 1.

③ Sverker Lindblad and Thomas S. Popkewitz (eds.). Education Governance and Social Integration and Exclusion: National Cases of Educational Systems and Recent Reforms [M]. Uppsala: Department of Education Uppsala University, 1999: 236.

是从“提供者”到“赋权者”进行角色转变。英国的“政府再造”（reinvent government）也是以“掌舵”和“赋权”作为改革的主导方向。虽然很多服务仍然需要公共资助，但它们已经不再依赖于集权化的公共部门，而是由私人部门、志愿部门或分权化的准自治公共部门提供和控制。有人说英国正在被“掏空”，然而，这也的确表明，国家正在扮演一种迥然不同的角色——赋权者。①由此，英国从中央和次中央（sub-central）政府到地方教育当局、院校与组织，在所有层面上，对“政府再造”的整体压力都有形形色色的反应。这种再造的目标是实现从凯恩斯福利国家向“小而强”的新自由主义国家的转型，尤其是1997年英国大选工党获胜后着力建设“熊彼特式”“工作福利国家”（workfare state）。②这种新英国式的治理变革可参见下表（表1-3）。

表1-3　从旧的威斯敏斯特模式到新英国式治理

威斯敏斯特模式	新英国式治理
单一制国家	“分殊化的政体”（differentiated polity）
议会主权	权力下放
部会责任制（ministerial responsibility）	管理授权（delegation of management）
中央—地方关系	多层级治理
同质性、一致性、“福特制”（Fordism）	多元性、分殊性、“后福特制”（post-Fordism）

资料来源：比尔·考克瑟，林顿·罗宾斯，罗伯特·里奇. 当代英国政治[M]. 4版. 孔新峰，蒋鲲，译. 北京：北京大学出版社，2009：527.

“政府再造”运动产生了广泛而持久的社会影响，英国也由此成为理论

① 比尔·考克瑟，林顿·罗宾斯，罗伯特·里奇. 当代英国政治[M]. 孔新峰，蒋鲲，译. 4版. 北京：北京大学出版社，2009：518.

② Sverker Lindblad and Thomas S. Popkewitz（eds.）. Education Governance and Social Integration and Exclusion：National Cases of Educational Systems and Recent Reforms [M]. Uppsala：Department of Education Uppsala University，1999：224.

家笔下的“竞争型国家”①（Competition State）、“监管型国家”②（Regulatory State）、“审计社会”③（Audit Society）、“管理型国家”④（Managerial State）、“授权型国家”⑤（Enabling State）、“契约国家”⑥（Contract State）、“评估型国家”⑦（Evaluative State）。⑧

有分析指出，作为控制机制的新“监管型国家”的规则变得更加显著、明确和正式。例如，透明度已在很多领域成为全球性的制胜原则。这些变化在英国尤其明显，因为历史上占主导地位的专业监督和其他形式的自我监管（通常是非正式的“俱乐部”）已让位于更正式的外部程序和监督。以专业或职业为主导的一些重要自我监管机构（self-regulatory bodies）已经因为按国家强调的增加非专业人员的改革而受到削弱。值得注意的是，新的“监管型国家”比以往更加“远距离”地进行问责和指导。而且内部组织程序变得更加公开和可审计。从“元监管”（meta-regulation）的意义上看，监管本身也受到监管。⑨

到了布莱尔政府时期，英国政府更加注重通过建立公私合作伙伴关系

① Philip Cerny. Paradoxes of the Competition State：The Dynamics of Political Globalization [J]. Government and Opposition，1997，32（2）：251–274.

② Michael Moran. Review Article：Understanding the Regulatory State [J]. British Journal of Political Science，2002，32（2）：391–413.

③ Michael Power. The Audit Society：Rituals of Verification [M]. Oxford：Oxford University Press，1999.

④ John Clarke and Janet Newman. The Managerial State：Power，Politics and Ideology in the Remaking of Social Welfare [M]. London：Sage，1997.

⑤ Neil Gilbert and Barbara Gilbert. The Enabling State：Modern Welfare Capitalism in America [M]. Oxford：Oxford University Press，1989.

⑥ Michael Di Francesco. The Contract State and the Public Interest [M] // Dennis Glover，Glenn Palmore and Gary Jungwirth（eds.）. For the People：Reclaiming Our Government. Sydney：Pluto Press，2000：43–55.

⑦ Guy Neave. On the Cultivation of Quality，Efficiency and Enterprise：An Overview of Recent Trends in Higher Education in Western Europe，1986–1988 [J]. European Journal of Education，1988，23（1/2）：7–23.

⑧ Christopher Hood，et al. The Government of Risk：Understanding Risk Regulation Regimes [M]. Oxford：Oxford University Press，2001.

⑨ Roger Patrick King. Governance and Accountability in the Higher Education Regulatory State [J]. Higher Education，2007，53（4）：413.

（Public-Private Partnerships）来解决公共部门治理问题。公私伙伴关系与新工党的“第三条道路”有着密切的关系，其主要含义是政府机构与私人部门以及第三部门（有时还包括志愿组织）之间，为执行特定项目或实现某些政策而建立的合作关系。中央政府、地方当局及其他公共实体也广泛介入到这种合作关系之中。其中比较典型的是，工党政府通过采用“zone”的形式将公共和私人资源整合起来共同致力于改善公共服务。就业区（Employment Zones）、健康行动区（Health Action Zones）、教育行动区（Education Action Zones）的出现，都清楚地表明新政府对于发展相同的地方服务型混合经济的承诺，这种混合经济已经成为过去10年的特征。①此举标志着英国公共服务在打破政府垄断、尝试私营化方面走出了极其重要的一步。实际上，早在19世纪英国公共服务的志愿提供便成为广为采用的公共服务供给方式。学校由志愿性的宗教组织维持经营，政府给予其一定程度的补贴。而如今，无论是反对国家干预的自由市场的倡导者，还是反对由私人提供公共服务的工党人士，都能接受志愿组织。②英国几届政府公共部门治理比较见表1-4。

表1-4　撒切尔政府和梅杰政府与布莱尔政府公共部门治理比较

	撒切尔和梅杰政府	布莱尔政府
治理方式	新公共管理	协作
治理基础	基于私人部门管理技术	高度灵活的合作
治理目标	产生更有效率、更经济、更有成效的结果的竞争	形成政府、私人部门及第三部门的伙伴关系

资料来源：比尔·考克瑟，林顿·罗宾斯，罗伯特·里奇. 当代英国政治[M]. 4版. 孔新峰，蒋鲲，译. 北京：北京大学出版社，2009：547.

① 戴维·威尔逊，克里斯·盖姆. 英国地方政府[M]. 张勇，胡建奇，译. 北京：北京大学出版社，2009：156.

② 比尔·考克瑟，林顿·罗宾斯，罗伯特·里奇. 当代英国政治[M]. 孔新峰，蒋鲲，译. 4版. 北京：北京大学出版社，2009：516-517.

英国旷日持久的“政府再造”运动以及公共部门管理的变革，对教育体系产生了深远的影响。的确，过去30年英国公共部门的改革战略塑造了高等教育系统。这些改革产生的远非是经常预测的表面影响。[①]正如莫里斯·柯根（Maurice Kogan）等指出的，如果我们能从公共部门控制形式以及它们如何以不同方式结合去考虑，那么就更容易在院校层面形成更完整的治理及其发展的图景。[②]

① Ewan Ferlie and Gianluca Andresani. United Kingdom from Bureau Professionalism to New Public Management?［M］. // Catherine Paradeise, et al.（eds.）. University Governance：Western European Comparative Perspectives. Dordrecht：Springer，2009：177.

② Ivar Bleikliea and Maurice Kogan. Organization and Governance of Universities［J］. Higher Education Policy， 2007，20（4）：486.

第二章　英国教育治理的体系结构

英国政治学者比尔·考克瑟（Bill Coxall）等人在《当代英国政治》（Contemporary British Politics）一书中以“多层治理”为主要视角描述了英国政治的发展[①]。“多层治理”不仅是英国治理体系的一种现实，也是一种趋势，更是一个重要的特征。在教育治理体系结构中，如果以传统的民族国家政府为核心，向上延伸是区域层面的地区性组织，如欧盟和欧洲委员会[②]等，以及全球层面的政府间和非政府国际组织，如联合国教科文组织、世界银行、世界贸易组织（WTO）、经合组织、教育国际（EI）等，而向下延伸则有地方政府、私人机构、公民社会组织、教育机构、公民个体等。本章将择其要者对英国的教育治理体系结构进行概述。

第一节　国际组织

在全球化不断深入发展的今天，传统的民族国家不再是教育治理的唯一层面和维度。国际组织在国家教育治理中的作用越来越引人瞩目。正如英国学者指出的，尽管影响英国公民的大多数决策仍出自以白厅和威斯敏斯特为中心的中央政府之手，但还有一些决策出自英国国家层次之上，例如，联合

① 该书第四部分（《多层级治理：白厅和威斯敏斯特的政府与政治》）和第十九章（《新的英国国家：迈向多层级治理》）的标题都使用了“多层级治理”的表述。

② 欧洲委员会成立于1949年5月5日，主要目的是“实现成员国之间更紧密的联合，以维护和促进作为它们共同财富的理想和原则，并有助于它们的经济和社会进步”。欧洲委员会总部设在法国斯特拉斯堡。目前拥有47个正式成员国、5个部长委员会观察员国以及3个议会观察员国。

国、国际货币基金组织（IMF）、世界贸易组织、北大西洋公约组织或是欧盟。[①]

一、欧盟

欧盟由欧洲各共同体发展而来，是一个集政治实体和经济实体于一身、在世界上具有重要影响的区域一体化组织，也是研究英国教育治理所无法回避的一个重要国际组织。在教育和职业培训领域，欧盟的政策和影响以及成员国间的合作经历了一个从无到有、从少到多的发展历程。[②]尽管英国在2016年6月23日举行的脱离欧盟全民公投中选择了脱欧，但在英国完成脱欧谈判和必要的法律程序之前，仍将继续遵从欧盟相关法律并履行其成员国应尽的义务。而且即使在脱离欧盟以后，英国在教育治理方面所受到欧盟的影响也不可能马上消散，可能在相当长的时间内延续。

欧盟的前身是1952年由西欧六国[③]根据《建立欧洲煤钢共同体条约》（Treaty Establishing the European Coal and Steel Community）即《巴黎条约》（Treaty of Paris）建立的欧洲煤钢共同体。1957年3月，上述六国又在意大利罗马签署《建立欧洲经济共同体条约》（Treaty Establishing the European Economic Community）和《建立欧洲原子能共同体条约》（Treaty Establishing the European Atomic Energy Community）[④]，并于次年分别建立欧洲经济共同体和欧洲原子能共同体。1965年4月，六国再次签署《建立欧洲各共同体单一理事会和单一委员会的条约》（Treaty Establishing a Single Council and a Single Commission of the European Communities） 即《布鲁塞尔条约》[⑤]（Brussels Treaty），决定将煤钢共同体、原子能共同体和经济共同体所属机构加以合并，统称为“欧洲各共同体”[⑥]（European

---

① 比尔·考克瑟，林顿·罗宾斯，罗伯特·里奇. 当代英国政治[M]. 孔新峰，蒋鲲，译. 4版. 北京：北京大学出版社，2009：17.

② 胡伯特·埃特尔，喻恺. 欧盟的教育与培训政策：五十年发展综述[J]. 教育学报，2009，5（1）：113.

③ 包括法国、西德、意大利、比利时、荷兰和卢森堡。

④ 这两个条约统称为《罗马条约》（The Treaty of Rome）。

⑤ 该条约又称《合并条约》（Merger Treaty）。

⑥ 1967年7月1日，《布鲁塞尔条约》生效，“欧洲各共同体”正式成立。

Communities）。1992年2月，欧共体12个成员国签署《欧洲联盟条约》（Treaty on European Union）即《马斯特里赫特条约》（The Maastricht Treaty）（以下简称《马约》），并决定将欧洲经济共同体更名为欧洲共同体（European Community）。1993年11月，《马约》生效后，欧盟正式成立，原欧洲三大共同体被整体纳入欧盟。[①]2009年《里斯本条约》（The Treaty of Lisbon）生效后，欧盟具备了国际法主体资格，并正式取代和继承欧洲共同体。

欧盟的主要机构包括欧洲理事会（The European Council）、欧盟理事会（The Council of the European Union）、欧盟委员会（The European Commission）、欧洲议会（The European Parliament）和欧盟法院（The Court of Justice of the European Union）等。

欧洲理事会由欧盟成员国国家元首或政府首脑及欧盟委员会主席组成，又称欧盟首脑会议，是欧盟的最高权力机构，负责讨论欧盟的内部建设、重要的对外关系及重大的国际问题。欧洲理事会每年至少举行两次会议。2009年以前，欧洲理事会实行轮值主席国制度，由轮值主席国的国家元首和政府首脑出任欧洲理事会主席，任期半年。2009年，根据《里斯本条约》的规定，欧洲理事会不再实行轮值主席国制度，转向设立常任主席，由在该会议的多数票支持者出任，任期为两年半，可连任一届。该职务被形象地称为“欧盟总统”。

欧盟理事会由欧盟成员国部长组成，又称部长理事会（The Council of Ministers），是欧盟重要的决策机构，负责欧盟日常决策并拥有立法权。[②]《里斯本条约》生效后，对欧盟理事会的决策程序进行改革，扩大使用

---

① 《马约》生效后，欧共体未就其称谓的变更问题作出决定，但欧共体内部和国际上越来越广泛地使用“欧盟”。在此期间，“欧共体”和“欧盟”两种称谓均有使用，但法律文件和对外签署协议仍使用“欧共体”。

② 从法律上讲，欧盟只有一个部长理事会负责任何议题的决策，但各成员国往往根据理事会议题的不同而选派不同的部长出席，于是逐渐在部长理事会内出现了因议题不同而派生出的10个专业理事会：由欧盟外交与安全政策高级代表领导的对外关系理事会以及总务理事会，经济和金融事务理事会，农业和渔业理事会，司法和内务理事会，运输、电信和能源理事会，就业、社会政策、健康和消费者保护理事会，竞争（内部市场、工业、研究与空间）理事会，环境事务理事会，教育、青年、文化和体育理事会等。

“资格多数表决制”（qualified majority voting），以代替“一致表决制”（unanimity）程序。

欧盟委员会是欧盟的常设机构和执行机构，负责实施《欧洲联盟条约》和欧盟理事会做出的决定，向欧盟理事会和欧洲议会提出报告和立法动议，处理联盟的日常事务，代表欧盟对外联系和进行贸易等方面的谈判等等。在欧盟实施的共同外交和安全政策范围内，欧盟委员会只有建议权和参与权。欧盟委员会由欧盟各成员国各选派一名代表组成，设主席1人、副主席2人，任期均为5年。根据《里斯本条约》规定，从2014年起，欧盟委员会的规模将变为由三分之二成员国数目的人数组成（例如，假设欧盟有27个成员国，那么欧盟委员会由18人组成）。此举结束了1957年以来的由一位委员代表一个成员国的安排。

欧洲议会是欧盟的执行监督和咨询机构，在某些领域有立法职能，拥有部分预算决定权，并可以三分之二多数弹劾欧盟委员会，迫使其集体辞职。欧洲议会设在法国斯特拉斯堡，同时在卢森堡及比利时布鲁塞尔设有办事机构；自1979年起，欧洲议会议员由成员国直接普选产生，任期5年。根据《里斯本条约》的规定，欧洲议会议员的人数比例根据各成员国的公民人数进行“表面相关性”的比例分配。欧洲议会现有750个议席。

欧盟法院是欧盟的司法仲裁机构。同时，它对欧洲共同体宪政和制度建设也发挥着重要作用。[①]欧盟法院在三个层面上开展司法工作。（1）欧洲法院1952年设立于卢森堡，是欧盟法律秩序中的最高法院。目前，欧洲法院的27名法官和8名佐审官（Advocates General）由成员国政府根据共同协议任命，任期6年。（2）普通法院成立于1988年，主要是为减轻欧洲法院的工作负担而设立，主要负责一般案件的初审。它不是新的欧盟机构，而是法院的有机组成部分。其27名法官同样由成员国政府任命，任期6年。（3）专门法院是2004年为减轻法院负担及改善欧盟的法律保护而设立的。专门法院负责协助普通法院处理民事法律案件，通常由普通法院任命组成，

---

① 约瑟夫·威勒．欧洲宪政[M]．程卫东，译．周弘，校．北京：中国社会科学出版社，2004：189.

负责审理特定领域的案件。

2007年达成的《里斯本条约》对欧盟机构进行了一系列重大改革。更为重要的是《里斯本条约》对欧盟与成员国之间的权限划分做出了新的调整。其中，欧盟的职权被重新确定和划分为专属权限（exclusive competence）、共享权限（shared competence）和支持权限（supporting competence）三个大类。其中，教育、文化、青年、职业培训等领域均被调整为欧盟的支持权限，也就是说，欧盟在这些领域对成员国的行动进行支持、协调或补充。（参见表2-1）

表 2-1　《里斯本条约》对欧盟权限的界定

专属权限	共享权限		支持权限
一切在联盟之内的立法行为，都赋予联盟的专属权限以便作出指示以及缔结国际协定	成员国不能在联盟已经完成以下之项目内行使职权	联盟所行使的权限不会妨碍成员国在此方面的职权	联盟可以进行一切行动以支持、协调或补充成员国的行动
• 关税联盟 • 为内部市场功能运作建立竞争规则 • 货币政策——只限于使用欧元为货币之成员国 • 在共同渔业政策下保护海洋生物资源 • 共同商业政策	• 内部市场 • 社会政策 • 经济、社会和领土事务 • 农业和渔业，不包括保护海洋生物资源 • 环境 • 消费者保护 • 交通运输 • 跨欧洲网络 • 能源 • 地区内之自由，保安和司法 • 公共卫生问题	• 研究、技术开发与（外部）空间 联盟负责协调成员国政策或执行，以补充它们的共同政策，及其他没有覆盖的领域 • 经济、就业与社会政策的协调 • 共同外交、安全及防务政策	• 保护和改善人类健康 • 工业 • 文化 • 旅游 • 教育、青年事务、体育和职业培训 • 民事保护（防灾） • 行政合作

资料来源：Treaty of Lisbon：Amending the Treaty on European Union and the Treaty Establishing the European Community [Z]. Official Journal of the European Union. C 306. 2007-12-17：46-48.

英国与欧共体/欧盟的关系发展曲折复杂。为对抗欧共体，英国与奥地利、丹麦、挪威、葡萄牙、瑞士、瑞典六国于1960年1月签署《欧洲自由贸易联盟公约》（Convention Establishing the European Free Trade Association），建立欧洲自由贸易联盟。但由于成员国经济水平参差不齐，又实行松散的政府间合作，该联盟很难与欧共体抗衡。1972年底，英国退出该联盟。随着美苏争霸格局的形成和殖民体系的瓦解，英国希望通过参与欧洲一体化促进经济发展并发挥更大的国际影响力，因此于1973年正式加入欧共体。但英国与欧洲大陆国家之间的分歧并没有得到真正解决，英国对于欧共体的态度依旧充满着不确定感，为之后双方矛盾的爆发埋下了隐患。英国加入欧共体后，在欧洲一体化进程中扮演了重要角色。当欧洲一体化符合国家利益时，英国是一个积极的推动者；反之就会成为一个旁观者甚至阻挠者。英国始终没有加入《申根协定》（Schengen Agreement），也不是欧元区成员。

二、经合组织

经合组织的前身是1947年由美国和加拿大发起、成立于1948年的欧洲经济合作组织，该组织成立的目的是帮助执行第二次世界大战后致力于欧洲重建的“马歇尔计划”，后来其成员国逐渐扩展到非欧洲国家。1961年，欧洲经济合作组织改名为经济合作与发展组织。其宗旨是：帮助各成员国家的政府实现可持续性经济增长和就业，促进生活水准提升，同时保持金融稳定，从而为世界经济发展做出贡献。

经合组织是一个对成员国具有广泛政策影响的政府间国际组织。有人形象地将其描述为一个为成员国提供机会，以开展合作、分享经验以及寻求共同问题解决之策的论坛。很多评论者也根据它所行使的职能赋予其含义更为丰富的名称，如智库、地缘实体、决策论坛、影响域（sphere of influence）

以及政策制定者、研究者和咨询者的网络，等等。①值得注意的是，经合组织不只是35个市场经济国家的“俱乐部”，它与诸多新兴和发展中经济体的非成员国也建立了各种合作关系，并借此大大拓展了它的活动范围和全球影响。在过去的20多年中，经合组织已不再仅仅发挥智库的作用，而是逐步发展成为具有全球权威的政策行为者②。

作为全球治理的一个前沿机构，经合组织如同一个“熔炉”，它使得为当代全球治理奠定基础的一系列重要理念、规范、规则和原则得以成型，并通过与非成员的积极互动以及持续开展的监督与同伴评议使之得以传播和接受。③随着全球治理的不断推进和深入，教育也开始进入国际组织全球治理议程。世界银行、世贸组织、八国集团（G8）等都涉足全球教育治理，并尝试采取大量教育多边主义措施。④经合组织同样如此，它所致力于构建的不仅是全球经济场域，也包括全球教育政策场域。

虽然经合组织主要关注的是经济政策，但从一开始就强调必须发挥教育在经济和社会发展中的作用，并将对教育的兴趣与其整个经济目标联系在一起。在人力资本框架下，以及随着“知识经济”的兴起，经合组织把教育视为经济发展和国家竞争力的驱动力量，因此教育成为其关注问题和政策建议中的重要因素。为此，经合组织于1975年将教育纳入其主要关注范畴，设立“社会事务、人力与教育司”，1991年将其重新调整为“教育、就业、劳工与社会事务司”，2002年则设立独立的和常设的“教育司”。在此过程中，从教育体系指标（INES）的建立到《教育概览》（Education at a Glance）的发表，从“全民终身学习”（lifelong learning for all）的提出到全球教育论

① Miriam Henry, et al. The OECD, Globalization and Education Policy [M]. Oxford: Pergamon Press, 2001: 1.

② Heinz-Dieter Meyer and Aaron Benavot. Introduction: PISA and the Globalization of Education Governance: Some Puzzles and Problems [M]. // Heinz-Dieter Meyer and Aaron Benavot (eds.). PISA, Power and Policy: The Emergence of Global Educational Governance. Oxford: Symposium Books Ltd, 2013: 20.

③ Richard Woodward. The Organisation for Economic Co-operation and Development (OECD) [M]. London and New York: Routledge, 2009: 1.

④ Karen Mundy. Global Governance, Educational Change [J]. Comparative Education, 2007, 43(3): 342-347.

坛的举办，经合组织在全球教育领域的影响不断彰显。尤其是国际学生评价项目（PISA）的推出，不仅加强了教育事务在经合组织中的地位，而且也极大强化了经合组织在全球教育治理中的作用。①

英国是经合组织的创始成员国，与其他19个国家一道，于1960年12月14日签署《经济合作与发展组织公约》（Convention on the Organisation for Economic Co-operation and Development）。经合组织通过进行国家调查以及搜集可比较的统计数据，为包括英国在内的成员国提供分析和监测其经济、社会和环境发展政策。成员国可以通过同行评议（peer review）等方式获得经合组织的专家支持，并可以获取秘书处所做的研究和分析报告。此外，经合组织也发挥论坛的职能，为有关国家提供探讨和分享国家经验、确认最佳实践以及寻求共同委托解决方案的场所。

第二节　议会与政府部门

如前文所述，威斯敏斯特（即英国议会）和白厅（即英国中央政府机构）是英国政治制度和治理体系的核心。如果想要充分理解英国公共行政和治理体系就不能忽视议会。尽管一些观察家认为立法机构在现代政府和公共行政系统中越来越边缘化，但英国议会最重要的分析家之一菲利普·诺顿（Philip Norton）毫不怀疑这一机构的重要性。他认为，英国议会这个多功能的机构，对政治制度的影响是多重而重要的。②同时，虽然英国很多公共服务由下属机构（如权力下放的议会和地方当局）提供，但英国的政治制度传统上一直是高度集中的，而且最根本性的决定通常是在“中心”做出。③

① Anja P. Jakobi and Kerstin Martens. Introduction：The OECD as an Actor in International Politics [M]. // Kerstin Martens and Anja P. Jakobi (ed.) . Mechanisms of OECD Governance：International Incentives for National Policy-making? Oxford：Oxford University Press，2010：1-25.

②③ John Greenwood，Robert Pyper and David Wilson. New Public Administration in Britain [M]. Third edition， London：Routledge，2002：172，24.

因此，本节着重从议会、中央及地方行政部门在国家治理中的作用展开探讨。

一、议会

创建于13世纪的英国议会由国王、上院（贵族院）、下院（平民院）组成，行使国家的最高立法权。可以说，议会在英国国家治理结构中居于至高无上的位置，即议会至上。这是因为，英国一个基本的宪政原则就是：任何机构，无论是现在还是将来，都不能与议会平起平坐，更不用说凌驾其上。[①]按照英国学者的表述，“议会至上原则，顾名思义，就是依照英国宪法，唯有议会才有权力制定或废除法律；进而言之，英国法律不承认任何人或机构有权力推翻或搁置议会制定的法规”。议会至上或曰议会立法的权力，是由女王行使、上院和下院开会通过的。一项由议会通过的法律不受任何更高法律的制约，其合法性也不受任何其他权力机构的挑战，只有欧盟通过的法律除外。[②]

正如英国曼彻斯特大学学者马丁·洛夫林（Martin Loughlin）所指出的，在当代塑造中央政府和地方政府关系的过程中，议会和法院重返舞台并发挥作用。[③]作为一个由四大民族构成的国家，其联合的本质也体现在议会至上的宪法原则中。虽然联合王国还保持着一个联合国家的正式地位，但苏格兰目前拥有独立的立法机构——苏格兰议会，威尔士也拥有能够行使广泛权力的威尔士议会。然而，从根本上讲，威斯敏斯特议会仍然是最高权力机构，地方政府依旧由白厅委任的地方事务大臣控制。[④]1999年7月，威尔士事务部和苏格兰事务部将各自的权力正式移交给两地议会，其结果对英国下院产生了重要影响。下院设立的苏格兰、威尔士和北爱尔兰三个最高协调委员会被相继撤销。下院议长可以将有关问题交给苏格兰和威尔士事务大臣，

---

① 奈杰尔·福尔曼，道格拉斯·鲍德温. 英国政治通论[M]. 苏淑民，译. 北京：中国社会科学出版社，2015：8.

②④ 丹尼斯·卡瓦纳. 英国政治：延续与变革[M]. 刘凤霞，张正国，译. 4版. 北京：世界知识出版社，2014：66，23.

③ Martin Loughlin. Understanding Central-local Government Relations [J]. Public Policy and Administration，1996，11（2）：61.

后者直接对当地议会和第一大臣负责。[①]此外，政府就议会负责是极具宪法特色的重要做法。按照大臣负责制的原理，每位大臣就其个人的行为及其所领导部门的整体行为，以及其手下公务员的作为或不作为，都要向议会负责。[②]

尽管如此，也有观点认为，英国议会至上实际上逐渐变成了下院至上和政府至上。政府除了对议会施加影响之外，还操纵议会中的党团领袖，控制政党机器及整个公务员体系。[③]与此同时，自1999年以来，威斯敏斯特议会已经与具有立法权力的苏格兰议会以及威尔士和北爱尔兰的代议机构共存，此外还有新组建的大伦敦议会（GLA），而其他英格兰地方代议机构也已展露前景。特别需要注意的是，由于欧盟对政府的干预逐渐增多，议会疲于应付大量的立法工作，从而削弱了议会的独立判断能力和审查能力。[④]英国的欧盟成员资格意味着同样有来自该国的代表被选入欧盟议会。虽然一度只是被视为“清谈会所”，但欧盟议会对欧盟决策、进而对英国决策所发挥的影响力已经逐步提升。有些人士甚至认为，它已经成为比威斯敏斯特议会更为有效的政策影响实体。因此，在演进中的英国治理体系中，威斯敏斯特议会正日渐成为众多的代议机构之一。这些机构的出现，对于威斯敏斯特议会的角色和功能具有相当的潜在影响。[⑤]

英国议会在教育治理结构中居于首要地位（至少在形式上具有这样的地位）。对于议会在英国教育管理中的重要作用，教育专家邓特（H.C. Dent）曾指出：“当人们考察管理和领导的等级时，必须牢记这一切：最终的管理权归于作为全体选民代表的议会，议会制定有关教育的法令，并采取各种方法保证人们遵守法令。”[⑥]1833年，英国议会通过第一笔教育拨款，标志着国家开始承担教育责任。有高等教育学者也认为，从宪法的

①②③④ 丹尼斯·卡瓦纳. 英国政治：延续与变革[M]. 刘凤霞，张正国，译. 4版. 北京：世界知识出版社，2014：23，29-30，59，53，350.

⑤ 比尔·考克瑟，林顿·罗宾斯，罗伯特·里奇. 当代英国政治[M]. 孔新峰，蒋鲲，译. 4版. 北京：北京大学出版社，2009：392.

⑥ 邓特. 英国教育[M]. 杭州大学教育系外国教育研究室，译. 杭州：浙江教育出版社，1987：56-57.

角度来说，国家高等教育政策制定与执行的最终控制权在议会。[①]但议会在教育治理中的作用也面临着同样的挑战。现实中，在行政当局（executive authority）的影响力不断加强的情况下，议会主权正在衰落，这已成为英国政治史上最值得注意的发展趋势。由此造成的后果是，虽然议会能够在政策制定过程中发挥有效的作用，但实际上这只是对政府立法议程做出的调整。议会能做的事情其实是较为有限的。[②]英国教育专家莫里斯·柯根更是指出，议会质询和辩论与政策的制定没有密切关系……它们没有预期政策，也没有对它们提出系统的批评。值得一提的是，议会各专门委员会能够更准确地反映政策的关注点，并且在公开政策管理方面更加系统化。[③]究其原因，尽管议会本身具有明显的独立性，但议会的各个委员会几乎没有行政影响力。虽然部门委员会可能要求政府正式回应它们的报告，但它们缺乏向行政部门强加观点的手段。因此，尽管他们具有专业知识，尽管他们可能有影响力，但他们缺乏制定政策的权力。[④]尽管如此，对于"议会是否成为边缘角色"的问题，泰德·塔珀（Ted Tapper）给出了很好的回答："无论强大与否，议会及其委员会都有很多东西要教给我们。"[⑤]

二、中央政府

1914年以来，特别是1945年以来，英国中央政府的职能范围逐渐扩大，主要集中在卫生、教育、社会福利等社会服务设施的提供方面。至1999年，卫生、教育和社会福利这三项费用已经占公共开支总额的60%。[⑥]中央政府在教育发展上发挥着双重作用：一方面它是教育的主要提供者，另一方面又

---

① Brain Salter and Ted Tapper. The State and Higher Education［M］. Ilford：Woburn Press，1994：37.

②④⑤ Ted Tapper. The Governance of British Higher Education：the Struggle for Policy Control［M］. Dordrecht：Springer，2007：112，113，127.

③ Maurice Kogan & Stephen Hanney. Reforming Higher Education［M］. London：Jessica Kingsley，2000：204–205.

⑥ 丹尼斯·卡瓦纳. 英国政治：延续与变革［M］. 刘凤霞，张正国，译. 4版. 北京：世界知识出版社，2014：280.

对不由国家直接负责运营的学校[①]进行监督。[②]英国中央政府是通过一系列独立部门来组织的。然而，在政府中，“部门”（department）一词含糊不清，有时与“部”（ministry）或“办公室”（office）等其他术语同义，有时则描述政府部门内部的分歧。

（一）内阁部门

探讨英国的社会政策必须关注其政府部门，如财政部、卫生部以及教育与就业部。[③]其关键是内阁和内阁部门。在英国政治体制中，内阁是一个首相组建的由最资深的政府部长组成的正式体制。内阁的大多数成员都是具有国务大臣头衔的英国政府部门（内阁部门）的首长。内阁成员只能从英国议会上下议院的议员中选取。内阁是最高的行政决策机构。英国首相可使用君主特许的任命权任命和革除内阁大臣。因此，首相任命内阁大臣需要英国君主的正式认可，但君主认可都只是象征式的。在各内阁部门实行首长个人负责制。

目前英国主要的内阁部门有25个[④]，主要负责各方面政策的制定与实施。各个内阁部门由大臣（Secretary of State）领导，处理政治事务；内阁大臣通常由几位下级国务大臣（Minister of State）或者政务次官（Parliamentary Under Secretary of State）辅助。每一部门内均有一名资深公务员，名为常务次官（Permanent Secretary），掌管部门内行政及施政工作，并就整个部门的财务对议会负责并接受质询。常务次官负责处理部内的日常工作，保持政治中立，不参加党派活动，聘任不会受内阁的任期影响。

1. 作为内阁组成部门的教育部

英国中央教育管理机构自19世纪上半期以来一直处于发展变革之中。1839年，英国建立由财政大臣、掌玺大臣和内政大臣等组成，专门负责监督管理政府教育拨款的枢密院教育委员会（Committee of the Privy Council on

---

① 英国有大约6%的学生在私立学校接受教育。

②③ 迈克尔·希尔. 理解社会政策[M]. 刘升华，译. 北京：商务印书馆，2005：237，74.

④ UK Government Departments，Agencies and Public Bodies[EB/OL]. [2017-12-18]. https://www.gov.uk/government/organisations.

Education），成为英国政府在中央层面上设立的第一个教育行政机构。1856年，枢密院教育委员会下设负责管理初等教育的教育署。1899年，英国通过《教育委员会法》（Board of Education Act），成立由议会直接领导的中央教育委员会，统一管理初等和中等教育事业发展。

二战后，根据《1944年教育法》成立的教育部进一步加强了中央政府的教育管理权力。此后，随着经济社会形势的演变以及教育事业的发展，英国中央教育行政机构几经变迁，职能不断发生变化。1964年英国组建教育与科学部（DES）取代原来的教育部和科学部。1992年，教育与科学部的科学事务职能划归内阁办公厅公共服务办公室，该部更名为教育部（DFE）。1995年教育部与就业部合并，成立教育与就业部（DfEE）。2001，就业职能被转移至新成立的就业与退休保障部后，教育与就业部更名为教育与技能部（DfES）。2007年，戈登·布朗（Gordon Brown）政府将教育与技能部进行拆分，其中儿童、学校与家庭部（DCSF）主要负责学前教育和义务教育等19岁以下的青少年教育事务，而创新、大学与技能部（DIUS）主要负责高等教育等19岁以上成年人教育事务。2010年保守党领袖戴维·卡梅伦（David Cameron）赢得大选上台后，上述两个部又分别重组为教育部（DfE）和商业、创新与技能部（BIS）。

2016年7月，卡梅伦因英国脱欧公投而辞职，特蕾莎·梅（Theresa May）接任首相后对原有内阁部门进行调整，原商业、创新与技能部管辖的高等教育与继续教育政策、学徒培训以及更广泛的技能事务被重新移交给教育部。改组后的教育部认为，此举有助于加强教育部在教育、儿童服务与技能等方面责任的整合，从而使更连贯的政策与实施成为可能。[1]

2. 教育部的治理结构

英国教育部以“建设一个高度受教育的社会，使儿童和青年人不论其背景和家庭条件都能享有平等的机会”为目标，其职能主要涉及24个政策领域：公立自治学校与自由学校、高等教育入学、艺术与文化、儿童保育与早期教育、主流教育外的儿童、儿童卫生、儿童社会工作者、处境不利儿童的

① DfE. Consolidated Annual Report and Accounts 2016−17［Z］. London：DfE，2017：6.

教育、平等、家庭司法体系、继续教育与培训、高等教育参与、儿童照料与收养、贫困与社会正义、学校与学院问责、学校与学院拨款、学校资格与课程、学校行为与考勤、学校建设与维护、社会流动、特殊教育需求与残障儿童、体育参与、教学与学校领导、青年人。（参见图2-1）[①]

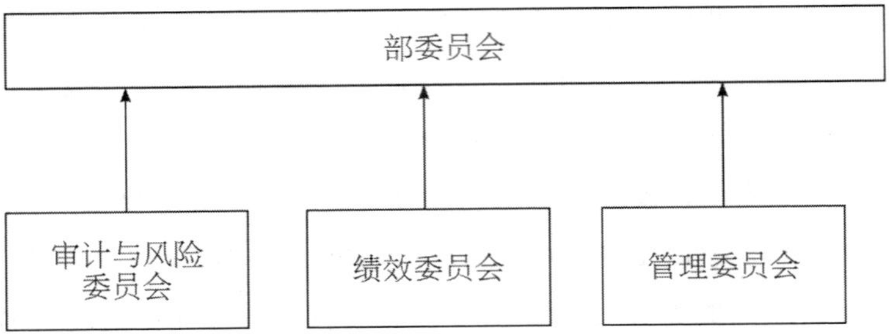

图 2-1　教育部治理结构图

资料来源：DfE. Consolidated Annual Report and Accounts 2016-17 [Z]. London：DfE，2017：41.

教育部的主要治理结构为部委员会（departmental board）[②]。该委员会由教育内阁大臣任主席，成员包括各国务大臣、常务次官、各司司长以及若干名非执行成员等。这个治理结构大致可以分为两个部分，处于最顶层的包括：

• 教育内阁大臣（Secretary of State for Education）兼妇女及平等事务大臣（Minister for Women and Equalities）；

• 学校标准国务大臣（Minister of State for School Standards）兼平等事务大臣（Minister for Equalities）；

---

① DfE. Policy Content [EB/OL]. [2017-08-29]. https://www.gov.uk/government/policies?organisations%5B%5D=department-for-education.

② 英国中央政府各部委都设有部委员会，该委员会负责为部委提供战略领导以及监督和指导部委的工作。每个委员会一般由所在部委的内阁大臣领导，成员包括初级大臣、常务次官以及非执行成员。

· 儿童与家庭事务国务大臣（Minister of State for Children and Families）；

· 大学、科学、研究与创新事务国务大臣（Minister of State for Universities，Sciences，Research and Innovation）；

· 学徒与技能事务国务大臣（Minister of State for Apprenticeship and Skills）兼妇女事务大臣（Minister for Women）；

· 学校系统政务次官（Parliamentary Under Secretary of State for School System）。

在此之下则为常务次官领导的文官管理团队，主要包括：

· 社会关怀、流动与平等司司长；

· 教育标准司司长；

· 基础设施与经费司司长；

· 继续教育与高等教育司司长；

· 首席财务官和运营官（CFFO）；

· 部委员会非执行成员（4名）。[①]

从宪法角度讲，内阁大臣作为部门首长应对其掌管的部门负全责。无论内阁大臣是多么无所事事或是完全听从其下属高官，内阁大巨的这一职责都是不可替代的。[②]

除上述主要成员外，部委员会还接受三个专门委员会的辅助开展工作。其一是审计与风险委员会（Audit and Risk Committee），每年至少召开4次会议，通过对教育部治理、风险管理和内部控制的相关安排进行独立的审查和检查为部委员会提供支持。其二是绩效委员会（Performance Committee），每月召开一次会议，根据教育部实施教育内阁大臣工作重点的相关计划来监测其绩效，并为其实现预定政策目标提供意见。其三是管理委员会（Management Committee），每月召开一次会议，代表部委员会实施日常行政领导与管理，具体涵盖财务绩效、事业规划、人力规划、风险管

① DfE. Our Ministers and Our Management［EB/OL］.［2017-08-29］. https://www.gov.uk/government/organisations/department- for-education.

② 丹尼斯·卡瓦纳. 英国政治：延续与变革［M］. 刘凤霞，张正国，译. 4版. 北京：世界知识出版社，2014：309.

理、部门转型等。管理委员会下辖数据、数字与技术，财务与投资以及人事三个分支委员会。[①]

（二）非内阁部委

非内阁部委（non-ministerial departments）是不由内阁大臣担任部门首长的政府部门（非内阁部门），它们通常是依据法律设立的，并直接对议会负责，以避免政治影响。其部门首长通常为通过选举产生的官员或一个委员会，并具有法定的职责，部门预算由财政部报议会决定，资金来源往往是行政性收费，其雇员属于国家公务员。目前，英国政府中共有20个非内阁部委[②]，其中有关教育方面的非内阁部委主要包括资格与考试管理局（Ofqual）和教育标准局（Ofsted）等。

1. 资格与考试管理局

资格与考试管理局是英国政府于2010年4月根据《2009年学徒、技能、儿童与学习法》（Apprenticeships，Skills，Children and Learning Act 2009）（以下简称"《2009年学徒法》"）的相关规定而设立，并受《2011年教育法》（Education Act 2011）的约束。该局作为一个独立于政府部门的机构，可以直接向议会报告。该局主要负责英格兰地区中小学的资格（qualification）、考试及评价事务，其中包括普通中等教育证书（GCSEs）、高级水平证书（A levels）、高级补充水平证书（AS levels）及各种职业资格证书等各类资格的标准与监管等。该局设在考文垂，目前拥有191名正式职员。

根据《2009年学徒法》的规定，资格与考试管理局采取董事会集体负责为主的公司治理模式。董事会由1名主席，7~12名成员，1名资格与考试管理局首席执行官组成。目前，包括主席及首席执行官在内的董事会13名成员中，包括了独立学校委员会（Independent Schools Council）、美好未来教育信托基金（Bright Futures Education Trust）、评价与资格联盟（Assessment and Qualifications Alliance）、威尔士水务消费者委员会

---

① DfE. Consolidated Annual Report and Accounts 2016–17 [Z]. London：DfE，2017：41.

② UK Government. Departments，Agencies and Public Bodies [EB/OL]. [2017-12-20]. https://www.gov.uk/government/organisations# departments.

（Consumer Council for Water Wales）等多方面的代表。[①]

董事会成员由教育内阁大臣在咨询董事会主席后任命。其中，董事会主席负责该机构的有效战略领导，其主要职责包括领导董事会制定发展战略，促进有效使用人力及其他资源，准备董事会成员的入职、培训和考核，以及不断改善董事会的工作绩效；首席执行官作为资格与考试首席管理者，其主要角色是领导该局成为英格兰地区教育评价标准方面的官方独立监管者，成为沟通该机构、大臣与议会的枢纽，在联系各利益相关者方面发挥领导作用，负责该机构的组织、管理与人事安排以及协调和实施董事会批准的政策与行动。此外，首席执行官还是财政部指定的会计官（accounting officer）。

董事会下设5个常设委员会：

• 审计与风险管理委员会（Audit and Risk Assurance Committee），由董事会任命的2~4名成员组成，负责控制、治理与风险管理事务；

• 标准咨询组（Standards Advisory Group），由董事会任命的2~5名正式成员及若干名独立成员组成，在资格与评价标准方面发挥支持作用；

• 财务委员会（Finance Committee），由董事会任命的2~4名成员组成，主要负责财务方面的工作；

• 改革委员会（Reform Committee），由董事会任命的2~5名成员组成，负责与资格改革有关的工作；

• 职业咨询组（Vocational Advisory Group），由董事会任命的2~6名正式成员及若干名独立成员组成，负责职业资格与评价方面的工作。

按照资格与考试管理局治理框架的要求，董事会成员须遵守《董事会成员行为准则》（Code of Conduct for Members of the Board）。董事会将定期对其自身及下属委员会的工作绩效进行审议，并在资格与考试管理局年度报告中进行说明。[②]

---

① Ofqual. Our Governance [EB/OL]. [2016-07-18].https://www.gov.uk/government/organisations/ofqual/about/our-governance.

② Ofqual. Ofqual Governance Framework [Z]. Coventry：Ofqual，2016：3-50.

2. 教育标准局

教育标准局全称为教育、儿童服务与技能标准局，是英国政府依据《2006年教育与督导法》（Education and Inspection Act 2006）而设立的。

作为一个非内阁部委，该局主要负责儿童与学习者服务的监督和管理，其具体职责包括：（1）对幼儿保育和早期教育服务进行注册登记和监督管理；（2）对儿童和青少年照料与支持的有关安排进行登记注册和监督管理；（3）对所有公立学校和部分私立学校进行督导；（4）对地方当局提供的儿童服务进行督导和评估；（5）对继续教育进行督导；（6）对所有公共资助的成人教育和私人资助的培训服务进行督导；（7）对教师培训进行督导；（8）对儿童与家庭法院咨询和支持服务中心（Cafcass）进行督导；（9）保障任何就读于寄宿学校儿童的福祉。①

作为一个独立的监管部门，教育标准局还负责在其职权范围内提供有关教育服务质量的重要信息。同时，该局还负责就如何确保公共服务“物有所值”以及如何使公共资金得到有效使用提出建议和意见。

教育标准局同样采取董事会负责的公司治理模式。教育标准局董事会于2007年制定了第一版《教育标准局公司治理框架》（Ofsted's Corporate Governance Framework）。此后，教育标准局董事会每年都会根据实际情况审议和修订该框架。最新的一版经2016年12月教育标准局董事会通过，于2017年1月发布。根据该框架的规定，教育标准局董事会由主席、首席皇家督学（HMCI）以及5~10位其他成员组成。《2006年教育与督导法》也确定了教育标准局董事会的职能，即决定首席皇家督学工作的战略重点以及与此战略重点相关的战略目标，同时确保首席皇家督学能够有效地开展工作。②

教育标准局对学校的调查每年达几千次之多，这是教育部判断一个学校是否存在严重不足、是否需要采取特别的措施、学校管理是否基本失败并需要全新改造的重要基础。教育标准局的工作被审计委员会评为最有价值的监督工作后，许多教师都认为应该在地方政府中推广教育标准局的监督工作，

①② Ofsted. Ofsted's Corporate Governance Framework [Z]. Manchester：Ofsted，2017：3-4，4.

教育标准局自身的制度设计也开始在地方政府中推广。①

（三）中央政府与地方政府的关系

长期以来，围绕威斯敏斯特政府和地方民选政府之间的关系一直存在各种争论，也有人将其称之为中央—地方关系。然而在当代英国政治与治理体制多样化的背景下，这种提法已不合时宜。在这种情况下，有人从平等的角度，将地方政府看作中央政府的“伙伴”（partner）；有人从能力与依赖性的角度，将地方政府理解成中央政府的“代理人”（agent）；也有人从从属性的角度，将地方政府称作中央政府在地方利益方面的“监护者”（steward）；还有人从中央和地方层级拥有共享的政策资源的角度，将这种关系看作一种“权力依赖”（power dependence）模式。②

英国中央政府通过议会而拥有了无限的权威和广泛的指导与监督权。其中立法成为中央政府控制地方政府最为直接的根据，并且这一工具使用的频率越来越高，影响力也越来越大。例如，保守党政府在1979年至1997年期间制定了210多项议会法令来影响地方政府，其中至少三分之一都产生了重要而深远的影响。除了运用法律工具外，中央政府部门还给地方政府发布通告，对地方政府如何履行其职能进行建议和指导。这些通告通常被认为是保证中央政府的指导影响更加深远的一种有效方式。但即使发布的通告用意良好，这些通告也形成了中央政府持续有力表明自身存在的一种手段。③

然而，近些年来，地方政府也获得了一些实质性的权力，其中包括与地方政府提供服务的职责相关的自由裁量权、协办权和实验权。当地方政府的优先发展项目和政策与中央政府或其他职能部门发生冲突时，冲突将通过司法审查在法院解决。司法审查自1979年以来发生的频率逐渐增加。1974年司法审查的案例仅为160件，而1995年司法审查的案例上升到4400件。④

---

①③④ 戴维·威尔逊，克里斯·盖姆. 英国地方政府[M]. 张勇，胡建奇，译. 北京：北京大学出版社，2009：177，168-170，171..

② 比尔·考克瑟，林顿·罗宾斯，罗伯特·里奇. 当代英国政治[M]. 孔新峰，蒋鲲，译. 4版. 北京：北京大学出版社，2009：502.

三、地方政府

英国的地方政府（local government）[①]习惯上可以理解为由民选的地方权力机关（或地方议会）所组建的政府组织。[②]英国四个民族的人口分布对其政治产生明显的影响。苏格兰、北爱尔兰和威尔士人口相对较少，很难与占英国总人口80%的英格兰人匹敌。因此，尽管英国中央政府将很多权力移交给了地方政府，但出于多重政治目的，英国社会仍是由英格兰甚至是伦敦占据主导地位。[③]苏格兰和北爱尔兰长期以来拥有自己独特的政治机构。苏格兰、威尔士和北爱尔兰在英国政府内阁中都有各自的大臣。

（一）地方政府体系

按照1972年颁布的《地方政府法》，英国建立了一个两级地方政府体系，分别由39个郡和6个大都市郡构成，此外还有大伦敦区。在6个大都市郡以下又分为次一级的36个区。[④]20世纪90年代后，地方政府变得越来越复杂和政治化。

英格兰的地方政府有两种不同的组织结构。在伦敦的都市区、西米德兰、南约克郡、大曼彻斯特、莫西塞德、泰内与韦尔等地区都有建立已久的单层市区体系。它们负责社会服务、教育以及住房等事务。1996年后，另一些单层权力机构开始运转，它们多位于城市化的地区，市区的扩大使其代替了郡。某些地方郡级当局已经完全消失。[⑤]在1995年至1998年期间，英格兰共建立了46个新的单一层级政府，其治下人口占全英格兰非都市人口的四分之一。[⑥]

---

① 在英国，地方政府主要是指各级议会，议会负责制定和实施各种地方事务。英格兰很多地区具有两级地方政府，即郡议会以及区、自治市（borough）和市议会。在英国其他一些地区只有一级地方政府即“单一当局”（unitary authority）履行所有职能，该单一当局可以是市、自治市、郡议会，或教区（parish）、城镇（town）议会。

② 比尔·考克瑟，林顿·罗宾斯，罗伯特·里奇. 当代英国政治[M]. 孔新峰，蒋鲲，译. 4版. 北京：北京大学出版社，2009：480.

③④ 丹尼斯·卡瓦纳. 英国政治：延续与变革[M]. 刘凤霞，张正国，译. 4版. 北京：世界知识出版社，2014：23，412.

⑤ 迈克尔·希尔. 理解社会政策[M]. 刘升华，译. 北京：商务印书馆，2005：84.

⑥ 戴维·威尔逊，克里斯·盖姆. 英国地方政府[M]. 张勇，胡建奇，译. 北京：北京大学出版社，2009：76.

在英格兰其他地区，郡当局依然存在，主要负责教育和个人社会服务。还有更低一层的区负责住房和其他一些事务。在郡内部还存在第三层的教区议事会，其权力最小。这种机构多属于老的教区，另外一些是先前很有权力的城镇。

苏格兰的地方政府已完全改组，1996年以来，只设一级地方政府。威尔士与之类似，但稍微复杂一些。它的大部分权力都集中在郡或市这一层机构内。唯一例外的社区议事会，类似于英格兰的教区议事会。

北爱尔兰的地方政府几乎被剥夺了所有的重要权力。医疗卫生服务和个人社会服务合并到一起由四个指定的委员会负责。教育由三个独立的教育和图书馆委员会管理。[①]

（二）地方政府的教育管辖权

英国中央政府和地方政府的关系非常复杂。历史上，英国的公共部门始终是中央政府和地方政府相互合作的领域，即中央政府和地方政府是“伙伴关系”。地方政府不享有自治权，但它也不仅仅是一个地方性行政机构。国家立法不仅规定地方当局的权力，而且也做出限定。因此，地方政府有能力制定或完善政策，而不仅仅是政策的实施机构。[②]

英国地方教育管理制度起始于19世纪晚期。1870年《初等教育法》颁布后设立的学区学校委员会（school board）是英国最初的地方教育行政机构。《1902年教育（学校）法》（Education（Schools） Act 1902）提出废除由各学区学校委员会管理初等教育的体制，改由地方教育当局（LEA）管理学校。《1918年教育法》规定地方教育当局具有管理幼儿教育、初等教育和中等教育的权力，此举进一步扩大了地方教育当局的教育管理权。《1944年教育法》提出在教育部长领导和指导下，由地方教育当局提供各种教育和培训，从而确立了“国家系统、地方管理”的教育管理体制。

可以说，长期以来英国大部分学校都归地方政府管辖。它们分布于英国

① 丹尼斯·卡瓦纳. 英国政治：延续与变革[M]. 刘凤霞，张正国，译. 4版. 北京：世界知识出版社，2014：412.

② 迈克尔·希尔. 理解社会政策[M]. 刘升华，译. 北京：商务印书馆，2005：86，238，237-245，84，86.

的各个郡、大都市、单层行政地区（single-tier district）以及伦敦的各个市区。在北爱尔兰，学校由指定的教育和图书馆委员会管辖，然而立法责成地方当局按中央设定的公式为学校提供资金，并把重要的管理职责掌握在地方当局的管理机构手中。[①]而且地方政府的教育管辖权相当全面。就像有学者指出的，假如说英国的卫生和社会公益服务在制度上的整体性不如欧洲大陆国家，那么其教育制度的情况或许更甚。在南欧和中欧许多地方，地方当局负责提供和维护校舍，而中央政府负责雇佣教师。对小学、中学或高中的责任经常分属于不同等级的地方当局。在英国，教育一直是一个地方政府内最大的“挥霍者”，因为一个提供教育的地方当局其实提供了所有的教育服务，从学校的建筑、教师雇佣一直到书籍和铅笔。[②]

但近年来，中央政府的主导作用越来越大，这种伙伴关系显然已被大大削弱了。[③]中央政府试图通过立法和下达大量指导性文件而施行自己的意愿。中央干预是为了实现国家政治目标，以保障中央政策的影响遍布全国。[④]《1988年教育改革法》就是英国地方教育当局发展的重要转折，该法从多个方面极大地限制和削弱了地方教育当局的权力。《1944年教育法》规定了地方政府管辖大部分的教育，教师负责决定课程问题。而《1988年教育改革法》规定了所有国家资助的学校都必须采用国家统一的课程设置，学校还必须提供宗教教育课程。这些措施与《1944年教育法》的核心思想已经分道扬镳。[⑤]英国《1994年教育法》规定，中央政府负责立法和制定国家政策的框架，大臣就政策的全面实施对议会负责，但对学校人员配备和管理则由地方议会负责。在没有任何进一步指导的情况下，这些地方政府可以自行决定何种式样的学校可以构成一套“具有多样性的综合教育制度”。[⑥]但该法也明确要求，教育大臣在中央政府管理和指导之下，确保地方当局有效执行国家政策，为该地区规定一套具有多样性的综合教育制度。

---

①③④ 迈克尔·希尔. 理解社会政策[M]. 刘升华，译. 北京：商务印书馆，2005：86，238，237-245，84，86.

②⑥ 戴维·威尔逊，克里斯·盖姆. 英国地方政府[M]. 张勇，胡建奇，译. 北京：北京大学出版社，2009：132，133-134.

⑤ 迈克尔·希尔. 理解社会政策[M]. 刘升华，译. 北京：商务印书馆. 2005：48.

20世纪80年代至90年代，英国每年平均出台了至少一部教育法，足以证明教育自行处理情况的大量减少是合理的。这种立法带来的冲击极大改变了地方议会的作用，改变了英格兰各郡、伦敦和大城市的区和那些单一当局的地方教育局职能，使它们失去了对工艺学校、高等教育机构和继续教育学院的控制，这些学校大部分成为自治的法人，而地方教育局在学校管理中的作用也急剧下降了。[①]因此，到1998年时，虽然地方教育局继续保留95%的学校，但它们的权力却减少了许多。《1994年教育法》使教育部和地方教育局的合作关系已经成为过去。[②]

（三）地方政府的教育职责

按照《1996年教育法》（Education Act 1996）规定，英格兰地区的地方教育当局主要是指郡议会（county council）、区议会（district council）、伦敦各自治市（London Boroughs）的市议会（borough council）以及伦敦金融城的市议会（Common Council of the City of London）。地方教育当局根据辖区人口的需求，通过提供初等教育、中等教育和继续教育，促进公众的精神、道德、心理和身体发展。地方教育当局有权开办、运营幼儿园（nursery school）、初等学校和中等学校并推动其发展。《1998年学校标准和框架法》（School Standards and Framework Act 1998）还提出，地方教育当局有责任提高初等教育和中等教育的办学标准以及制订教育发展规划。该法也规定，政府有权对没有充分履行职责的地方教育当局进行干预，干预的手段包括调整教育当局的某些管理职能，如对某些学校的管理。

《2004年教育法》（Education Act 2004）通过后，地方教育当局被视为儿童服务当局（children's services authority）。该法要求地方当局整合儿童与青少年教育、健康和社会服务方面的责任。由此地方教育当局也逐步改称为地方当局。

事实上，中央政府和地方政府间的紧张关系只是英国教育体制中争夺权力的一个方面。在地方层面，教育体系的运行会涉及不同的群体，他们极力

---

①② 戴维·威尔逊，克里斯·盖姆. 英国地方政府[M]. 张勇，胡建奇，译. 北京：北京大学出版社，2009：133-134，134，133.

保护自己的特权。大部分地方当局都会指定一个主要由市议员组成的教育委员会。该委员会还包括一些对教育问题感兴趣的其他群体的代表，如教师、教会及地方大学的代表。在有争议的政治问题上，依照惯例，委员会内的非议员成员尽量不加干涉。委员会由一位熟悉教育的官员负责，在其领导下还有一批取得教育资格的官员。①

第三节　非政府部门公共机构

不同的文献和研究对英国的执行机构和公共机构有着不同的表述形式。有人将其称为介于政府机构与非政府机构之间的“中介结构”“缓冲机构”或“半官方机构”。也有人称其为由政府资助、委任并最终控制的“准政府组织”（quango）②，更有人形象地将其称为“一臂之距”③（arm’s length）机构。而国家层面的准政府组织的官方称谓则是“非政府部门公共机构”（non-departmental public bodies）。④它们的主要特征是，虽然被算作政府的组成部分，但它们仍有一定程度的独立性，并不直接向大臣或民选政治家负责。目前，英国政府中共有389个公共机构。⑤

随着许多地方政治职能的减少以及国有工业和机构私有化的扩大，这些半官方机构反而表现得更加活跃。它们参与很多重大决策，包括给大学、中

① 迈克尔·希尔. 理解社会政策[M]. 刘升华，译. 北京：商务印书馆，2005：245.

② “准政府组织”最初是指“准自治的非政府组织”（quasi-autonomous non-governmental organisation）。然而，大多数被冠以“quango”的组织都将纳税人作为其经费来源，并受到政府间接的任命与控制，由此“quango”有时被用以指代“准自治的国家政府组织”（quasi-autonomous national governmental organisation）。

③ 所谓“一臂之距”，原指人在队列中与其前后左右的人保持相同距离，后来指探寻政府在公共服务管理领域“不能不管”和“不能多管”之间的平衡。

④ 比尔·考克瑟，林顿·罗宾斯，罗伯特·里奇. 当代英国政治[M]. 孔新峰，蒋鲲，译. 4版. 北京：北京大学出版社，2009：507.

⑤ UK Government. Departments，Agencies and Public Bodies [EB/OL]. [2017-12-20]. https://www.gov.uk/government/organisations#departments.

心、医院和警局等部门划拨经费预算。这些机构也为大臣们和公务员提供选拔具有相关领域专业知识和丰富经验的领导人才的机会。因而，非政府部门公共机构的发展成为英国公共服务管理领域的重要特色，被英国视作公共服务管理的一个法宝。[①]但也有不少人对此持有相反的意见。约翰·雷德伍德（John Redwood）就认为，政府现在很容易受到非官方机构的诱惑，凡遇到问题就想建立一个非官方机构。如果政府不想为高校拨款数额左右为难的话，那就成立一个"高等教育基金委员会"，让它来处理此类事情吧。[②]这些机构经常被大臣们用作应对不太支持本党之组织的挡箭牌，以推卸因自己的失误或对有关政治敏感问题的错误决策而应承担的责任。这类非官方机构因发挥的作用越来越大而引起多方抱怨，人们对这些未经选举产生、对议会又不怎么负责，却反而享受政治任命待遇的组织机构提出批评。[③]

虽然具有争议，但在英国的教育治理体系中，作为内阁部委的教育部仍经常与一系列的局（agency）和各种公共机构（public body）合作开展工作。这类机构协助教育部实施有关政策、实现预定的目标。这类机构主要包括：执行机构、执行性非部委公共机构、咨询性非部委公共机构和其他机构等。

此外，与教育治理相关的非政府部门公共机构还包括商业、能源与工业战略部属下的一些执行性非部委公共机构，即各研究委员会，主要包括：艺术与人文研究委员会（AHRC）、生物技术与生物科学研究委员会（BBSRC）、经济与社会研究委员会（ESRC）、工程与自然科学研究委员会（EPSRC）、医学研究委员会（MRC）、自然环境研究委员会（NERC）。主要非政府公共机构见表2-2。

① 财政部科教司. 英国教科文领域基本公共服务均等化调研报告[EB/OL]. [2017-11-13]. http://jkw.mof.gov.cn/zhengwuxin xi/tashanzhishi/201006/t20100601_320650.html.

②③ 丹尼斯·卡瓦纳. 英国政治：延续与变革[M]. 刘凤霞，张正国，译 4版. 北京：世界知识出版社，2014：283，135.

表 2-2　英国教育治理中的主要非政府部门公共机构

机构类别	具体机构
执行机构	·教育与技能资助局（ESFA） ·教学监管局（TRA） ·标准与考试局（STA）
执行性非部委公共机构	·建筑业培训委员会（CITB） ·工程建筑业培训委员会（ECITB） ·平等与人权委员会（EHRC） ·学徒研究所（Institute for Apprenticeships） ·LocatED 物业管理公司 ·学生办公室（OfS） ·儿童专员办公室（Office of the Children's Commissioner） ·学生贷款公司（SLC）
咨询性非部委公共机构	·中小学教师审议机构（STRB） ·社会流动委员会（SMC）
其他机构	·抚养和领养独立审查机构（IRM） ·学校事务仲裁员办公室（OSA）

资料来源：UK Government. Departments，Agencies and Public Bodies [EB/OL]. [2017-12-20]. https://www.gov. UK/government/organisations#departments.

一、执行机构

执行机构（executive agency）一般是在内阁部门下为某些特定目的设立的提供服务或履行职能的部门。它们无须通过立法就可以创设或撤销。它们代表其所属内阁部门对外工作，从严格意义上看，它们并不完全独立于其所属内阁部门。它们一般由其所属部门的一名大臣或部长主管，具体工作由部门负责执行工作的首席执行官总负责，并设有委员会指导部门工作。其雇员均属于公务员序列，其资金来源各不相同，有的依靠政府拨款，有的则主要或完全依靠收费，但均需向公众公开财务情况并接受政府审计。

（一）教育与技能资助局

教育与技能资助局是在合并原有教育资助局（EFA）和技能资助局（SFA）的基础上于2017年4月正式成立的，是一个负责向儿童、青少年以及成年人教育与培训提供拨款的机构。

教育与技能资助局作为一个实施机构，在提高教学标准、缩小学业差距、支持儿童、青少年与成年人社会流动等方面具有很大的影响，因而在实现教育部制定的一些教育系统改革关键目标方面发挥着重要的作用。该局不仅每年向教育与培训部门拨款约610万英镑，还要保障公共资金得到合理使用，实现教育大臣确定的工作重点和相关政策。该局还负责监管公立自治学校（academy）、继续教育学院、雇主及培训提供者，以及对可能或已存在的公共资金管理使用不善的情况进行干预。此外，该局还实施“学校资本项目”（School Capital Programmes）、“国家职业生涯服务”（National Careers Service）、“数字化学徒服务”（Digital Apprenticeship Service）、“国家学徒服务”（National Apprenticeship Service）等主要项目和服务。

教育与技能资助局由首席执行官领导，设有干预与青少年资助、国家学徒服务、拨款与项目、资本、公立自治学校与公立学校、交易等六个业务部门。该局还与教育部内外一系列机构进行密切合作，其中包括与教育部基础设施与经费司、继续教育与高等教育司就学校事务以及青少年、成年人、学徒与技能事务进行政策沟通与协调，接受教育部分析、资源与转型司（Insight，Resources and Transformation Directorate）有关会计、支付、不动产及信息技术支持等方面的服务，以及与学徒研究所就保障学徒体系培养质量、与政府所有的物业管理公司就促进自由学校发展、与继续教育专员就16岁后教育与培训的评估等事务进行合作。①

（二）标准与考试局

标准与考试局主要负责组织考试，对学前至义务教育第二学段（Key Stage 2）的儿童开展评价。其具体职能包括开展高质量的国家课程考试以达到资格与考试管理局的相关标准，支持学校开展测试和评价，管理教师评估

① ESFA. Business Plan for the Financial Year 2017 to 2018 [Z]. London：ESFA，2017：9.

材料的提交与审核，开展实习教师的专业技能测试等。

标准与考试局由首席执行官领导，下设评价战略、政策与联络处，考试开发处，考试实施处三个业务部门。在外部治理结构上，首席执行官就该局的绩效、领导与日常管理向教育大臣负责，同时教育标准司司长代表教育大臣行使监管角色。在内部治理结构方面，该局设有执行管理委员会，由首席执行官任主席，成员包括各业务部门负责人，主要负责制订和监督战略规划，监督组织绩效、财务及人力资源的使用，保障内部控制系统的有效运转。①

（三）教学监管局

教学监管局是一个改组新设的机构，原为国家教学与领导学院（NCTL）。国家教学与领导学院旨在招收和培养中小学教师及管理人员，提升其学术水平，以适应学校体系的需求，以及鼓励学校相互帮助不断改进。国家教学与领导学院拥有300余名员工，在伦敦、诺丁汉、考文垂、曼彻斯特、谢菲尔德、达灵顿设有六处办公地点。主要职能包括：确保有足够高质量的学员接受教师培训以满足教育部门的需要，管理教师培训场所的分配及相关经费供大学和中小学开展教师培训，根据政府的有关要求管理早期初始教师培训项目，认定教师专业能力并授予合格教师资格（QTS），帮助学校及其伙伴实施高质量的继续专业发展与领导力培训，促使成功的学校领导和管理人员在校对校帮扶中发挥引领作用。②从2018年4月1日起，国家教学与领导学院终止运行，监管职责转由英国教育部新设执行机构——教学监管局来负责。

二、执行性非部委公共机构

非部委公共机构（Non-departmental Public Bodies）是指在政府中扮演一定角色，但不是政府部委，也不属于政府部委，在运作上享有一定程度自

① STA. Standards and Testing Agency Annual Report and Accounts for the Year Ended 31 March 2017[Z]. London：STA，2017：23-24.

② NCTL. National College for Teaching and Leadership Annual Report and Accounts for the Year Ended 31 March 2016 [Z]. London：NCTL，2016：31.

主权的公共机构。尽管这类机构享有一定自主权，但设立该机构的部委仍应对其行为负最终责任。执行性非部委公共机构（Executive Non-departmental Public Bodies）是依据法律设立，履行行政、监管、商业等方面的职能，且拥有独立的人事与预算，并接受外部审计的公共机构。其雇员一般都不是公务员，管理层一般由主管部委大臣任命或由女王任命。大英博物馆等国家博物馆即是文化、媒体和体育部下设的执行性非部委公共机构。

（一）英格兰高等教育基金委员会

英格兰高等教育基金委员会（HEFCE）[①]依据《1992年继续与高等教育法》（Further and Higher Education Act 1992）第六十二部分的规定，于1992年5月建立，1993年4月1日正式运行。《1992年继续与高等教育法》明确规定了该委员会的职能主要包括：（1）管理公共资金并以此支持高等教育机构和其他组织的教育和科研活动；（2）管理公共资金并以此支持继续教育学院提供的高等教育课程；（3）为商业、创新与技能大臣提供有关教学与科研的各方面信息，其中包括高等教育部门的财务需求；（4）对接受拨款的院校进行教育质量评价。[②]由此可见，该机构负责为英格兰地区的大学和学院提供拨款并对其进行监管。其主要作用是代表学生和公众对大学和学院进行投资，并促进教学、科研和知识交流的卓越与创新。

英格兰高等教育基金委员会同样采取公司治理的模式。该委员会由董事会领导，主要负责采取有效安排，为该委员会的风险管理、治理和内部控制提供保障。同时，董事会还按照内阁办公室的指导意见设立审计委员会。按照《1992年继续与高等教育法》的规定，该委员会董事会主席及成员由教育大臣任命，任期3年。目前，该委员会董事会的组织架构中设有主席1人、首席执行官1人、董事13人（包括两名非执行董事）、评审员1人以及观察

① 根据《2017年高等教育与研究法》（Higher Education and Research Act 2017）的规定，从2018年4月起，英格兰高等教育基金委员会被学生办公室取代。鉴于该机构在相当长的一段历史时期内对英国高等教育治理发挥了独特而重要的作用，本部分仍对其进行概要论述。

② HEFCE. HEFCE Business Plan 2015–2020：Creating and Sustaining the Conditions for a World-leading Higher Education System[Z]. Bristol：HEFCE，2015：20.

员4人（其中包括学生代表1人）。在执行层面，该委员会相关政策的制定与实施由“监管与保障”“研究与知识交流”“大学与学院”“财务”“政策”以及“分析服务”等6个具体部门负责。①

英格兰高等教育基金委员会主要与政府、高等教育机构以及其他伙伴合作开展工作。首先，在政府方面，作为一个非部委公共机构，英格兰高等教育基金委员会在教育大臣制定的政策框架内开展工作，但这并不意味着它仅与教育部打交道。英格兰高等教育基金委员会除了与主管部委教育部保持密切的联系外，还与商业、能源与工业战略部，内政部，社区与地方政府部，卫生部及财政部等其他中央部门合作。虽然教育大臣对该委员会的工作绩效负有最终的责任，但实际上英格兰高等教育基金委员会有其明确的法定职责，而且它也不受政治力量的直接控制。在实践中，英格兰高等教育基金委员会的主管部委主要通过每六年左右签订一次的“框架文件”（Framework Document）②来确定其开展工作的政策框架。同时，教育大臣会在每年致英格兰高等教育基金委员会的拨款函中告知该年度的预算总额及拨款的建议。而英格兰高等教育基金委员会则会就高等教育的拨款和发展需求向政府提出独立的意见。政府也会对该委员会的工作及分配的经费进行问责。

其次，在院校方面，英格兰高等教育基金委员会有三类不同的工作对象。一是英格兰地区主要提供高等教育服务的130所高等教育机构和214所继续教育学院。英格兰高等教育基金委员会通过其六个主要部门与这些院校持续开展对话，并据此向政府提供有关意见。二是所谓的高等教育服务“替代提供者”（alternative providers），英格兰高等教育基金委员会将其界定为：没有直接从该委员会或同等机构获得年度拨款、没有直接获得年度公共拨款，不属于继续教育学院的高等教育服务机构。目前，英格兰地区有115

---

① HEFCE. About HEFCE[EB/OL]. [2017-08-28]. http://www.hefce.ac.uk/about/.

② 由于英国政府改组，教育部与英格兰高等教育基金委员会商定原商业、创新与技能部与该委员会制定的《2012年框架文件》（2012 Framework Document）将继续有效至2018年3月31日。

所这类机构。[1]英格兰高等教育基金委员会一方面负有协助政府监管这类机构的责任，另一方面也直接与这类机构及其代表机构（例如，私立教育协会组织“学在英国”）开展联系以了解其办学情况。英格兰高等教育基金委员会主要通过高等教育提供者注册系统实施监管。该注册系统明确了提供者所拥有的权力及其所受的监管控制。三是高等院校协会组织，包括世界大学网络（WUN）、英国大学协会（Universities UK）、伦敦高校组织（London Higher）、英国艺术与设计院校协会（UKADIA）等19个机构。

再次，在其他伙伴方面，除了政府部门高等教育机构外，英格兰高等教育基金委员会还与一系列基金组织（包括苏格兰、威尔士和北爱尔兰的高等教育基金委员会，以及英国研究理事会、学生贷款公司等政府拨款机构）、监管机构（包括公平入学办公室、质量保证署等）、与高等教育教学相关的组织（包括高等教育学会、英国文化协会等）、与高等教育科研与技能相关的组织（包括英国工业协会、英国就业与技能委员会等）、与高等教育学生相关的组织（包括全国学联等），以及高等教育统计局（HESA）等其他机构发生工作关系。

英格兰高等教育基金委员会的工作主要涉及八个领域：（1）监管与保障，即对所分配的公共资金进行问责，开展教育治理评估，同时也协助政府对高等教育服务“替代提供者”行使有限的监管职能；（2）分析与咨询，即对各个渠道的信息进行分析，深入了解高等教育的发展趋势，发表有关研究结果，服务于政策、决策和高等教育界的讨论；（3）拨款与资助，即在确保公共利益、政策目标的情况下，以有效方式分配高等教育公共经费；（4）技能，即加强高等教育对社会和经济的贡献，与院校和雇主一道通过促进技能发展，提升毕业生的就业能力；（5）科研，即促进和维护科研的活力与国际竞争力，使之为经济繁荣、国家福祉以及知识的扩充与传播做出贡献；（6）教学与学习，即为卓越和创新性的教学进行资助，提供有关教育服务提供者的可靠信息，维护学生的利益；（7）学生入学与学业成功，

---

① HEFCE. Alternative Provider [EB/OL]. [2017-08- 26]. http://www.hefce.ac.uk/analysis/HEinEngland/providers/aps/

即为每一个希望从高等教育中受益的人提供成功参与高等教育的机会；（8）知识交流，即为院校以不同的方式与更广阔的外部世界开展互动合作提供专门资金和支持。

按照其目标表述，“为缔造一个改变生活、巩固经济和丰富社会的世界一流高等教育系统创造和保障条件”，英格兰高等教育基金委员会采取的主要措施包括：（1）对卓越的科研活动、科研合作过程以及世界一流的科研环境与基础设施进行资助；（2）对创新性和卓越的知识交流活动进行资助；（3）激励教学与学习的卓越发展；（4）评估、促进和资助高等教育机构采取最佳措施解决社会流动、入学、在读与学业进步等问题；（5）深入了解所有高等教育提供者所面临的机遇与风险；（6）通过收集、分析和比较数据，形成综合证据，发出有关高等教育的独特而权威的声音；（7）宣传、落实和发展政府政策，使高等教育部门和学生从中受益；（8）成为既能够尊重高等教育提供者自治又能够保障学生利益的、智慧型的高等教育部门首要监管者；（9）与其他有关方面建立伙伴关系，共同影响和带动高等教育投资，并以此实现英格兰高等教育更大的成功。①

（二）学生贷款公司

学生贷款公司成立于1989年，是一个由教育部、苏格兰事务大臣、威尔士议会政府以及北爱尔兰经济部所有的、完全由政府设立的非营利机构。1996年4月，该公司被正式确认为执行性非部委公共机构，主要负责管理英国大学和学院学生的贷款和补助金。学生贷款公司根据《1990年教育（学生贷款）法》（Education（Student Loans）Act 1990）及《1990年北爱尔兰教育（学生贷款）法令》（Education（Student Loans） Northern Ireland Order 1990）开展学生贷款业务。

学生贷款公司董事会负责制定管理和控制该公司的有关制度，保障公司的风险管理和内部控制，并确保公司治理有关安排得到有效落实，由1名非执行董事长、5名非执行董事、1名首席执行官以及1名公司秘书组成。该公

① HEFCE. HEFCE Business Plan 2015–2020：Creating and Sustaining the Conditions for a World-leading Higher Education System[Z]. Bristol：HEFCE，2015：2.

司的执行团队共有6名执行董事，分别负责产品开发与数字客户、运营、信息通信技术、偿还与反欺诈、变革与项目、公司服务等六个业务部门。

学生贷款公司需在该公司与政府达成的“框架文件”约束下运行。目前，学生贷款公司仍沿用该公司2009年与创新、大学与技能部，苏格兰政府，威尔士议会政府，北爱尔兰就业与学习部（DELNI）签订的《学生贷款有限公司：框架文件》（The Student Loans Company Ltd：Framework Document）。文件对学生贷款公司的宗旨、治理与问责、管理与财务责任做出了全面的规定。①

学生贷款公司主要根据相关政策目标，负责管理政府提供的学生贷款，同时负责向一些高等教育和继续教育学习者提供补助金。其具体职责包括：（1）在合适的时间、以适当的方式向所有客户群体提供适当的信息、建议与指导；（2）根据有关学生支持规章和公共政策目标，向希望接受高等教育并符合资格的学生提供财政支持；（3）在英格兰、威尔士和北爱尔兰地区以学费的形式向高等教育机构支付公共资金，同时在英格兰地区还向继续教育机构支付公共资金；（4）代表高等教育和继续教育提供者支付奖学金和助学金；（5）与税务海关总署一道确保如期收回所有贷款；（6）为有关行政机构提供专家咨询和高质量数据信息，以支持其决策和分析。②

三、咨询性非部委公共机构

咨询性非部委公共机构（Advisory Non-departmental Public Bodies）通常由部委依据行政命令设置而无需特别立法，主要负责就部委管辖的相关事宜向部委首脑提供独立的专家咨询意见。此类机构通常没有自身职员，而由主管部委的公务员提供支持。此类机构通常没有部门预算，而由设立它的部委负担其开支。

这类机构中比较典型的如中小学教师审议机构。该机构共有7名成员，

---

① The Student Loans Company. The Student Loans Company Ltd：Framework Document [Z]. Glasgow：The Student Loans Company，2009.

② The Student Loans Company. Annual Report 2015-16 [R]. Glasgow：The Student Loans Company，2016：12.

负责就英格兰和威尔士地区中小学教师工资、专业责任及工作时间等问题与有关教师工会和协会、学校管理机构代表组织及地方当局提供咨询，并向教育大臣及国务大臣提出建议和报告。此类机构的另一个典型是社会流动委员会，其负责监督整个英国社会流动的改善及进展情况，以及促进英格兰地区的社会流动。该委员会由8名来自商界、学界和志愿部门的成员组成，在伦敦设有秘书处。该委员会的主要职能包括：出版年度报告反映英国改善社会流动的进展情况，督促英格兰地区的雇主、行业、大学和中小学校发挥其各自的作用以促进社会流动，开展与社会流动有关的研究并发布研究成果，向国务大臣提供改善英格兰地区社会流动的建议。

第四节　利益集团与媒体

英国自20世纪就形成表达民意的两个主要渠道：一是选民通过选举，选出某个政党作为一个选区代表；二是通过利益集团，这些政治团体由持有相同观点或相同职业背景的个人所组成。①利益集团迄今大都是由志愿者组成的各种协会组织，接纳志同道合的人为其成员，并试图对政府制定政策施加影响。

英国的利益集团大致可分为三类：第一类是倡议型或表态型团体。这类团体大都倡导某些事业，例如支持自由市场观点的亚当·斯密研究所（The Adam Smith Institute），以及主张宪政改革的“宪章88”（Chapter 88）②等组织。第二类利益集团通常以统一职业或共同的经济利益为基础，如各种专业组织、工会及商会等团体。第三类是顶层型利益集团，它们代表的是一系

① 丹尼斯·卡瓦纳. 英国政治：延续与变革[M]. 刘凤霞，张正国，译. 4版. 北京：世界知识出版社，2014：222.

② 英国的一个民间组织，成立于1988年，致力于推动英国的宪政改革与民主进步运动。

列利益集团，其中最典型的是英国工会联盟和英国工业联合会①（CBI）。

目前政府与一些利益集团的协商几乎已发展成为半官方的形式，有些议会法案已明文规定必须与相关利益集团进行协商。一些利益集团也由此在白厅赢得很高的地位和影响力。②因此，利益集团特别是其中的压力集团代表了所有试图影响公共政策而不去寻求政府义务的团体。③

一、教育机构团体

英国拥有形形色色的教育机构利益集团，如基础教育领域的独立学校协会（ISA）、寄宿学校协会（BSA）、天主教独立学校协会（CISC）、穆斯林学校协会（AMS）、英国华文学校联会（UKFCS）、英国国际学校理事会（COBIS）、女子学校协会（GSA）、全国文法学校协会（NGSA）等，以及高等教育领域的英国大学协会（UUK）、高等教育协会④（GuildHE）、"百万加"大学集团（MillionPlus Group）、大学联盟（University Alliance）、伦敦高校组织、1994大学集团（1994 Group）⑤等。它们都在不同程度上为其服务的成员学校机构代言和发声。（参见表2-3）

表 2-3　英国主要教育机构团体

教育团体	成立时间	学校类型	成员数量	代表性成员学校
独立学校协会	1879 年	独立学校	455 个	
全国文法学校协会	1970 年	文法学校	213 个	伊丽莎白女王学校

① 英国工业联合会的宗旨是确保政府理解英国工商业的意图、需求和问题。英国大约有20万家企业，包括大约85%FTSE100指数的公司，以及大约一半FTSE350指数的公司。它们代表英国企业的主流"声音"。

② 丹尼斯·卡瓦纳. 英国政治：延续与变革[M]. 刘凤霞，张正国，译. 4版. 北京：世界知识出版社，2014：225-226.

③ Michael Moran. Politics and Society in Britain [M]. London：Macmillan，1989：121.

④ 高等教育协会原名为高等院校校长常设会议（Standing Conference of Principals）。

⑤ 1994大学集团于2013年解散。

续表

教育团体	成立时间	学校类型	成员数量	代表性成员学校
女子学校协会	1974年	独立寄宿学校	179个	伦敦城市女子学校、爱德华国王六世女子高中
英国华文学校联会	1994年	华文学校	78个	伦敦培英华文学校、格拉斯哥华文学校
英国大学协会	1918年	各类大学、大学学院、高等教育学院	136个	
高等教育协会	1967年	专业性大学	49个	利兹三一大学、温切斯特大学
罗素大学集团	1994年	大型研究性大学	24个	牛津大学、剑桥大学、帝国理工学院
1994大学集团	1994年	小型研究性大学	22个	巴斯大学、圣安德鲁斯大学
"百万加"大学集团	1997年	现代大学	20个	巴斯泉大学、东伦敦大学
伦敦高校组织	1999年	伦敦高校	41个	伦敦大学学院、伦敦国王学院
大学联盟	2006年	技术和专业大学	18个	布莱顿大学、开放大学

（一）独立学校协会

英国独立学校协会成立于1879年，是英国最具历史的独立学校校长组织。该协会注册为慈善机构，目前是英国455所最佳独立学校的代表组织。协会主要向其成员提供高质量的培训课程和会议、网络联系、建议与支持等。

英国独立学校协会的核心机构是执行委员会。该委员会由约30位成员组成，定期开会讨论对独立学校教育影响较大的一些问题，以及如何为成员学校提供更好的服务。此外，该协会还设有8个专门委员会：（1）教育委员会，负责监测独立学校的学术发展，并对成员、政府及其他相关组织的要求做出回应；（2）艺术委员会，负责监督所有艺术活动组织及促进独立学校高标准的艺术和创意教育发展；（3）财务委员会，负责监督协会的财务与投资，并向执行委员会提出咨询和建议；（4）综合委员会，负责制定有关政策和建议并交由执行委员会通过；（5）督导委员会，负责审查督导报告和学校做出的回应，并向成员资格委员会提供继续认证的建议；（6）成员资格委员会，负责审核成员申请，并就认证提出建议交由执行委员会通过；（7）运动委员会，负责监督相关运动活动的组织实施；（8）外部机构代表委员会，作为相关机构的代表。①

（二）英国大学协会

英国大学协会代表着英国大学的声音，其主要宗旨是支持大学的自治和多样性。英国大学协会的前身是英国大学校长委员会（CVCP），其历史可以追溯到19世纪一些大学校长（chancellor）和大学学院院长（principal）的非正式会晤。1918年22位大学校长举行了第一次正式咨询会议。1930年，大学校长们一致同意将此前的安排制度化，成立大学校长委员会，就共同感兴趣的议题开展相互协商。此后，该委员会在20世纪80年代至90年代进行了较大的改革，建立了由选举产生的理事会。1992年新的高等教育法允许多科技术学院（polytechnics）升格为大学后，该委员会成员的数量迅速增加到100所以上。1999年，随着英国中央政府向苏格兰和威尔士权力下放，该委员会又设立了威尔士全国委员会和苏格兰全国委员会。2000年12月1日，该委员会正式改组成为英国大学协会。原来的苏格兰和威尔士全国委员会也分别更名为苏格兰大学协会（Universities Scotland）和威尔士大学协会（Universities Wales）。

① ISA. Committees and Representatives on Other Educational Bodies [EB/OL]. [2017-11-26]. https://www.isaschools.org.uk/ about-isa/committees/.

英国大学协会的组织架构包括：（1）主席，由成员大学选举产生，负责主持成员会议、理事会和执行委员会；（2）理事会，由24人组成，由成员大学选举产生。理事会除主席外，还分设负责苏格兰、威尔士、英格兰和北爱尔兰事务的副主席，以及财务主管和政策网络主管；理事会是英国大学协会的主要决策机构，每年召开5次会议，关注的重点是涉及全英国大学的重要议题；（3）执行委员会，由1位主席、3位副主席及财务主管组成，每年召开4次会议，负责向理事会报告工作；执行委员会代表理事会向首席执行官提供建议和支持，开展日常监督、协调、计划和联络工作；（4）高级管理团队，由理事会任命的首席执行官负责日常的管理和行政工作，其下设有学生事务、科研、拨款、创新与增长、国际事务、健康教育与研究、教师教育、长期战略等专门部门。

英国大学协会的主要任务是推动制定高等教育政策议程，与政策制定者和其他利益相关者直接开展交流，同时为成员提供信息、咨询、建议、研究、分析以及召集各种会议等服务。在此过程中，英国大学协会与政府、私人部门、职业界及有关部门建立了强有力的合作关系。目前英国大学协会的工作重点主要包括：（1）扩大英国大学的影响和价值；（2）促进大学国际化和移民接受高等教育；（3）影响未来的科研政策；（4）丰富学生的学习经历；（5）促进创新、技能和增长；（6）分析英国脱欧对大学的影响。①

值得注意的是，该协会在英国议会中表现活跃。作为英国大学的利益代言者，该协会与议会中有关政党保持着密切的联系，发挥着影响政策变革的作用。其在议会中的主要工作包括：游说议员确保政府和政党制定对大学有利的政策，与重要的议员、顾问、研究人员等保持良好的联系，向有关专门委员会提交书面文件，编制简报为议员在两院辩论提供参考，定期举办有关活动向议会相关人士介绍最新的高等教育动向。目前，该委员会在议会的工作主要围绕高等教育法案和白皮书、英国脱欧与大学发展、移民、技能与经

① Universities UK. Who We Are [EB/OL]. [2017-11-26]. http://www.universitiesuk.ac.uk/about/Pages/what-we-do.aspx.

济增长、全纳、平等和多样性、科学研究等重点问题展开。[①]

二、教师团体

英国的教师团体大多为教师工会组织，主要包括由校长和管理人员组成的学校与学院领导者协会（ASCL），代表中小学教师利益的全国教师联盟（NUT）和教师与讲师协会（ATL），代表大学教师利益的大学和学院联盟（UCU）以及其他各专门性的教师联合组织，如基督教教师协会（ACT）等。

（一）学校与学院领导者协会

学校与学院领导者协会具有悠久的历史，其前身是成立于1874年的女校长协会（AHM）以及成立于1890年的校长协会[②]（HMA）。1977年，上述两个协会合并为中学校长协会（SHA）。20世纪90年代后，随着一些学校的副校长、高级教学辅助人员及管理人员陆续加入该协会，非校长的学校管理人员已占到该协会成员的三分之二。鉴于此，该协会于2006年更名为学校与学院管理者协会。[③]目前，学校与学院管理者协会是英国重要的教师专业团体，代表着全英1.85万所学校和学院领导者的利益，为其成员发声，并代表儿童和青少年采取行动。其目标是成为所有学校、学院和教育系统领导者首选的专业团体，主要职责包括塑造和影响国家教育政策，提供建议、指导与最佳实践，向成员提供法律支持并作为工会的代表，以及实施一流的专业发展服务。

学校与学院领导者协会在组织上由理事会和执行委员会组成。理事会是该协会的决策机构，由其成员选举产生，每学年召开3次会议。理事会下设课程与评价、经费、工资待遇、专业发展、公共关系与议会事务等五个专门

① Universities UK. Our Work in Parliament [EB/OL]. [2017-11-26]. http://www.universitiesuk.ac.uk/our-work-in-parliament/ Pages/work-in-parliament.aspx.

② 该协会最初只服务于文法学校的校长，而后该协会成员资格向所有中学校长（包括《1944年教育法》颁布后成立的现代中学及后来的综合中学）开放。

③ ASCL. History of ASCL [EB/OL]. [2017-11-26]. https://www.ascl.org.uk/about-us/history-of-ascl.html.

委员会。执行委员会负责制定战略规划与协会和理事会决策的具体实施。[①]

（二）教师与讲师协会

建立于1884年的英国教师与讲师协会时至今日已成为代表英格兰、威尔士、苏格兰及北爱尔兰17万余名会员的现代工会。其成员主要包括教师、代课教师（supply teacher）、校长、讲师、教学管理人员和教学辅助人员等。作为教育专业工作者的联盟，英国教师与讲师协会积极活跃于公立学校、独立学校以及16岁后教育与培训部门，与政府和雇主协商维护其会员薪酬、工作条件与职业发展等权益，以其会员丰富的经验来影响教育政策。为在更广泛的工会运动中代表其成员的利益，英国教师与讲师协会于1999年加入英国工会联盟（TUC）。[②]2017年9月，该协会与全国教师联盟合并组成新的全国教育联盟（NEU）。合并后，该协会继续作为全国教育联盟的一个部门和附属机构。

教师与讲师协会在全国层面设有6名官员（即主席、副主席），设有选举产生的执行委员会，委员会共有成员53人（其中包括6名全国官员），通常每年在伦敦召开7次会议，每两年进行一次改选。执行委员会主要通过每年召开大会形成的决议为该协会提供战略方向指引以及指导协会各方面的工作。执行委员会通过一系列聚焦于咨询、运作和政策等不同方面事务的专门委员会开展工作。这些专门委员会负责考虑教师继续专业发展、教师工作条件、独立学校以及特殊教育需求等各种重要问题。

教师与讲师协会目前的工作重点涉及的领域包括：（1）教师工作负担，该协会在大量调研的基础上，形成有关教师工作负担的证据，并以此与主要决策者进行沟通磋商；（2）小学生评价，该协会敦促政府改革小学生评价，并一直开展运动呼吁取消全国考试；（3）学校经费，该协会抗议政府对经费的削减，呼吁政府增加经费来解决教师的招聘和保有问题，改善中小学的师生比。此外，该协会还会针对现实中存在的问题发表声明、表明立场，代

---

① ASCL. Council and Executive [EB/OL]. [2017-11-26]. https://www.ascl.org.uk/about-us/council-and-executive/.

② ATL. Who We Are [EB/OL]. [2017-11-26]. https://www.atl.org.uk/who-we-are.

表其会员对政府的有关政策做出回应，并根据具体的议题开展各种抗议和宣传活动，使政府和整个国家听到他们的声音。①

（三）全国教师联盟

全国教师联盟的前身是1870年6月英格兰和威尔士所有教师建立的全国小学教师联盟（NUET）。当时，根据《福斯特教育法》的规定，由选举产生的地方学校委员会举办小学。1888年，全国小学教师联盟改名为全国教师联盟。全国教师联盟总部位于伦敦汉密尔顿大厦。总部各部门负责政策制定和实施，开展全国磋商，讨论全国性问题，以及为区域机构提供支持等。

经过长期的发展，全国教师联盟已成为英格兰、威尔士、海峡群岛（the Channel Islands）和马恩岛（the Isle of Man）学校教师的工会。该联盟也是英国工会大会（Trades Union Congress）的成员。该联盟只接纳合格的教师为会员。目前，该联盟拥有超过30万名会员，是英国也是欧洲最大的教师工会。全国教师联盟以其所拥有的资源和人员，来满足教师在专业工作各个方面的需求，包括校长、副校长、代课教师和兼职教师等所有教师在某个阶段都可能需要的专业支持、建议和指导。

全国教师联盟的各项政策是由年度大会（annual conference）对各协会、各分支部门和执行委员会（executive）提交的议案进行审议后确定的。大会是全国教师联盟的最高政策制定机构。联盟日常事务的管理机构是执行委员会。该委员会由全国选举产生的37名成员、27名选区选出的成员以及1名黑人选区席位成员（Black Member Constituency Seat）组成。

作为英国主要的专业组织，全国教师联盟在影响国家和地方教育及就业政策方面发挥着主导作用。该联盟在主要的国家教育机构中都有代表。在地方层面，该联盟代表参加各种决策、谈判和咨询机构。联盟就影响教师和学校合同的所有事项向中央政府提出交涉，而且还通过其议会顾问寻求教育立法的影响。全国教师联盟目前关注的主要政策问题包括：教师的公平报酬、教师的工作与生活平衡、反对公立自治学校、废除国家课程考试（SATs）、

① ATL. Policy and Campaign [EB/OL]. [2017-11-26]. https://www.atl.org.uk/policy-and-campaigns.

减轻教师工作量以及课程发展等。①

（四）大学和学院联盟

大学和学院联盟代表英国各大学、学院、监狱、成人教育和培训机构的近12万名学者、讲师、培训师、教师、研究人员、行政管理人员、计算机工作人员、图书管理员和研究生。大学和学院联盟由多个组织长期发展演变而成。1904年，200名技术教师（technical teachers）在伦敦成立技术院校教师协会（ATTI）。而后，1917年15所高等教育机构的代表举行代表大会，并于两年后正式建立大学教师协会（AUT）。1976年，技术院校教师协会与其他有关机构合并重组为全国继续和高等教育教师协会（NATFHE）。2006年，大学教师协会与全国继续和高等教育教师协会合并成为大学和学院联盟。

大学和学院联盟的最高决策机构是年度大会。该联盟年度大会包括联盟继续和高等教育部门会议的单独年度会议，并在其中决定这些领域的一些特定的政策。在需要确定紧急政策的情况下，也可以召开特别部门会议。此外，该联盟还举行了苏格兰大会和威尔士大会等会议，讨论和决定有关下放政策问题。该联盟还设有全国执行委员会（NEC），由全国和地方选举产生的成员组成，主要负责大会闭会后联盟的日常事务。全国执行委员会还下设有高等教育委员会、继续教育委员会、战略与财务委员会、教育委员会、平等委员会以及招聘、组织与活动委员会等6个专门委员会。

大学和学院联盟在一些共同关注的问题上与全国教师联盟、全国校长协会暨女教师联盟（NASUWT）、教师与讲师协会以及英国公共服务业总工会（UNISON）等其他工会密切合作，通常在就业和教育问题上对政府和其他机构进行游说。②

---

① NUT. About the NUT [EB/OL]. [2017-12-11]. https://www.teachers.org.uk/members-reps/your-union/about-the-nut.

② UCU. About UCU [EB/OL]. [2017-12-11]. https://www.ucu.org.uk/article/1685/About-UCU.

三、学生团体

英国全国学生联盟（NUS）是于1922年第一次世界大战中为谋求和平而建立的学生组织。其创立者最初的愿望是使该组织代表英国成为设在布拉格的国际学生联盟（International Confederation of Students）的一员。

该组织成立后很快从最初的理想主义目标转为更为实际的目标。该组织认为国外旅行是该组织与其他联盟开展合作的一个重要组成部分，于是从20世纪30年代起，该组织设立NUS旅行社，并由此开始了它的商业活动。1965年，该组织又成立专门的学生保险公司。20世纪60年代末，该组织在对其章程和工作重点进行反思的基础上，不再采取“非政治”的立场，由此开始成为争取社会正义的重要力量，也成为英国教育压力集团中的一个重要领导力量。英国全国学生联盟在维护学生利益方面比较有代表性的行动包括：1983年该组织挫败了政府征收学费的举措，2007年该组织迫使汇丰银行（HSBC）放弃试图终止学生免息透支的计划。①

英国全国学生联盟的主席和副主席由全国大会选举产生，任期一年。目前，该组织设有主席1名，负责继续教育、高等教育、社团与公民身份、联盟发展及福利事务的副主席5名，负责协调苏格兰、威尔士等地区的学生事务的全国事务官7名，负责女性、黑人、残疾人以及同性恋、双性恋和变性者（LGBT）学生事务的解放事务官（Liberation Officer）6名，另设负责国际合作的部门事务官（Section Officer）1名。②

英国全国学生联盟主要在继续教育、高等教育、社团与公民身份、联盟发展以及学生福利等5个政策领域开展工作，每个领域由1名副主席领导，就与学生有关的重要议题开展研究和讨论，形成工作方案并组织实施。该组织还领导了针对黑人学生、残疾学生、同性恋学生、变性学生和女性学生这几类群体的解放运动，每年定期召开会议，决定有关政策。

---

① NUS. A Brief History [EB/OL]. [2017-11-16]. https://www.nus.org.uk/en/who-we-are/our-history/a-brief-history/.

② NUS. How We Work [EB/OL]. [2017-11-16]. https://www.nus.org.uk/en/who-we-are/how-we-work/.

四、媒体

在现代社会中媒体正发挥着越来越重要的作用，它向人们提供用来诠释和理解他们的日常经验的观念和形象。[①]绝大多数人是通过大众传媒即报刊、广播和电视等获得有关政治方面的信息。媒体对各种新闻不单是进行报道，还要对其附加各种评论。媒体可以帮助受众设定议题，也可以引导大众舆论和塑造政治人物的公众形象。正如一位政治家所说："如果媒体对此事没有报道，此事就像没有发生一样。"[②]

包括各种报纸杂志在内的纸质媒体在英国的社会生活中的作用尤为突出。与其他国家相比，英国人订阅报纸的比例要高得多。英国现有《泰晤士报》《独立报》《卫报》《金融时报》《每日快报》《每日邮报》等多家全国性的日报，英国将近五分之四的家庭订阅至少一份日报，在15岁及以上的人口中，有四分之三的人自称在坚持阅读一份报纸。[③]这些纸质媒体不断塑造和影响公众对社会政治的理解与态度。有研究表明，从长期效应看，报刊的确能够影响人们的政治见解。在20世纪70年代和80年代，各种报刊持续存在的党派倾向性现象以及针对工党的反复负面报道，都有可能促使选民对工党的政策产生更多的抵触情绪，扩大了工党的负面形象。[④]

媒体也是英国各种利益集团发挥其作用的重要渠道。各利益集团大都会争取媒体舆论的支持，在比较有权威的报纸上发评论，如《泰晤士报》《卫报》《每日电讯》和《独立报》。此外，利益集团还会选择一些专业期刊，像针对教师发行的《泰晤士教育副刊》（TES），以医生为读者的《柳叶刀》（The Laucet）和《英国医学杂志》（The BMJ），以及读者广泛的《经济学家》（Economist）等，来表达自己的意见。刊登在《每日镜报》或《每日邮报》这类得到政府信赖的报纸上的评论文章，通常都会对工党和保守党的大臣们产生一定影响。[⑤]

---

① 比尔·考克瑟，林顿·罗宾斯，罗伯特·里奇．当代英国政治[M]．孔新峰，蒋鲲，译．4版．北京：北京大学出版社，2009：248．

②③④⑤ 丹尼斯·卡瓦纳．英国政治：延续与变革[M]．刘凤霞，张正国，译．4版．北京：世界知识出版社，2014：252-258，231．

教育领域非常具有代表性的《泰晤士教育副刊》杂志，其前身为著名的《泰晤士报教育副刊》。该副刊最初是《泰晤士报》可拆取下来单独保存的周刊，于1910年正式出版，1914年该刊成为独立的出版物。其主要受众是英国的教师，以刊发与学校教育有关的新闻和评论为主要特色。该杂志中的高等教育部分于1971年独立成为《泰晤士报高等教育副刊》（Times Higher Education Supplement），并于2008年1月改名为《泰晤士高等教育》（Times Higher Education）杂志。而《泰晤士教育副刊》杂志后来又于2004年和2007年衍生出面向苏格兰和威尔士的《苏格兰泰晤士教育副刊》（TESS）及《威尔士泰晤士教育副刊》（TES Cymru）两个新杂志。《泰晤士教育副刊》杂志的读者群体原来主要是私立学校和文法学校的教师。20世纪后，该杂志读者群体不断扩大。根据2012年英国全国读者调查（NRS）的数据，TES杂志年均读者数为36.2万人①，其中90%为A、B和C1级②的读者。该杂志一直紧扣教育领域的热点问题。20世纪70年代，该杂志对综合学校改革持积极的支持态度。80年代，该杂志日益关注有关限制教师权力的政治改革。

---

① IFL EAST. TES–The Number One Education Magazine in the UK [EB/OL]. [2017-12-20]. https://www.ifleast.org/portfolio-item/times-educational-supplement-tes-global/.

② 英国全国读者调查将读者分为五个层次：A为上层中产阶级，B为中产阶级，C1为下层中产阶级，C2为有技术的工作阶级，D为普通工作阶层，E为非工作阶层。

第三章　英国教育治理的国际视角

传统而言，治理与政策往往属于民族国家内部范畴。然而，全球化的深入发展使得治理的格局和政策的范围都发生了新的变化。英国著名政治学者奈杰尔·福尔曼（F.N. Forman）和道格拉斯·鲍德温（N. D. J. Baldwin）在《英国政治通论》（Mastering British Politics）一书的序言中指出，国家管辖权面临着内部和外部的挑战，国家的传统能力遇到了主要在全球媒体和金融市场上出现的新的权力中心的挑战……政府和政治日益国际化。①这其中，尤其是国际组织对民族国家教育治理的影响与作用越来越引人瞩目。对此，英国教育政策专家斯蒂芬·鲍尔（Stephen Ball）也曾作出一段非常经典的论述："教育改革如同本杰明·莱文（Benjamin Levin）所称的'政策流行病'（policy epidemic）②一样席卷全球。盘根错节的改革理念通常是不稳定和不平衡的，却具有不可遏止的态势；它在不同的社会和政治环境中，在不同的历史背景下，渗透并改变着不同的教育制度。这种'流行病'通过一些强力机构（如世界银行和经合组织等）而得到传播。"③在影响英国教育治理的国际组织中，欧盟和经合组织最具代表性。尽管在欧盟和经合组织的影响下，英国并没有发生像德国和瑞士那样重大的教育体系重组，但的确也给其教育体系带来了很多变化。④

---

① 奈杰尔·福尔曼，道格拉斯·鲍德温. 英国政治通论[M]. 苏淑民，译. 北京：社会科学文献出版社，2015：1-2.

② Benjamin Levin. An Epidemic of Education Policy：What Can We Learn for Each Other?[J] Comparative Education，1998，34（2）：131-142.

③ Stephen J. Ball. The Teacher's Soul and the Terrors of Performativity [J]. Journal of Education Policy，2003，18（2）：215.

④ Philipp Knodel. On Silent Wings–PISA，Bologna，and the Debate about Internationalization in England [M] // Kerstin Martern，Philipp Knodel and Michael Windzio（eds.）. Internationalization of Education Policy：A New Constellation of Statehood in Education? Basingstoke：Palgrave Macmillan，2014：142.

第一节 欧盟与英国的教育治理

在与英国治理相关的国际与区域组织中，欧盟无疑是重要和无法回避的组织。正如有学者指出的，任何有关政治制度的教科书都不能忽视英国作为欧盟成员国的地位，否则就不能正确和全面地反映当今的政治现实。[①]也有学者提醒，不应低估欧盟对英国政府的影响。在行政层面上，大多数英国高级大臣和许多高级公务员每个月都要花很多天时间来布鲁塞尔参加欧盟会议。他们剩下的大部分时间都回到威斯敏斯特和白厅，处理与欧盟议程有关的问题。更重要的是，在政策层面，英国政府受到欧盟体系政策的严重制约。尽管英国政府在决定公共支出的大部分领域仍然拥有主权，例如社会保障、医疗保健、交通和公共住房等，但是这只是政策制定的一个方面。在监管领域，超过80%的管理英国市场货物、服务和资本的生产、分配和交换的规则由欧盟决定。在宏观经济政策领域，尽管英国不是欧洲单一货币的成员，但欧洲中央银行和部长理事会的决定对英国的货币、财政和就业政策具有直接影响。在外交和国防政策领域，英国受其在欧盟共同外交和安全政策下的承诺的约束。[②]或许也正是这些束缚以及长期以来形成的“积怨”成为英国脱欧情绪不断累积的原因之一。

在教育和职业培训领域，欧盟的政策和影响以及成员国间的合作经历了一个从无到有、从少到多的发展历程。[③]在脱欧之前，作为欧盟成员国的英国也是欧盟教育治理的一个组成部分，英国与欧盟诸多的互动与联系对其国内的教育政策产生了影响。即使在英国完成脱欧谈判程序正式退出欧盟以后，这种影响可能仍会以不同的形式和程度持续相当长时间。

---

① 奈杰尔·福尔曼，道格拉斯·鲍德温. 英国政治通论[M]. 苏淑民，译. 北京：社会科学文献出版社，2015：453.

② John Greenwood，Robert Pyper and David Wilson. New Public Administration in Britain [M]. 3rd. ed. London：Routledge，2002：195.

③ 胡伯特·埃特尔，喻恺. 欧盟的教育与培训政策：五十年发展综述[J]. 教育学报，2009，5（1）：113.

一、欧盟的教育治理机制

欧盟是全球治理特别是区域治理的典范，它在《马约》签订后就逐渐走上了一条从政府统治到“没有政府”的治理之路。[①]研究欧盟治理问题的著名专家贝阿特·科勒-科赫（Beate Kohler-Koch）曾指出：欧洲共同体是一个“特殊”政体，一种远远超出国际组织，但又不符合联邦国家思想的政治体制。实际上，欧洲一体化已经以两种不同的方式使其超越民族国家：第一，通过扩展超越主权民族国家边界的政治范围；第二，通过构建一种现在不是、在可以预见的将来也不会替代民族国家的政治体制。这种“特殊体制”的一个最典型的特征就是没有通过政府进行治理。贝阿特·科勒-科赫还总结了欧盟治理的四种模式：第一，“国家主义”，它以多数规则为基础，依靠对“共同目标”的忠诚来维护；第二，“团体主义”，它包括不同社会利益，它们在同一结构中寻求共同的利益；第三，“多元主义”，它将多数规则和个人对利益的追求结合在一起；第四，“网络治理”，其基础也是利己的行为体，目的在于在谈判过程中“增加共同利益”。[②]

（一）“软法”治理

自建立之初，教育本来不在欧盟的政策议程之中。但在实践中，欧盟采取的是更为灵活的“蚕食”策略。有学者将这种欧盟逐渐将传统上的国家事务领域纳入其职权范围的过程形象地称为“渐进式权限”（creeping competence）[③]。因此，到了20世纪90年代，欧盟及其成员国在包括教育在内的几乎所有的欧洲政治生活事务领域都共同享有职权。[④]而且有人还认为，

---

① 俞可平. 全球化背景下的治理、善治和全球治理[R]. 台北：财团法人夏潮基金会，2001：14.

② Beate Kohler-Koch. The Transformation of Governance in the European Union [M]. London：Routledge，1999：2-8.

③ Mark A. Pollack. Creeping Competence：The Expanding of the Agenda of the European Community[J]. Journal of Public Policy，1994，12（2）：95-145.

④ Peter Maassen and Christine Musselin. European Integration and Europeanisation of Higher Education[M]. // Alberto Amaral，Guy Neave，et al（eds.）. European Integration and the Governance of Higher Education and Research. Dordrecht，Heidelberg，London and New York：Springer，2009：4-5.

直至今日欧盟在教育方面的职权还是被严重低估了。①英国官方对此也有明确的认识。英国议会曾发表报告指出，欧盟教育合作主要通过“开放协调法”（OMC）的框架进行，该框架依赖于政府间“软法”（soft law）机制，如指导意见、基准（benchmarking）和最佳实践（best practice）等。②

1. 辅助性原则

1957年奠定欧共体之基的《罗马条约》（The Treaty of Rome）所强调的是建设一个更紧密的经济联盟，教育合作并非主要目标，因此除了提到一点职业培训外，该条约根本没提及教育。③如果说《罗马条约》在教育治理上尚存在空白的话，那么1992年《马约》提出的“辅助性原则”（the principle of subsidiarity）则确立了关于欧盟不同层次治理中职能、责任和权力分配的核心原则。④《马约》确认教育领域是各成员国的职权范围，共同体不谋求各国教育系统的统一，也不会实施建立欧洲教育模式的共同政策。1992年10月27日，欧盟委员会在一份通报中强调指出，在教育、文化和卫生等领域，共同体行动所发挥的是一种补充性的作用。⑤《马约》特意去除了统一的教育政策。共同体行动的主要目的仅仅是补充和支持国家措施。因此，与共同农业政策或竞争政策不同，教育仍处于共同体管辖权范围之外，共同体行使的只是所谓的“补充性”（complimentary）权力。

2. 开放协调法

相比之下，2000年欧洲理事会里斯本峰会提出的“开放协调法”更具创

---

① Sacha Garben. EU Higher Education Law：The Bologna Process and Harmonization by Stealth[M]. Alphen aan den Rijn，The Netherlands：Kluwer Law International，2011：223.

② UK Parliament House of Lords European Union Committee. The Modernisation of Higher Education in Europe：27th Report of Session 2010–12 [Z]. London：The Stationery Office Limited，2012：7.

③ John Banks. European Co–operation in Education[J]. European Journal of Education，1982，17（1）：11.

④ Johan P. Olsen. Europe in Search of Political Order：An Institutional Perspective on Unity/Diversity，Citizens/Their Helpers，Democratic Design/Historical Drift，and the Co–Existence of Orders[M]. Oxford：Oxford University Press，2007：236.

⑤ Commission of the European Communities. The Principle of Subsidiarity：Communication of the Commission to the Council and the European Parliament[Z]. SEC（92）1990 final，1992.

意。而且，“开放协调法”正被应用于包括养老改革和教育政策等在内的新领域。①“开放协调法”赋予欧盟委员会一系列新的职能：

• 在制定欧盟指导意见并将其转为国内和地区政策过程中，对各政府间机构进行协调；

• 为实现协商一致的愿景而制定具体的可测量的目标；

• 采取措施和制定实施时间表，通过指标和基准等形式就各成员国的情况与非欧盟的国际竞争者进行比较；

• 通过定期监测和同行评议对实施进展进行评估。②

这种方法随后很快也付诸实践。欧盟部长理事会2009年制定的《欧盟教育与培训合作战略框架》（Strategic Framework for European Cooperation in Education and Training）即“教育与培训2020目标”就设定了4项战略目标及多项参考基准。③（参见表3-1）欧盟委员会还从2012年起对该战略框架的实施情况进行监测，发布《教育与培训监测报告》（Education and Training Monitor）及国别分析报告④。“开放协调法”根据短期、中期和长期目标，制定指导意见，在适当的情况下设计符合不同成员国比较最佳实践需求的指标和基准，将欧盟的指导意见转化为国家政策，以及在定期监测、评估和同行评议基础上建立起相互学习的过程，具有适于每个特殊政策领域的优势。很多有关欧盟的研究都将“开放协调法”形容为一种“软法”。这表明欧盟在成员国的教育合作上从此前的“行动项目方式”（action programme

① Dermot Hodson and Imelda Maher. The Open Method as a New Method of Governance：The Case of Soft Economic Policy Co-ordination[J]. Journal of Common Market Studies，2001，39（4）：725.

② George Pasias and Yannis Roussakis. Towards the European Panopticon：EU Discourses and Policies in Education and Training 1992–2007 [M]. //Robert Cowen and Andreas M. Kazamias（eds.）. International Handbook of Comparative Education. Dordrecht：Springer，2009：490.

③ The Council of The European Union. Council Conclusions of 12 May 2009 on a Strategic Framework for European Cooperation in Education and Training（‘ET 2020’）[Z]. Official Journal of the European Union，C 119. 2009/05/28：2-8.

④ 最新的英国分析报告可参见：European Commission. Education and Training Monitor 2018：United Kingdom [Z]. Luxembourg：Publications Office of the European Union，2018.

approach）转向“基于权限的模式”（competence-based model）。[①]

表 3-1　欧盟 2020 年教育与培训目标和基准

目标	基准
·使终身学习和流动成为现实 ·改善教育与培训的质量和效率 ·促进平等、社会团结和积极公民态度 ·推进各个层面教育与培训的创造性、创新性和创业精神	·早期幼儿教育参与率达 95% 以上 ·阅读、数学和科学能力低下的 15 岁学生控制在 15% 以下 ·教育与培训系统将 18~24 岁学生辍学率控制在 10% 以下 ·30~34 岁适龄人群中完成某种形式高等教育者达 40% 以上 ·参与终身学习的成年人达 15% 以上 ·20% 以上的高等教育毕业生和 6% 以上的 18~34 岁具有初始职业资格的青年人在国外从事一段时间的学习和培训 ·20~34 岁毕业生就业率达 82% 以上

资料来源：European Commission. Strategic Framework–Education and Training 2020 [EB/OL]. [2017–12–20]. https://ec.europa.eu/education/policy/strategic–framework_en.

（二）“硬法”治理

英国宪法的渊源之一就是欧盟法，其主要法源除了议会权力、君主立宪、法律规定外，欧盟成员国法律也是重要的组成部分。英国议会自1972年通过《欧洲共同体法》[②]以后，即承认欧共体法的最高地位。英国法院可以根据欧共体法律审查议会立法。[③]英国的欧盟成员国身份对英国的宪法及政

① George Pasias and Yannis Roussakis. Towards the European Panopticon：EU Discourses and Policies in Education and Training 1992–2007 [M]. //Robert Cowen and Andreas M Kazamias（eds.）. International Handbook of Comparative Education. Dordrecht：Springer，2009：490.

② 该法被后来的《单一欧洲法》（1987年）和《欧洲共同体法（修正案）》（1993年）替代，最终体现为《欧盟法》并付诸实施。

③ 丹尼斯·卡瓦纳. 英国政治：延续与变革[M]. 刘凤霞，张正国，译. 4版. 北京：世界知识出版社，2014：56.

策制定过程都有一定的影响。法律的有些方面是由欧共体决定的，英国议会的作用限于行政性的实施。[①]

欧洲联盟法的法律渊源主要分为基本渊源和派生渊源，此外还包括其他一些特殊的渊源。[②]这套法律体系为包括教育一体化在内的欧洲一体化发展以及欧盟内部和成员国的活动方式提供了法律依据。

1. 基础性法律

基础性法律是欧盟成员国之间通过多边谈判、协商而达成的关于欧洲共同体和欧洲联盟的基础条约和后续条约，也是欧洲联盟法律体系中最重要、最根本的内容。这些基础性法律对各成员国具有直接约束力。基础性法律中最主要的部分是欧洲国家在建立国家联盟时签订的条约，这其中包括建立欧洲各共同体的三个基础条约（founding treaties）：1951年的《巴黎条约》即《建立欧洲煤钢共同体条约》[③]，1957年的《罗马条约》即《建立欧洲经济共同体条约》[④]和《欧洲原子能共同体条约》，以及1992年建立欧洲联盟的《马约》即《建立欧洲联盟条约》。经多次修订后，现行的欧盟基础条约主要包括《欧洲联盟条约》和《欧洲联盟运行条约》（Treaty on the Functioning of the European Union）等。从法理上讲，这些基础条约往往被视为宪章性条约，是一种类似国内法中宪法性质的法律文件。

2. 派生性法律

派生性法律是指根据基本条约所赋予的权限，由欧盟理事会和欧盟委员会所制定和颁布的一系列规范性法律文件。通常情况下，欧盟理事会和欧盟委员会只有在“有利于发挥欧盟的职能作用”“与基本条约的规定相符”以及“在基本条约赋予权限范围内进行”的条件下才可能制定派生性法律。派生性法律在欧盟法律秩序中占有十分重要的地位，其主要形式包括四

---

① 迈克尔·希尔. 理解社会政策[M]. 刘升华，译. 北京：商务印书馆，2005：89.

② 曹建明. 欧洲联盟法——从欧洲统一大市场到欧洲经济货币联盟[M]. 杭州：浙江人民出版社，2000：33.

③ 该条约于1951年签署，1952年7月24日生效，有效期50年。2002年7月23日到期后，欧洲煤钢共同体并入欧洲共同体，相关事项先由《欧洲共同体条约》调整，现由经《里斯本条约》修订后的《欧洲联盟条约》和《欧洲联盟运行条约》调整。

④ 该条约经《马约》修订后改称《欧洲共同体条约》，经《里斯本条约》修订后改称《欧洲联盟运行条约》。

种。（1）“条例”（Regulation），是指在欧盟整个范围内可直接和统一适用的规定，相当于成员国国内法律体系中的法律。条例具有普遍适用性和统一的约束力，它在生效后无需成员国立法机关将其转换为国内法，即对各成员国具有直接约束力。这类法律包括《关于工作者在共同体内自由流动的条例》（Council Regulation No. 1612/68/EEC）等。（2）“指令”（Directive），是为履行与欧盟有关的条约上的义务而做出的对特定成员国有约束力的、并指令特定成员国通过国内程序将指令内容转换为国内立法以履行该义务的规定。这类法律包括《有关学生居留权的指令》（Council Directive 90/366/EEC）、《对完成至少三年专业教育与培训而获得的高等教育文凭实行认可的一般体系的指令》（Council Directive 89/48/EEC）等。（3）“决定”（Decision），是一种执行决议，是执行欧盟法令的一种行政措施，目的在于提高欧盟法令的公开性和透明度，约束有关成员国、公司或个人。可见，决定具有与条例相类似的效力，但它的适用范围却与条例不同。（4）“建议”（Recommendation）和“意见”（Opinion），不具备任何法律约束力，仅作为欧盟立法趋势和政策导向，仅供成员国参考。但这并不意味着此类法律在欧盟立法程序中无足轻重。

3. 不成文法

在欧盟法律体系中法的一般原则和判例作为不成文的法律也占有重要的地位。法的一般原则主要从成员国的法律秩序中共同的原则或观念中引申出来，构成一切成员国共同的法律基础，因此与基本法律一样，这些一般原则对各成员国也具有直接约束力。这些基本原则主要包括：保护人权、言论自由、行动自由、宗教自由、尊重个人隐私、财产保护、贸易自由、信息保护和安全原则、相称原则、平等无歧视原则。同时，在英国和爱尔兰加入欧共体后，受普通法系影响，欧盟法院在其判决中经常提及过去的判例，并通常遵循其先前确立的判例，且从不明确地推翻其过去的决定，构成事实上的法律渊源。作为辅助性的法律渊源，欧盟法院判例的重要程度因欧盟立法的特点而异，欧盟立法越笼统，欧盟法院通过解释、创立补充性原则的余地就越大。[①]这类判例包括“瓦伦蒂娜·内里（Valentina Neri）诉欧洲经济学院（ESE）案”（Case C-153/02）、“弗朗索瓦·格拉威尔（Françoise Gravier）诉比利时列日市（City of Liège）案”（Case 293/83）等。

二、欧盟的教育治理方式

欧盟对教育的治理传统上以“辅助性”教育行动计划为主要方式，近年来则更加强调采取具有“一体化”色彩的政策趋同的方式。其中，高等教育领域的“伊拉斯谟计划”（Erasmus Program）和“博洛尼亚进程”（Bologna Process）是最典型的代表，而且都对英国产生了不同程度的影响。英国议会上院欧盟委员会曾专门发表报告称，“虽然欧盟在高等教育中的正式角色是有限的，成员国对其大学负有主要责任，但我们认为它仍然在很多方面为这一领域增加了价值，特别是通过伊拉斯谟学生流动计划”。同时，“由于博洛尼亚进程使欧洲高等教育系统更加一致，欧洲之外的大学发生了重大变化……虽然联合王国已经遵守了博洛尼亚进程的许多特点，而且我们的许多证人都对其原则上的作用持肯定态度，但我们形成的印象是政府和许多大学尚未意识到并充分接受其潜在利益”。[②]

（一）行动计划

20世纪70年代后，欧盟在教育领域推出了一系列重要的行动计划。这些行动计划中最成功的、也是欧盟最引以为豪的就是促进学生和教师跨国流动的伊拉斯谟计划。自1987年推出以来，伊拉斯谟计划不仅使学生数量不断增加，而且还提升了所提供的流动活动的质量和多样性。该计划推出之初，仅有11个欧盟成员国的3200余名学生参与。而到2013—2014学年，该计划已覆盖全部28个欧盟成员国，以及冰岛、列支敦士登、挪威、瑞典、土耳其和前南斯拉夫马其顿共和国。仅在2013—2014学年，欧盟的伊拉斯谟计划预

---

① 曹建明. 欧洲联盟法——从欧洲统一大市场到欧洲经济货币联盟[M]. 杭州：浙江人民出版社，2000：33-42.

② UK Parliament House of Lords European Union Committee. The Modernisation of Higher Education in Europe：27th Report of Session 2010–12［Z］. London：The Stationery Office Limited，2012：5.

算就超过5.8亿欧元，受资助出国留学的学生和教师分别达到25.2万人和5.7万人。[①]详见图3-1和图3-2。

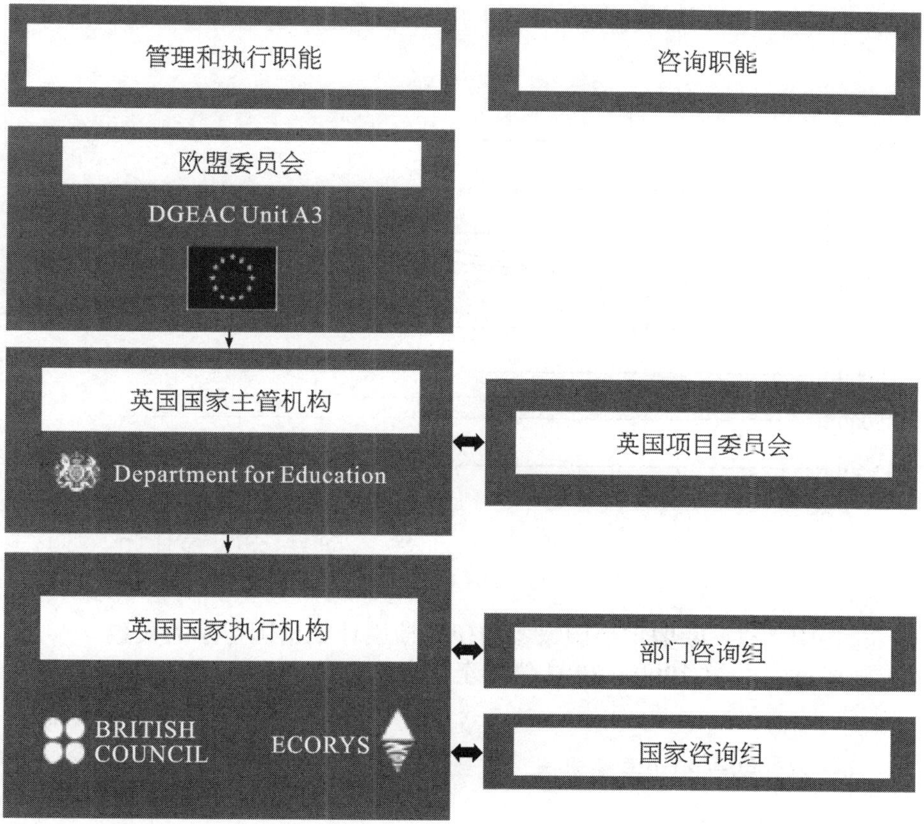

图 3-1　英国参与实施伊拉斯谟计划的组织架构图

作为伊拉斯谟计划的参与国，英国建立了由多个政府和非政府机构协调发挥作用的组织架构。从管理和执行职能的角度，与欧盟委员会相对应，英

① European Commission. Erasmus Facts，Figures & Trends：The European Union Support for Student and Staff Exchanges and University Cooperation in 2013-2014 [M]. Luxembourg：Publications Office of the European Union，2015：6.

国教育部作为国家主管机构负责政策沟通和协调，同时英国文化委员会和ECORYS公司负责具体执行。在咨询职能方面，英国还通过项目委员会以及部门咨询组和国家咨询组分别向国家主管机构和国家执行机构提供相关咨询建议。

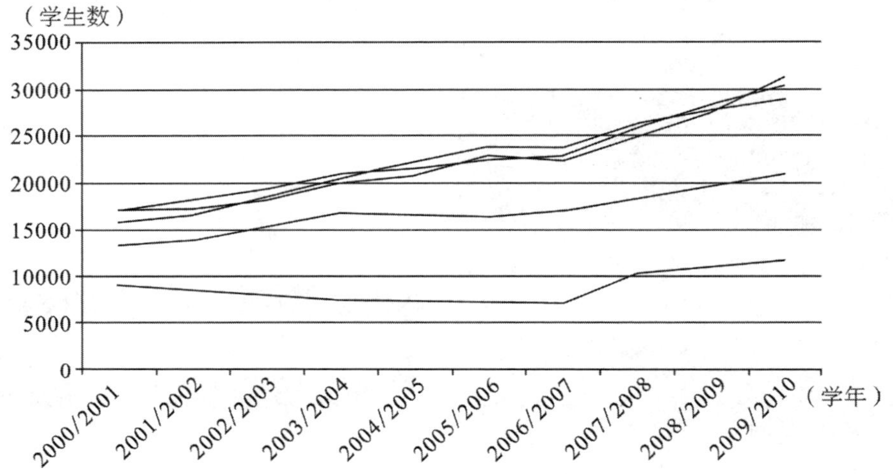

图 3-2　欧盟主要国家参与伊拉斯谟计划出国留学的人数
（2000—2001 学年至 2009—2010 学年）

注：以2009—2010学年为例，折线自上而下分别代表西班牙、法国、德国、意大利和英国。

资料来源：UK Parliament House of Lords European Union Committee. The Modernisation of Higher Education in Europe：27th Report of Session 2010 - 2012 [Z]. London：The Stationery Office Limited，2012：31.

英国虽然在伊拉斯谟计划的整个“图景”中并不是太引人瞩目，但也的确在按照自己的节奏推进（见图3-2）。以2008—2009学年为例，英国派出10843名学生到其他欧盟国家学习和实习，比前一学年增长了6%，而且是连续第三年增长。①英国已排在西班牙和德国之后，成为第三个最受欧盟学生喜爱的留学目的地国之一。在2015年，作为学习项目的一部分，大约有3万名其他欧盟成员国青年学生前往英国学习，同时约有4万名英国学生到欧盟其他国家旅行学习。②对英国学生来说，参与这种跨国流动的确带来不少收益。英格兰高等教育基金委员会和英国文化委员会对2003—2004年度留学生的调查显示，参与跨国流动的学生普遍取得了较好的学位成绩，并获得了更高的毕业生工资。③总的来说，伊拉斯谟计划为大学和参与的学生以及整个欧盟带来好处。不仅出国留学的学生可以从他们的经历中受益，而且英国大学也从其他国家的伊拉斯谟学生中受益，使学生的人际交往能力、语言技能、个性发展和信心得到改善，文化意识和就业能力得到提高。

然而，伊拉斯谟计划在英国的发展也面临不少挑战和制约。虽然个体流动对提高就业能力非常重要，但是英国普遍存在的单一语言文化阻碍了其学生像其他成员国的学生那样参与流动计划。加之财政、社会经济和文化的障碍，使得参与学生增加有限。因此，英国议会上院欧盟委员会曾促请政府通过在中小学开设义务语言学习课程，确保继续实施学费减免计划，并支持拟议的硕士层面学生贷款保证措施的发展，克服英国缺乏流动文化的困难，并特别帮助更多弱势学生。各大学和相关机构亦通过更广泛地促进流动机会和提高项目实施的灵活性来增加参与度。④

目前，更大的挑战在于英国脱欧可能会使“伊拉斯谟学生交流”这个欧盟推出的最受欢迎的计划项目受到损害，造成目的地国和参与学生数量的减

① The UK Higher Education Europe Unit. The European Higher Education Area：Celebrating a Decade of UK Engagement [R]. London：The UK Higher Education Europe Unit，2010：3.

② Samantha Koester. Brexit May Hurt Popular Erasmus Student Exchange Scheme，Officials Say [EB/OL]. [2018-01-31]. https:// www.reuters.com/article/us-britain-eu-education/brexit-may-hurt-popular-erasmus-student-exchange-scheme-officials-say-idUSKBN1FJ2N1.

③ UK Parliament House of Lords European Union Committee. The Modernisation of Higher Education in Europe：27th Report of Session 2010–12 [Z]. London：The Stationery Office Limited，2012：30.

④ UK Parliament House of Lords European Union Committee. The Modernisation of Higher Education in Europe：27th Report of Session 2010–12 [Z]. London：The Stationery Office Limited，2012：5.

少。在2019年英国正式退出欧盟的过渡期结束后，其参与伊拉斯谟计划的资格也将在2020年12月结束，除非其与欧盟谈判继续参与。路透社的报道不无感慨地写道，如果没有达成协议，英国的大学将无法再与其他27个欧盟国家进行学生交流，欧盟的大学也将不再为英国年轻人提供相应的机会。英国官员也表示，2020年英国丧失参与伊拉斯谟计划资格后，少数民族学生和负担不起自费出国留学的学生最有可能受到影响。①

（二）政策协调

建设欧洲高等教育区（EHEA）的“博洛尼亚进程”是20世纪90年代末以来欧洲高等教育结构性改革的一个重要举措，并在不断发展中从国家间的自发行为逐步成为某种程度上欧盟“教育战略”的重要组成部分。英国既是这一进程的发起者，同时也受其影响在该框架下进行了诸多政策调整。

1.“博洛尼亚进程”的主要目标

1998年，法、德、意、英四国教育部长在共同发表的《协调欧洲高等教育体系建设的联合宣言》（Joint Declaration on Harmonisation of the Architecture of the European Higher Education System）即《索邦宣言》（Sorbonne Declaration）中提出了建设“欧洲高等教育区”的愿景。次年，29个欧洲国家的教育部长在意大利博洛尼亚举行会议，进一步构思和完善“欧洲高等教育区”的蓝图，并发表《1999年6月19日博洛尼亚宣言：欧洲教育部长联合宣言》（The Bologna Declaration of 19 June 1999：Joint Declaration of the European Ministers of Education）即《博洛尼亚宣言》（Bologna Declaration），由此拉开“博洛尼亚进程”的帷幕。在此后的不断发展和推进过程中，“博洛尼亚进程”的主要目标也从最初的文凭资格互认、学生教师流动、共同学位结构进一步扩大到质量保证、终身学习、社会维度、国际合作等诸多方面，而且日益明确。（参见表3-2）

---

① Samantha Koester. Brexit May Hurt Popular Erasmus Student Exchange Scheme，Officials Say [EB/OL].[2018-01-31]. https:// www.reuters.com/article/us-britain-eu-education/brexit-may-hurt-popular-erasmus-student-exchange-scheme-officials-say-idUSKBN1FJ2N1.

表 3-2　“博洛尼亚进程”的主要目标

1998 年	1999 年	2001 年	2003 年	2005 年	2007 年
《索邦宣言》	《博洛尼亚宣言》	《布拉格公报》	《柏林公报》	《卑尔根公报》	《伦敦公报》
教师和学生流动	教师、学生、研究人员及行政人员流动	人员流动的社会维度	贷款与资助的流动性；完善流动数据信息	关注签证与工作许可问题	应对签证、工作许可、养老体系与认可方面的挑战
共同的两级学位体系	易读、可比的学位体系	公平认可 联合学位	将博士纳入第三级学位体系；学位和学历认可；联合学位	建立欧洲高等教育区资格框架；建立国家资格框架	到 2010 年建立国家资格框架
		终身学习（LLL）	调整国家终身学习政策；认可先前从事的学习（RPL）	在高等教育领域提供灵活的学习路径	促进对高等教育在终身学习中的作用的共同理解；建立伙伴关系改善就业能力
采用学分	采用欧洲学分转换体系（ECTS）	ECTS 及文凭补充文件（DS）	发挥 ECTS 的学分累积功能		必须连贯的工具及开展认可实践
	欧洲质量保证合作	质量保证与专业资格认可合作	高校、国家和欧洲层面质量保证	欧洲质量保证标准与指导意见	欧洲质量保证注册制度

资料来源：Education，Audiovisual and Culture Executive Agency，European Commission. Focus on Higher Education in Europe 2010：The Impact of Bologna Process[M]. Brussels：Education，Audiovisual and Culture Executive Agency，European Commission，2010：14.

虽然最初“博洛尼亚进程”的本质是欧洲国家的政府间行动，但后来它与欧盟越来越密切地联系在一起：所有的欧盟成员国都是《博洛尼亚宣言》的签署国；“博洛尼亚进程”后续活动均由欧盟轮值主席国来组织；“博洛尼亚进程”的协调与合作高度依靠欧盟委员会的财力和专业技术支持。而更为重要的是，欧盟委员会在整个欧洲层面推动“博洛尼亚进程”，并以正式成员的身份参与“博洛尼亚后续工作组”和“博洛尼亚理事会”的工作。① 而“博洛尼亚进程”应对的是欧盟业已确立的教育政策，被包含在多个欧盟行动之中，并且以很多直接和间接的方式受到各种欧盟项目计划的支持。② 欧盟委员会还资助和支持开展了“博洛尼亚进程”一系列监测研究和报告发布等活动，其结果是有关“博洛尼亚进程”发展的很多重要信息和文件都是通过欧盟来完成的。③ 因此，有学者将“博洛尼亚进程”看作欧洲层面上欧盟委员会支持高等教育现代化议程的策略，并将其形容为“博洛尼亚的里斯本化”（Lisbonisation of Bologna）。④

2. 英国政府对“博洛尼亚进程”的态度与回应

英国议会在促进政府对“博洛尼亚进程”的态度转向上发挥了重要作用。虽然在“博洛尼亚进程”推进之初，英国负责高等教育的国务大臣台莎·布莱克斯通（Tessa Blackstone）签署了《索邦宣言》和《博洛尼亚宣言》，并征求了英国大学校长协会等利益相关者的意见，但实际上“博洛尼亚进程”并没有进入高等教育部门和更广泛的社会大众的议事日程。英国政府及负责高等教育的国务大臣对“博洛尼亚进程”都没什么反应，而且他们

---

① Sacha Garben. EU Higher Education Law：The Bologna Process and Harmonization by Stealth[M]. Alphen aan den Rijn，The Netherlands：Kluwer Law International，2011：178.

② Laurel S. Terry. The Bologna Process and Its Impact in Europe：It's So Much More than Degree Changes[J]. Vanderbilt Journal of Transnational Law，2008，41（1）：120.

③ Åse Gornitzka. Networking Administration in Areas of National Sensitivity：The Commission and European Higher Education [M] //Alberto Amaral，Guy Neave，et al（eds.）. European Integration and the Governance of Higher Education and Research. Dordrecht，Heidelberg，London and New York：Springer，2009：123.

④ Robert Harmsen. The Bologna Process and New Modes of Governance：Logics and Limits of Arena-shaping[Z]. Paper prepared for the EUSA Thirteenth Biennial Conference（2013）. Baltimore，9 May 2013：23.

一开始就没注意到这一进程在欧洲其他国家的发展。

2003年，英国政府发布的白皮书《高等教育的未来》（The Future of Higher Education）所关注的问题，无论是提升参与率还是大学的资助，都局限于英国高等教育内部的重要问题。这份白皮书反映了当时英国教育政策制定者“向内看”（inward-looking）的视角。虽然白皮书中涉及的质量保证、就业能力以及建设欧洲高等教育并增强国际市场竞争力等问题与“博洛尼亚进程”所讨论的问题非常相似，但是白皮书并没有把高等教育作为一种全球性的事务来对待。[①]对此，在英国议会上院2004年7月的辩论中，一些议员批评政府对“博洛尼亚进程”缺乏明确的立场和声明。当时的英国大学协会主席也指出，英国政府和大部分大学都置身于“博洛尼亚进程”之外。[②]

2007年，英国议会下院教育与技能委员会在发表的有关“博洛尼亚进程”的报告中再度提出，在高等教育全球市场的快速发展中，其他参与欧洲高等教育区的国家正通过“博洛尼亚进程”不断取得进步，认为英国处在绝对优势地位而可以置身度外的想法是错误的。议会下院在获取大量口头和书面证据的基础上得出结论认为，政府在有关“博洛尼亚进程”的信息宣传、困难分析、对策选择以及未来预测方面做得远远不够。[③]

2011年6月，英国商业、创新与技能部在白皮书《高等教育：学生是整个系统的核心》（Higher Education：Students at the Heart of the System）中虽然再次涵盖了“学习负担”“学生流动”“社会维度”和“质量保证”等与“博洛尼亚进程”讨论很相似的一些主题，但是白皮书仍旧极力避免与“博洛尼亚进程”或欧盟的任何关联。2011年，英国议会上院的质询再度把“博洛尼亚进程”拉回到议事日程之中。议会上院欧盟委员会对政府高等教育白

---

① Philipp Knodel. On Silent Wings–PISA，Bologna，and the Debate about Internationalization in England［M］// Kerstin Martern，Philipp Knodel and Michael Windzio（des.）. Internationalization of Education Policy：A New Constellation of Statehood in Education? Basingstoke：Palgrave Macmillan，2014：152.

② UK Parliament. Daily Hansard 14 Jul 2004［EB/OL］.［2017-07-22］. https://publications.parliament.uk/pa/ld200304/ldhansrd /vo040714/text/40714-01.htm.

③ UK Parliament House of Commons Education and Skills Committee. The Bologna Process：Fourth Report of Session 2006–07［Z］. London：The Stationery Office Limited，2007：6-8.

皮书只字不提欧洲的背景表示遗憾。议会上院敦促政府和大学以更积极的姿态，推广使用“欧洲学分转换与累积系统”（ECTS）和“文凭补充文件”（Diploma Supplement），发掘“博洛尼亚进程”对学生和教师带来的实际利益和潜在利益。同时，议会还呼吁政府以更积极的态度确保，在理论上已获得认可的一年制硕士学位适应在欧洲高等教育区的实践发展需要。①

英国议会及高等教育相关部门的一系列行动使政府的态度不断从“退出”转向“发声”，也就是说，政府开始确立有关“博洛尼亚进程”的更加明确的立场。政府认识到漠视欧洲层面发展的代价可能比想象中要高得多。②

3. 英国“博洛尼亚进程”目标的实施与成效

对于“博洛尼亚进程”，英国采取了“自下而上”的实施方式，也就是在相关目标的实施中政客和官员让位于院校及其协会、专业团体、其他部门的代表以及雇主。

英国负责高等教育的国务大臣、政府部门、高等教育基金委员会、高等教育质量保证机构、全国学生联盟和其他高等教育机构都参与落实“博洛尼亚进程”确定的目标。③2003年，英格兰高等教育基金委员会设立高层政策论坛（HLPF），并使其成为交流有关高等教育国际举措的主要论坛。同时，英格兰高等教育基金委员会和英国大学协会共同资助建立英国高等教育欧洲事务处（The UK Higher Education Europe Unit），作为跨部门机构协调英国参与“博洛尼亚进程”的有关事务，并促进整个高等教育部门对“博洛尼亚进程”的了解。同时，在英国文化协会和欧盟委员会的支持下，聘任14位“博洛尼亚专家”，其中包括高级学术人员、行政管理人员以及学生团体代

① UK Parliament House of Lords European Union Committee. The Modernisation of Higher Education in Europe：27th Report of Session 2010–12 [Z]. London：The Stationery Office Limited，2012：45.

② Philipp Knodel. On Silent Wings – PISA，Bologna，and the Debate about Internationalization in England [M] // Kerstin Martern，Philipp Knodel and Michael Windzio (des.) . Internationalization of Education Policy：A New Constellation of Statehood in Education? Basingstoke：Palgrave Macmillan，2014：159.

③ The UK Higher Education Europe Unit. The European Higher Education Area：Celebrating a Decade of UK Engagement [R]. London：The UK Higher Education Europe Unit，2010：1.

表，向有关院校提供信息和咨询服务。

英国通过欧盟委员会的“伊拉斯谟计划”有力促进了“博洛尼亚进程”有关促进教师和学生流动目标的实现。仅在2008—2009年，英国就派出10843名伊拉斯谟交换学生到其他“博洛尼亚进程”参与国学习和实习，比前一年增长6%，而且这也是连续第三年保持增长。与此同时，参与交流的教师数量也增长了10%。①

在资格框架方面，英国2001年就由高等教育质量保证署制定了高等教育资格框架（FHEQ）。按照更上位的欧洲高等教育区资格框架（FQ-EHEA）的要求，英国于2009年完成对其原有的英格兰、威尔士和北爱尔兰高等教育资格框架及苏格兰高等教育资格框架与欧洲高等教育资格框架的重新审查和修订。此举成为迈向“博洛尼亚进程”提出的文凭资格“可读性”（readability）的重要一步，也意味着英国高等教育资格框架与欧洲高等教育区资格框架的完全兼容。

与资格框架的发展同步，“博洛尼亚进程”2005年推出“欧洲高等教育质量保证标准与指南”（ESGs），作为该进程的一个重要工具使参与国的高等教育质量保证安排更具透明度，从而更好地促进资格互认和学生流动。各国的质量保证机构只有遵从该标准指南的要求，才能成为欧洲高等教育质量保证协会（ENQA）的正式成员。2008年，英国高等教育质量保证署在成功接受外部评估后，再次获得欧洲高等教育质量保证协会正式成员资格。②

英国从2011学年开始引入“高等教育学业成就报告”（HEAR），并希望以此加速“文凭补充文件”在整个高等教育部门的实施。为更好地适应英国的实际，“高等教育学业成就报告”将“文凭补充文件”纳入其中，提供了学生最后学业成就的所有信息，同时也为提供学业评价结果和非正式学习等信息奠定了基础。③

英国认同并支持“博洛尼亚进程”提出的增强毕业生就业能力、加强大

---

①②③ The UK Higher Education Europe Unit. The European Higher Education Area：Celebrating a Decade of UK Engagement [R]. London：The UK Higher Education Europe Unit，2010：3，8，12.

学与雇主对话、使高等教育更有效适应劳动力市场需求的目标。英国大学具有同工商业界协作的传统，英国90%的高等教育机构面向工商业界提供灵活的、定制化的课程，80%的高等教育机构根据公司需求提供有关教育和培训，78%的高等教育机构邀请雇主一同参与课程开发。英国高校与产业界和雇主共同支持创新、创业和技能提升，帮助毕业生创造财富和就业机会。①

三、英国与欧盟在教育治理中的矛盾

欧洲一体化的持续深入发展对英国社会产生诸多重大的影响，在教育方面也是如此。英国议会上院欧盟委员会就发表报告指出，欧盟通过“欧洲2020年战略”（Europe 2020 Strategy）、“知识三角”（The Knowledge Triangle）、欧洲研究区（European Research Area）、多维大学排行（U-Multirank）、国际化以及经费资助等多种举措对促进高等教育的现代化做出了积极的贡献。②该委员会表示，欧盟可以继续为欧洲高等教育的现代化做出积极贡献……就政府而言，政府应利用欧盟和“博洛尼亚进程”的潜力，将高等教育置于其国内和欧洲增长议程的中心。③英国的一些利益集团也不断关注像欧洲议会、欧盟理事会及欧盟委员会等日益重要的欧盟决策机构。英国工会联盟和英国工业联合会也都加入这些泛欧组织，以扩大自身的影响。④对欧盟态度较为友好的人士强调分享主权带来的利益，而对于欧洲怀疑论者⑤来说，欧盟代表了对英国国家主权和威斯敏斯特议会主权的持续

---

① The UK Higher Education Europe Unit. The European Higher Education Area：Celebrating a Decade of UK Engagement [R]. London：The UK Higher Education Europe Unit，2010：12，24.

②③ UK Parliament House of Lords European Union Committee. The Modernisation of Higher Education in Europe：27th Report of Session 2010–12 [Z]. London：The Stationery Office Limited，2012：17–28，6.

④ 丹尼斯·卡瓦纳. 英国政治：延续与变革[M]. 刘凤霞，张正国，译. 4版. 北京：世界知识出版社，2014：235.

⑤ 欧洲怀疑论者这一术语常用来指称对英国介入欧洲一体化（包括单一货币）持怀疑或反对态度者。有些欧洲怀疑论者反对英国继续保持欧盟成员国地位。而那些积极支持英国参与欧盟事务的人士则被冠以“亲欧派”“欧洲狂热主义者”等称呼。（参见比尔·考克瑟，林顿·罗宾斯，罗伯特·里奇. 当代英国政治[M]. 孔新峰，蒋鲲，译. 4版. 北京：北京大学出版社，2009：429.）

和与日俱增的威胁。[1]

随着欧共体政治愈来愈多地深入到英国政治的心脏，欧洲一体化或权力集中的压力在逐渐扩大。尤其是《马约》签署后，欧盟委员会和部长理事会呈现出越来越主动的态势，不断采取联合行动加强欧洲议会的领导作用，以克服“民主赤字”，并更多地采取多数表决方式加快决策程序。这些重要的改革措施所造成的冲击不断削弱了各成员国在行使否决权时所表现的民族主义情绪。这在英国也引起了所谓“欧洲怀疑论派”的警惕。他们呼吁抵制欧洲一体化的进程，有些人甚至认为英国只有退出欧盟才更有前景。[2]

事实上，英国加入欧共体后一直是欧共体的一个“勉强的伙伴”。欧共体的发展导致了社会政策与经济政策以及环境政策的共同发展，尤其是社会政策已体现了欧盟的作用范围的扩大。而英国保守党政府在20世纪80年代至90年代间对欧盟作用的宣传始终采取的是一种有限的、谨慎的做法。[3]英国在欧盟单一货币问题上坚决退出了谈判，而对于《马约》中的“社会篇章”，英国政府也始终认为没必要接受，直到1997年才签署附加协议。教育是一种现代国家的“规范产品”（normative good）[4]，其主要功能是将社会价值传递给国家的儿童，并为国家培养“良好公民”。[5]因此，教育也一直是包括英国在内的欧盟成员国非常敏感的一个政策领域。近年来欧盟成员国对欧洲法院以司法积极主义方式推进教育一体化的批评不断高涨。此外，英国在欧盟内部的权力分配与话语权上的不利地位也使“分离”的情绪日益增强。长期以来，法德轴心一直是欧盟内部制定主要政策的决定因素，而英国对欧盟事务则缺乏热情，撒切尔夫人本身就持有大西洋主义要超过欧洲主义

---

① 比尔·考克瑟，林顿·罗宾斯，罗伯特·里奇. 当代英国政治[M]. 孔新峰，蒋鲲，译. 4版. 北京：北京大学出版社，2009：440.

② 丹尼斯·卡瓦纳. 英国政治：延续与变革[M]. 刘凤霞，张正国，译. 4版. 北京：世界知识出版社，2014：82-89.

③ 迈克尔·希尔. 理解社会政策［M］. 刘升华，译. 北京：商务印书馆，2005：90.

④ Achim Hurrelmann et al. The Golden-age Nation State and Its Transformation：A Framework for Analysis［M］// Achim Hurrelmann et al.（eds.）. Transforming the Golden-age Nation State. Basingstroke：Palgrave Macmillan，2007：3.

⑤ Dinae Ravitch and Joseph P. Viteritti. Making Good Citizens，Education and Civil Society［M］. New Haven：Yale University Press，2001.

的观念，梅杰在执政期间更是声称英国应该成为欧洲的心脏①。在“说服英国人更多介入欧洲事务已变得更加困难，而且对欧盟及其特定机构与议题的无知和困惑充斥于社会的各个角落”②的情况下，政治领袖们不得不认真看待“欧洲怀疑派”势力的不断扩大。

在英国退出欧盟已无可逆转的形势下，脱欧对英国和欧盟未来的教育与科研发展来说将产生一种“两败俱伤”的后果。根据英国广播公司（BBC）的报道，2016年英国脱欧公投之时，有超过12万名来自其他欧盟成员国的学生在英国就读，占到英国大学全日制学生总数的6%，每年给英国创造超过30亿英镑的收入和近2万个工作岗位。而这种一体化给英国大学校园带来的凝聚力和多样性则更为无价。与此同时，在过去的几年里，越来越多的英国学生选择在其他欧洲国家学习，以避免英国高昂的学费和丰富他们的学习经历。例如，在荷兰的马斯特里赫特大学，学生每年只需支付1600英镑的学费，而英国则为9000英镑。欧盟还向英国大学投入了大量资金，例如，为斯旺西大学新成立的创新中心提供资金，并为各大学的研究提供大量经费。在过去十年中，英国从欧盟委员会和欧洲研究理事会（European Research Council）获得了近80亿英镑的研究经费。③随着英国全民公投决定退出欧盟，高等教育界产生了极大的恐慌。英国大学协会、罗素大学集团、“百万加”大学集团④和其他高校团体都表达了对留在欧盟的强烈支持。⑤同时，来自欧洲25个国家的大学领导人签署了一份联合声明，强调欧洲继续合作的重

---

① 丹尼斯·卡瓦纳. 英国政治：延续与变革[M]. 刘凤霞，张正国，译. 4版. 北京：世界知识出版社，2014：84-93.

② 比尔·考克瑟，林顿·罗宾斯，罗伯特·里奇. 当代英国政治[M]. 孔新峰，蒋鲲，译. 4版. 北京：北京大学出版社，2009：444.

③ BBC. What Could Be the Effect of Brexit on the UK Education Market?. [2018-05-15]. [EB/OL] http://www.bbcactive.com/ BBCActiveIdeasandResources/ImpactofBrexitonFurtherEducation.aspx.

④ “百万加”大学集团是英国现代大学协会，也是21世纪高等教育的代言人。

⑤ Ken Mayhew. UK Higher Education and Brexit [J]. Oxford Review of Economic Policy，2017，33（S1）：155.

要性，并认为需要在这些不确定的时期共同努力。[①]

英国的科研界也明确表示反对英国脱欧。在2015年5月英国议会选举后的几天内，一个名为“科学家支持欧盟运动”（Scientists for the EU）的网站就迅速建立起来。英国《泰晤士报》于2015年5月22日发表了由一些杰出科学家共同签署的公开信，《自然新闻》（Nature News）和《卫报》也分别于5月8日和5月12日发表了相关文章反对脱欧。根据《经济学家》杂志4月29日发表的一篇文章，无论英国公众如何决定，公投本身可能会在英国造成“政治和经济动荡”。联合国教科文组织2015年出版的《联合国教科文组织科学报告：面向2030》（UNESCO Science Report：Towards 2030）援引《经济学家》和有关学者的分析也指出，英国脱欧将对英国和欧盟的科学发展产生深远的负面影响。该报告在针对欧盟进行分析时认为，英国是欧盟内吸引大学生和科研人员的重要目的地国，脱欧可能影响英国对国际知识流动的开放程度，而脱欧对英国和欧盟科学与创新的影响在很大程度上取决于双方如何处理脱欧后的关系。报告指出，英国很可能希望维持在欧洲研究区的非正式成员身份，这与挪威和冰岛的情况相似，其目的是继续参与欧盟框架下的科研与技术发展相关项目。这些项目对于英国资助科研工作、培养博士研究生、促进思想和人员交流而言日益重要。但是，如果英国不再是欧洲经济区成员国，那么每个框架项目都需要逐一进行单独谈判。报告还指出，如果英国脱欧成为事实，无论脱欧后双方关系如何，英国将失去其在欧盟内部科研与创新的主导地位，而这对双方而言都是损失。[②]

第二节　经合组织与英国的教育治理

成立于1961年的经合组织是一个对成员国具有广泛政策影响的政府间

① Universities UK. European University Leaders Call for Continued Collaboration after Brexit Vote [EB/OL]. [2016-07-22]. https://www.universitiesuk.ac.uk/news/Pages/European-university-leaders-call-for-continued-collaboration-after-Brexit-vote.aspx.

② UNESCO. UNESCO Science Report：Towards 2030[R]. Paris：UNESCO，2015：269.

国际组织。教育政策是经合组织的一个重要的政策领域，同时也是近年来不断发挥影响并被广泛关注的一个领域。伦敦大学教育学院教授保罗·莫里斯（Paul Morris）在接受《英中时报》采访时就认为，有很多国际组织在影响一个国家的政策，比如经合组织的国际学生评价项目（PISA）以及它推出的很多报告、政策建议，都介入并影响教育改革。①

一、经合组织的教育治理机制

虽然经合组织以经济和社会领域作为主要的政策领域，但近年来其在教育领域的影响与作用也在不断增强。经合组织一位资深官员曾指出，经合组织的最大优势在于，它虽然没有权力却有巨大的影响。②经合组织在全球教育治理中的作用主要通过认知治理、规范治理和缓和治理（palliative governance）等方式来实现。③

（一）认知治理

认知治理是经合组织这类“小众”国际机构发挥影响所普遍采用的治理方式。认知治理主要通过吸纳成员所持有的重要价值观念，并将其转化成为共同体共同的价值观念来发挥作用。这些价值观念往往来源于成员国并经经合组织的倡导进一步影响和塑造成员国的改革理念。经合组织正是通过生成和传播一整套的价值、观念、期望以及话语来形成并复制成员国的认同感和社群感。经合组织宣称是由采取民主和市场治理模式的国家所形成的共同体。经合组织国家对基本原则的共识是其开展国际合作的主要基础。在其共同的价值观中，被奉为圭臬的新自由主义即是经合组织各种项目计划和政策发展的基本原理。

经合组织比以往更加重视教育，其根本原因在于其新自由主义经济的逻辑。植根于经合组织的新自由主义准则，很难将经合组织的专业技术与其规

---

① 金津. 英国政府为什么“钟爱”中国教育？[N]. 英中时报，2016-05-20（A2）.

② Sylvia Ostr. International Economic Cooperation Past and Future [J]. OECD Observer，1993（179）：S6.

③ Richard Woodward. The Organisation for Economic Co-operation and Development（OECD）[M]. London and New York：Routledge，2009：6.

范性假设（即教育在全球经济发展中所发挥的作用）相分离。经合组织通过采取新自由主义思想，高度重视“远程调控”（steering at a distance）的机制，通过绩效比较的方法，有效地将教育治理的焦点从目的性问题转向诸如决策过程的透明度、分权的形式、测量教育绩效的技术、国际基准、质量保证机制、问责制度、教育经费来源、有效使用公共资源等问题。作为经合组织全球教育治理主要方式的PISA，其政策导向中更加明确地体现了新自由主义所强调的市场、管理主义和绩效等要素。绩效、标准、透明度等问题与经济效率密切相关，通常在很大程度上也表明哪个教育系统最能适应全球经济的劳动力市场需求。[①]正如有学者指出的，PISA的意义可以解释为在问责、审计文化与证据支持的决策时代对教育绩效国际比较的新需求。在这种背景下，绩效通常以“外在化”的形式为各国政府改革议程提供合法性。[②]

（二）规范治理

在目前的国际多边治理体系中，像经合组织这样缺乏强制约束力的国际组织越来越少运用法律等硬治理手段对其成员国实施影响。相反，它们通常以设定标准、构建理念、政策评价、技术援助、咨询服务等活动对各国内部的教育政策实施影响。这其中就包括了经合组织采取的规范治理模式。规范治理主要指通过参与经合组织周期性活动以及传播趋同性知识与理念来推动合作。规范治理是经合组织最难以捉摸但却是最重要的一个治理模式，它通过挑战和改变人们工作的思维倾向来发挥其最大程度的影响。

经合组织的规范治理主要利用生成的三种知识加以实施，并以此影响国家和国际层面的决策过程。第一种是“信息性知识”（informatory knowledge），即经合组织通过各种研究活动所积累的数据资源，这些数据资源以政策目录清单和统计数据库的形式加以存储和传播。目前，经合组织已建有涉及26个领域的40多个专门数据库，这些数据库包括了过去和现在

① Fazal Rizvi and Bob Lingard. The OECD and Global Shifts in Education Policy [M] //Robert Cowen and A. M. Kazamias (eds.) . International Handbook of Comparative Education. Dordrecht：Springer，2009：441–447.

② Sam Sellar and Bob Lingard. The OECD and the Expansion of PISA：New Global Modes of Governance in Education [J]. British Educational Research Journal，2014，40（6）：918–923.

正在进行的数据统计。数据收集和分析也是缓和治理的一个重要维度。数据是现代治理的核心，没有数据就无法对绩效进行比较，也无从对生产进行严格管理。①因此，“数据生成与管理”也是当前“新的治理转向的关键所在”。②PISA正是基于业已建立的全球数据收集和比较基础结构，通过数据和统计构筑了全球教育政策领域。经合组织号称拥有全世界最大和最可靠的可比的统计数据来源。③经合组织是教育统计专业技术的主要国际来源，这种专业技术优势使其能够以“数字手段”（number approach）开展政策工作。利用这种政策研究的技术手段，经合组织在将教育目的转向知识经济的社会假想，以及促进教育“善治”的特定观念等方面都取得了意想不到的成功。第二种是“概念性知识”（conceptual knowledge），主要包括经合组织利用共同的“棱镜”使各国政策制定者得以审视某些特定问题，并了解这些问题在世界范围内的总体运行情况。具体而言，这种知识包括为思考、检查和评估特定政策影响而共享的基准与工具，共同的语言和概念。正如经合组织秘书长安赫尔·古里亚（Angel Gurría）所强调的，PISA已成为当今世界评价学校系统质量、公平与效能的首要标准……PISA通过鉴定高水平教育系统的特征，为各国政府和教育工作者采取适于本土环境的有效政策提供了可能。④第三种是“分析性知识”（analytical knowledge），指的是集中智慧寻求解决问题的最佳政策，其整个过程包括初始研究、国家和地区案例研究、实地访问、监测、同行评议等。

（三）缓和治理

虽然经合组织并不具有制定国际法的能力，但对它来说重要的不是在法

---

① Martin Lawn. Governing through Data in English Education[J]. Education Inquiry，2011，2（2）：278.

② Jenny Ozga. Governing Education through Data in England：From Regulation to Self-evaluation [J]. Journal of Education Policy，2009，24（2）：150.

③ OECD. OECD Work on Education 2005-2006 [Z]. Paris：OECD，2005：2.

④ OECD. PISA 2012 Results：What Students Know and Can Do—Student Performance in Mathematics，Reading and Science（Volume I，Revised edition）[M]. Paris：OECD Publishing，2013：3.

律意义上它可以做什么，而是能够帮助其他机构做什么，以及帮助其成员国实现什么。经合组织通过提供场所为各方协商解决问题，以"润滑剂"和"看不见的手"的方式促进和左右更广泛的全球治理进程。这就是经合组织全球治理的缓和维度。经合组织经常扮演着"应对全球挑战过程中弥合某些裂隙的理想伙伴"的角色。经合组织并没有要求成员国将哪些问题交给其讨论的严格或硬性的规定，而是发挥"系统性审视"（system-tending）的作用，利用其跨学科的比较优势来思考和凝练某些主题的问题，去识别新问题或长期存在的问题，并在其成为危机或无法管控的问题之前开展工作。①

二、经合组织的教育治理方式

经合组织及其教育司以政策咨询和国际评估为主要的教育治理方式，并逐步成为"全球经验主义"（globalizing empiricism）的中心，以及在基于证据决策的时代帮助各国制定教育政策的"计算中心"。②尤其是PISA使得经合组织由教育政策领域无关紧要的参与者变成具有影响力的政策倡导者和推动教育政策改革的潜在动力。③经合组织借助PISA这个教育政策构建、调解与扩散的平台④，通过全球教育政策话语、政策评估、数据信息以及对政策制定及实施的影响，扩大其治理机制的工具箱。经合组织由此被赋予全球教育治理权威者的新机构角色，同时也承担起全球教育系统诊断者、裁判者和

① Richard Woodward. The Organisation for Economic Co-operation and Development（OECD）[M]. London and New York：Routledge，2009：75-79.

② Sam Sellar and Bob Lingard. PISA and the Expanding Role of the OECD in Global Educational Governance [M] //Heinz-Dieter Meyer and Aaron Benavot（eds.）. PISA，Power and Policy：The Emergence of Global Educational Governance. Oxford：Symposium Books Ltd，2013：186.

③ Kerstin Martens，Alexander-Kenneth Nagel and Michael Windzio. Introduction——Education Policy in Transformation [M]. //Kerstin Martens，Alexander-Kenneth Nagel and Michael Windzio（ed.）. Transformation of Education Policy. Basingstoke：Palgrave Macmillan，2010：3-27.

④ Sotiria Grek. Governing by Numbers：The PISA "Effect" in Europe [J]. Journal of Education Policy，2009，24（1）：26.

政策咨询者的角色。①

（一）政策咨询

“教育政策展望”（Education Policy Outlook）是经合组织为其成员国教育政策的发展提供的独特的“鸟瞰图景”。经合组织以比较的视角对相关国家的教育体系的发展背景及有关政策进行分析。“教育政策展望”利用经合组织的知识库以及其他国家和国际性的知识源，考察各国如何在日益多样化的社会环境中提供各种教育机会。

为反映各国的教育政策发展趋势及行动，“教育政策展望”制定了一套包含三个维度、六个因素的比较分析框架。（参见表3-3）

表 3-3 “教育政策展望”比较分析框架

维度	因素
学生 机构 体系	如何促进教育平等与质量
	如何使学生为未来做准备
	如何通过学校改进提升质量
	如何通过评估和评价提升质量
	教育体系如何通过治理落实教育政策
	教育体系如何通过拨款落实教育政策

资料来源：OECD. Education Policy Outlook [EB/OL]. [2017-12-22].http://www.oecd.org/education/policyout look.htm.

英国教育部学校教育国务大臣尼克·吉布（Nick Gibb）在经合组织“教育政策展望”会议上赞赏该组织在制定高质量国际指标方面走在最前列，而这些指标成为英国及其他各国促进教育改革的重要工具。正如此前的PISA、

① Heinz-Dieter Meyer and Aaron Benavot. PISA and the Globalization of Education Governance：Some Puzzles and Problems［M］//Heinz-Dieter Meyer and Aaron Benavot（eds.）. PISA，Power and Policy：The Emergence of Global Educational Governance. Oxford：Symposium Books Ltd. 2013：9.

国际成人能力评价项目（PIAAC）和教师教学国际评价项目TALIS都给英国及其他国家的教育表现提供了关键的数据，“教育政策展望”无疑是经合组织提供的新的分析成果。尼克·吉布认为，这些调查揭示了一些国家在教育改进方面取得的令人瞩目的成绩，同时也指出了一些国家教育发展的自我满足和停滞不前。尼克·吉布指出，经合组织提供的有关基准表明，与波兰、意大利和葡萄牙等国家的快速进步相比，英国的学校正停滞不前，这是整个国家需要重大关切的问题。①

（二）国际评估

经合组织在全球教育治理中的地位随PISA的发展而确立。PISA推动形成一个全球教育政策场域，这个场域由全球作为相应的测试空间而构成，通过认知政策共同体的全球网络而发生作用，从而形成其全球教育治理模式。②PISA测试结果成为衡量教育质量的全球“金本位”（gold standard）。不少国家的政府认为PISA是构建新的治理体制中的关键工具。英国政府也在相关文件中表达出相似的观点。例如，英国政府在2010年发布的重要教育改革文件——《教学的重要性：2010年学校教育白皮书》（The Importance of Teaching：The Schools White Paper 2010）中声称，其改革的参照是亚洲经验，但实际上是选择性、有目的地挑选了亚洲经验，用来推进其希望进行的改革，以获得政策的合理性。③

1.PISA揭示出的英国教育问题

英国2006年至2012年共参加了三次PISA测试④，其中2006年PISA测试中数学、科学和阅读的排名分别为第24名、第14名和第17名，2009年三个

---

① DfE. Nick Gibb：Reforming Education through International Evidence［EE/OL］.［2017-11-12］. https://www.gov.uk/government/speeches/nick-gibb-reforming-education-through-international-evidence.

② Sam Sellar and Bob Lingard. PISA and the Expanding Role of the OECD in Global Educational Governance［M］//Heinz-Dieter Meyer and Aaron Benavot（eds.）. PISA，Power and Policy：The Emergence of Global Educational Governance. Oxford：Symposium Books Ltd，2013：187.

③ 金津. 英国政府为什么“钟爱”中国教育？［N］. 英中时报，2016-05-20（A2）.

④ 此前英国于2000年和2003年也参加了PISA测试，但由于样本代表性不足，测试结果有较大偏差，排名被取消。因此，英国真正有效的PISA测试是2006年、2009年以及2012年三次。

学科对应的排名为第28名、第16名和第25名，2012年的名次为第26名、第20名和第23名。对于这样的成绩单，英国官方和社会各界表示出很大的震惊和忧虑。根据PISA研究报告，英国教育面临的挑战主要表现在如下几个方面。

（1）教育公平问题

在PISA测试中，虽然英国最优秀的学生表现良好，但这些学生与成绩最差学生之间学业成就的巨大差距反映出学校教育系统中的不公平。学生不同的家庭经济背景、弱势群体学生在学校的不利地位，以及学校为弱势学生提供的不良环境都在不断加剧这种不公平。PISA2012研究报告显示，英国学生在各科目测试中最高与最低分数之间的差距很大，且成绩差异与学生的社会经济背景有很强的关联性，其中13%的成绩差距是由社会经济背景的差距所造成的。就数学而言，家庭经济条件好的学生比家庭经济条件差的学生数学高41分，相当于领先了一年的数学水平。此外，弱势学生群体在学校的参与度较低，学习动力不足，对学好数学的自信心不够。在一项“我认为我在学校很有归属感”的调查问卷中，家庭经济条件好的学生中85%表示认同，而这一比例在弱势群体学生中为75%。与普通学生相比，弱势群体学生在PISA考试前两周有迟到甚至逃课的行为。PISA2012研究报告还显示，在英国的弱势群体学生中，抗逆学生（resilient student）①的比例为24%，不仅低于经合组织平均水平，更远低于上海的水平。②

（2）教育标准问题

PISA测试也反映出英国基础教育阶段教育标准低下的问题。英国教育部曾发布文件坦陈，长期以来相当比例学生成绩不良的问题一直被容忍，认为学校质量参差不齐是不可避免的结果，为了缩小差距扩大达标学生的比例，有必要降低对学生的标准。相较于PISA测试中表现优异的教育体系，英国基础教育阶段的课程设计缺乏连贯性，缺乏对知识中核心元素的关注和课程

① 即社会经济背景处于弱势地位但仍能取得比预期高的优秀成绩的学生。

② OECD. PISA Results from PISA 2012：United Kingdom Country Note［Z］. Paris：OECD，2013：4–5.

内容的清晰表达；过多规定了详细的教学方法而不是核心知识，导致教师在教学实践中受到限制；数学和科学课程的标准不够严格，早期的阅读教学也没有体现综合拼读教学法。①与此同时，虽然英国最近三次PISA测试的国际排名停滞不前，但第二学段和GCSE考试的分数却在不断提升，通过的比例不断扩大。英国学生在GCSE考试中取得5门C等以上成绩的比例从2005年的44.7%上升到2011年的58.9%，获得A或A^+等的比例从1994年的10.5%上升到2013年的22.6%。尼克·吉布认为，这些数据的快速增长传递给公众错误的信心，以为英国的教育水平在上升，而PISA提供的证据却与之相反。②

（3）问责机制问题

经合组织研究指出，那些将完善的问责机制与自主权相结合的教育体系中学生的学业表现更好，且使用外部评估方式对提升问责机制的准确性和效率很重要。相对于教师的内部评估而言，外部评估是衡量学生进步和成功的更可靠因素，因为内部评估往往会低估处境不利学生和少数民族学生的进步水平。在2010年的调查中，71%的家长认为让公众知道学校的办学情况非常重要，87%的家长认为学校测验和考试的成绩应该公开发布，但过去英国的学校绩效表里没有重视学生和学校在基线测试基础上取得进步的水平，无法全面衡量学校自负其责的效果。③此外，英国教育标准局在学校督导时，过多关注学校执行政府政策的力度，忽略了对学校核心功能即教学的关注，许多校长抱怨学校疲于应付政府的强制性目标，负担过重。事实上，学校更应该向家长、学生和社区负责，以透明方式告知公众学校的表现。

2.PISA导向下英国的教育治理变革

面对PISA测试中所处的不利形势，时任英国首相大卫·卡梅伦和副首相尼克·克莱格（Nick Clegg）都认为，追赶并拥有世界一流学校的唯一办

---

① DfE. The Case for Change [Z]. London：DfE，2010：2-16.

② Nick Gibb. Reforming Education through International Evidence [EB/OL]. [2015-08-21]. https://www.gov.uk/government/ speeches/nick-gibb-reforming-education-through-international-evidence.

③ DfE. The Case for Change [Z]. London：DfE，2010：20-22.

法就是学习其他国家的成功经验。[①]作为对PISA测试的回应，从2010年开始，英国政府实施了以向世界上最成功教育体系学习为核心的重要教育改革计划。

（1）扩大学校自主权

英国政府将扩大学校自主权作为推进教育公平的首要举措。英国政府借鉴瑞典自由学校和美国特许学校的经验，从学校办学体制入手进行扩大办学自主权的改革，其主要措施是在自由学校（free school）的基础上通过《2010年公立自治学校法》（Academies Act 2010）推动公立自治学校的建立和发展。

公立自治学校在当前英国的教育体系中具有非常突出的地位，作为中央政府直接拨款建立的独立公立学校，相比其他地方当局举办的学校，它们在教学、管理、经费等方面都享有更大的自由度和灵活度，能够运用其自主权创新办学实践和提升教育标准。具体而言，公立自治学校的特色主要体现在：可免受地方当局管辖和预算的控制，拥有实施课程教学的自由、安排学期时间的自由、制定教师工资标准和工作条件的自由，以及与有关伙伴开展更多协作的机会。《2010年公立自治学校法》颁布以来，英国公立自治学校得到快速发展。英格兰地区自治学校数量由2010年的203所猛增到2015年6月的4674所。[②]

公立自治学校赋予学校以更多的自由和权力，在激发学校的办学活力和提高学生学业表现方面发挥了积极的作用。尤其是公立自治学校在一定程度上缩小了弱势群体学生与普通学生之间的成绩差距，弱化了社会经济背景对学生学业水平的影响，从而有效促进了教育公平。英国教育部2013年对720所公立自治学校的调查显示，公立自治学校能够运用其自主权进行创新和改进，79%的学校已经或计划改变课程，84%的学校将学生学业成绩与教师工资挂钩。而公立自治学校的改革举措也正在帮助其逐步提升学生的教育标

---

① DfE. The Importance of Teaching：The Schools White Paper 2010［Z］. London：The Stationery Office，2010：3.

② DfE. Academies Annual Report：Academic Year：2013 to 2014［R］. London：DfE，2015：7.

准，三分之二的学校认为所采取的措施改善了学生的学业成绩。①另有调查显示，在小学阶段，公立自治学校中83%的学生在第二学段阅读、写作和数学达到了4级（level 4）及以上水平，而普通学校中这一比例为79%。在中学阶段，63.6%的自治学校学生在GCSE考试中取得5门及以上C至A+等的成绩，而在普通中学中这一比例仅为55.4%。②公立自治学校在吸纳和帮助弱势群体学生充分发挥潜力方面的作用尤为引人注目。英国官方调查表明，在公立自治学校中申请免费校餐的学生要比其他公立学校多得多。2014年，公立自治中小学中申请免费校餐的学生比例分别为25.0%和30.3%，而普通中小学中的比例仅为14.6%和17.0%。公立自治中小学中有特殊教育需求的学生比例为22.1%和20.3%，在普通中小学中这一比例为17.8%和16.6%。③

（2）强化教师教学

英国政府认为应从PISA测试表现优异的国家吸取的重要经验就是，教师质量是教育系统中的重中之重。提高教育的标准以及提升教学的地位都需要提升教师在课堂教学中的权力。这种认识无论是在宏观的国家课程改革中还是在微观的学科课程教学中都得到贯彻和实施。

在国家课程改革启动之初，英国政府就提出，新的国家课程方案应对学科专家和教师的意见以及国际最佳实践经验给予应有的关注。英国教育部在《教学的重要性：2010年学校教育白皮书》中明确指出，最知晓如何教学、如何有效传授知识以及如何开启思维的是教师而非官僚或大臣。教师应有足够的空间开展教学。白皮书为新的国家课程改革确定了基调：国家课程仅应设定所有学生应该掌握的必要知识与理解，而如何最有效地教学则应留给教师来决定；教师必须能够自由运用其专业技术和专门知识来支持所有学生的进步。④2013年英国教育部颁布的《英格兰国家课程：框架文件》（The National Curriculum in England：Framework Document）标志着以重新向教师

---

① DfE. Do Academies Make Use of Their Autonomy? Research Report［R］. London：DfE，2014：6.

②③ DfE. Academies Annual Report：Academic Year：2013 to 2014［R］. London：DfE，2015：18，30.

④ DfE. The Importance of Teaching：The Schools White Paper 2010［Z］. London：The Stationery Office，2010：40–42.

赋权为主要特色的新一轮国家课程改革正式拉开帷幕。该文件指出，国家课程只是学生教育的要素之一。只要向所有学生教授国家课程计划内容，学校可以自由选择课程教学的组织安排方式。同时，该文件也要求，教师应对所有学生都设定高度的期望。①

同时，从学科的角度，英国政府也高度强调教师开展数学教学的革新。由于上海在连续两届PISA测试中数学成绩排名第一，所以英国将上海作为提高数学水平的参照对象。英国教育部采取的数学教学改革措施主要包括三方面。一是实行更加严格的数学课程。数学课程将更强调基础知识的掌握和数学规律的深度理解，提前学习较难的概念。引进中国乘法口诀表，9周岁的学生要掌握12×12乘法口诀表，11岁学生考试时不得使用计算器，而要自己计算，以提升学生的算术能力。英国政府还在上海小学生使用的中文版数学辅导教材《一课一练》基础上引进英文版并将其整合在地方课程之中。二是学习交流数学教学方法。英国教育部2014年拨款1100万英镑在全国范围内设立由32所学校数学中心组成的网络，邀请上海师范大学和英国国家数学教学卓越中心（NCETM）的专家共同开发和推广上海优秀数学教学方法。从2014年秋学期起，英国政府通过“上海教师交流项目”邀请60名会讲英语的上海数学教师到英国的数学中心为教师提供具体学科教学方法培训。同时，英国每个数学中心选派2名优秀教师到上海的学校学习考察至少一个月，而后回到英国向其他教师推广上海优秀的教学方法。②三是打造高水平数学教师队伍。为吸引最优秀毕业生进入教师队伍，英国教育部从2011年开始就推出奖学金支持计划，并向1000多名优秀毕业生提供了资助。

（3）强化问责机制

PISA研究显示，那些取得好成绩的教育机构在拥有资源分配自主权的同时会公开发布成绩数据报告供公众监督，自主权与问责并行实施会使学生

① DfE. The National Curriculum in England：Framework Documents［Z］. London：DfE，2013：5-8.

② DfE. Network of 32 Maths Hubs across England Aims to Raise Standards［EB/OL］.［2015-08-21］. https://www.gov.uk/ government/policies/school-and-college-qualifications-and-curriculum.

取得更好的学业成绩。①在实施新国家课程的背景下，英国教育部认为，学校问责的主要目的是改善学生英语、数学、科学等核心学科的学业表现，从而达到国际最佳标准。英国教育部2013年分别推出针对中学和小学问责改革的政策咨询报告并对社会各界的意见做出回应。

英国教育部主要从信息、标准和督导三个方面提出加强中小学问责的具体措施。首先，在信息公开方面，英国教育部强调要发布广泛的数据信息，为家长和公众了解学校取得的成绩提供全面的信息。这方面的举措包括：建立新的数据信息门户网站为获取和分析有关学校信息提供便利，要求学校在其网站上发布学生学业进展情况和学校办学效益的信息，以及继续实施学校绩效表并以此来公布学校的关键信息。其次，在学业标准方面，英国教育部提出要设定学生学业的最低预期或底线标准，并以此来检验学校绩效是否达到要求以及是否需要加以干预。其中，小学学业的底线标准为每所学校至少要有85%的学生在阅读、写作和数学方面为进入中学学习做好准备。英国教育部还提出对小学学生学业进展情况进行增值检测，也就是将学生在第二学段国家课程每门学科考试的分数与在第一学段考试中获得同样结果的其他学生的成绩进行比较②，以此显示学生是否取得进展。中学学业的底线标准为每所学校在英语、数学等8个学科中要有一半以上学科GCSE平均分达到C等以上。中学学生的学业进步增值检测也是采取相似的办法，将学生第四学段每门学科考试分数与第二学段考试获得同样结果的其他学生的成绩进行比较。再次，在督导方面，教育标准局将学校督导的重点放在那些没有达到底线标准的学校，以及在实现该标准过程中进展缓慢的学校，而对于达到标准的学校将减少督导。③

---

① OECD. School Autonomy and Accountability：Are They Related to Student Performance? [J] PISA in Focus，2011（9）：1.

② 例如，学生A在第二学段数学的考试成绩为90分，而在第一学段数学考试中所有得分为90分的学生，他们在第二学段考试中的平均分为85分，则说明学生A相对于其他学生取得进步。

③ DfE. Reforming Assessment and Accountability for Primary Schools：Government Response to Consultation on Primary School Assessment and Accountability [Z]. London：DfE，2014：4-11.

第四章　英国教育治理的国内视角

如前所述，治理活动是在多个不同层次展开的。全球化、地方代表性以及分权化的压力，缔造出一个快速发展的多层治理体系。对于任何一个重大决策领域来说，没有哪个层次可以做到自给自足，从地方、区域、英国中央政府以至欧盟，再到政府专业部门、企业界、政党、压力集团以及政治顾问，不同的利益和意志错综复杂，交互对其产生影响。①然而，在影响包括教育在内的公共政策与公共服务的整个政治过程中，政府虽然还是发挥着首屈一指的作用，但很多服务已经不再依赖集权化的公共部门，而是由私人部门、志愿组织或分权化的准自治公共部门提供和控制。这也表明，国家正在扮演一种迥然不同的“赋权者”的角色。新的治理涉及形形色色的组织，强调合作制与政策网络，要求更为高超的领导和协调能力。②

第一节　教育政策制定模式

政策一般主要体现为政府、政党、机构或组织为实现有关目标而采取的行动，而其实质则是不同群体利益的观念化、主体化、实践化反映。正如英国学者莫里斯·柯根所指出的，政策是对价值观的可操作性表述，是对法定意图的表述。③政策的这种观念化、主体化和实践化的属性也决定了政策制定过程的复杂性和不同群体间的利益博弈。因此，政策制定既不是一种纯粹的理性决策，也不是简单地把意识形态付诸实践，更不是一个讨价还价或蒙

---

①② 比尔·考克瑟，林顿·罗宾斯，罗伯特·里奇. 当代英国政治[M]. 孔新峰，蒋鲲，译. 4版. 北京：北京大学出版社，2009：20，518.

③ Maurice Kogan. Educational Policy-making [M]. London：Allen and Unwin，1975：55.

混过关的不协调的过程。相反，它是这三者的结合体。[①]

一、循证式政策制定

循证式政策制定（evidence-based policy making）也称基于证据的政策制定，这既是国际公共政策领域的热门实践，也是学术界关注的重要领域。按照牛津大学菲利普·戴维斯（Philip Davies）的解释，循证决策是指通过将可获得的最好的证据置于政策制定和执行的核心，从而帮助人们就政策、计划和项目做出明智的决策。[②]

（一）循证决策的政府观点

英国是最早关注循证理念在政策决策中运用的国家之一。1999 年3月，英国布莱尔政府在白皮书《政府现代化》（Modernising Government）中就指出："政策的制定应该是基于已有的最佳证据，而不是为了应对短期的外界压力；治本而非治标；看结果，而不是看采取什么行动；应该灵活、创新，而不是封闭、官僚；对民众促进和依从，而非回避或欺骗。我们要加强对证据的研究和利用，以便更好地理解我们有待解决的问题。"[③]同年9月，英国政府内阁办公室战略决策小组发布了一份题为《21 世纪的专业政策制定》（Professional Policy Making for the 21 Century）的报告，明确使用了循证决策的概念。该报告明确提出证据与决策之间的关系："政策制定者的决策（倡议）建立在最佳的可利用的证据的基础上，这些证据来自一系列广泛资源；所有关键利益相关者都能够在政策发展的初始阶段就参与进来并且经历整个政策过程；所有相关的证据（包括那些来自专家的），都会以一种重要的和通俗的格式提交给政策制定者。"[④]该报告还指出，好的有质量的政策制定依靠高质量和来源广泛的信息。这种信息也就是证据，包括专家

---

① 迈克尔·希尔. 理解社会政策[M]. 刘升华，译. 北京：商务印书馆，2005：109.

② Philip Davies. What Is Evidence-based Education? [J]. British Journal of Educational Studies, 1999, 47 (2)：108- 121.

③ The Prime Minister and the Minister for the Cabinet Office. Modernising Government [Z]. London：The Stationery Office Limited，1999：15.

④ Strategic Policy Making Team，Cabinet Office. Professional Policy Making for the 21 Century [Z]. London：The Cabinet Office，1999：71-72.

知识、现有的国内和国际研究、现有的统计资料、利益相关者的咨询意见、对以前政策的评估、新的研究（如可能）以及包括互联网信息在内的二手资源。此外，证据还包括对咨询结果的分析、对多种政策方案的成本估算以及由经济学和统计学模型推算的结果。[①]

（二）循证决策的组织机制

建立于2013年的英国“有效网络”（What Works Network），其主要目的是改善政府和其他组织的运行方式，为决策创造、分享和应用高质量的证据，从而支持国家和地方层面跨公共部门更有效的服务。简言之，其核心就是运用证据更好地做出决策以改善公共服务。“有效网络”所依据的基本原则是好的决策需要由可获得的最佳证据来支撑。如果证据不可获取，决策者需要采取高质量的方式找出有效的办法。英国政府认为此举是世界首创，即这是政府第一次采取全国性的手段强化证据在决策中的运用。

“有效网络”由7个独立的“有效中心”（What Works Centre）以及设在威尔士和苏格兰的两个附属机构组成。“有效中心”覆盖所有政策领域，这些政策领域的公共支出在2000亿英镑以上。“有效中心”负责为政策制定者、行政长官和实践人员在强有力证据的基础上做出决定提供经济而有效的服务。英国政府及经济与社会研究委员会和大彩票基金（Big Lottery Fund）等非政府机构负责为中心提供资助。这些中心帮助保障对证据做出完整、高质量和独立的评估，并以此来支持各个层面的决策。其采取的主要方式包括：（1）整理现有的证据，说明政策方案和实践的有效性；（2）在缺乏证据支持的政策领域，形成高质量的分析报告，并进行系统审查；（3）对照预期成果目标，评估政策与实践的有效性；（4）以可访问的方式分享研究发现；（5）鼓励实践人员、行政长官和政策制定者运用这些发现为其决定提供支持。（参见表4-1）

① Strategic Policy Making Team，Cabinet Office. Professional Policy Making for the 21 Century [Z]. London：The Cabinet Office，1999：33.

表 4-1　“有效中心”及其政策领域

有效中心	政策领域
国家卫生与保健卓越研究院（NICE）	卫生与社会保健
萨顿信托 / 教育捐助基金会（EEF）	教育成就
减少犯罪有效中心	减少犯罪
早期干预基金会	早期干预
地方经济增长有效中心	地方经济增长
老年更美好中心	改善老年人生活质量
福利有效中心	福利

资料来源：UK Government. Guidance：What Works Network [EB/OL]. [2017-12-28]. https://www.gov.uk/ guidance/what-works-network.

以教育领域的萨顿信托/教育捐助基金会为例，该基金会由萨顿信托基金与动力信托基金（Impetus Trust）于2011年合作成立，并从英国教育部获得1.25亿英镑的初创资金，其主要目的是提高处境不利儿童的学业成就。该基金会采取的主要工作方式是：（1）发现并资助以满足中小学弱势儿童需求为目标的有前景的教育创新项目；（2）对上述创新项目进行评估，拓展和获取有效证据，并在更大范围内进行推广；（3）鼓励学校、政府、慈善机构和其他组织应用和采取已被证明有效的证据和创新举措。[①]为此，该基金会建立了一个包括14661所小学和3014所中学的庞大学校数据库，以便开展学校间的绩效比较，查找差距和问题所在。同时，该基金会建立了包括数据、证据、实施、评估和动员等五个环节的“学校改进环”（School Improvement Cycle），帮助学校实现改进和提升。该基金会还开放了教育与学习工具箱及幼儿学前教育工具箱，在教育机构中传播教育研究的证据，使学校管理人员和教师能够用最佳的方式配置资源，从而提高学生的学业成

① UK Government. Guidance：What Works Network［EB/OL］.［2017-12-28］. https://www.gov.uk/guidance/what-works-network.

绩。此外，该基金会还总结了从学前到5~16岁儿童最有效的教育研究和干预措施，并将其以形象化的方式呈现，便于学校查找和参考。[①]自其成立后，该基金会已开展100余项评估活动，投入5700万英镑资助具有创新性和可扩展的项目。其活动涉及全英格兰4900所学校的62万名学生。[②]

除了“有效中心”以外，“有效网络”还采取其他一些措施，支持政府以仔细测试变化、积极开展评估以及阻止无效行动等完全不同的方式来制定政策。其具体内容包括：（1）组建跨政府部门的追踪咨询小组（Trial Advice Panel），由学界和政府部门的专家为公务员提供免费服务，帮助其检验政策和举措是否有效；（2）分享“有效中心”的发现以及促进对“有效”的探讨；（3）支持公务员有技能、有能力及愿意有效地使用证据；（4）帮助政策制定者对有关服务部门的投资做出科学判断，以产生更好的经济社会效益。[③]

2018年1月，英国政府发表报告《五年后的“有效网络”》（The What Works Network：Five Years On），对“有效网络”发展做出回顾和反思。报告认为，“有效”计划推出后已取得积极的效果。诸多“有效”机构的发展成熟成为沟通学术研究界、公共服务专业人士及社会其他方面的“桥梁”。“有效中心”、政府公务员培训、50人追踪咨询小组以及拨款和研究机构的种种努力都助推了“有效”运动的发展。但报告也指出，英国政府不能自满于取得的成绩。从国际范围看，澳大利亚、加拿大、芬兰等国家也在纷纷采取类似的措施。而且在英国政府部门中“有效”计划取得的进展也并不平衡，仍有大量的项目需要从“测试、学习和采用”的模式中受益。[④]英国政府内阁办公室大臣戴维·利丁顿（David Lidington）和财政部首席大臣伊丽莎白·特鲁斯（Elizabeth Truss）指出，由内阁办公室和财政部领衔的这个计

---

① 马亮．行为科学与循证治理：治国理政的创新之道[J]．经济社会体制比较，2016（6）：12.

②③ UK Government. Guidance：What Works Network [EB/OL]. [2017-12-28]. https://www.gov.uk/guidance/what-works-network.

④ The What Works Team. The What Works Network：Five Years On [R]. London：What Works Network，2018：36.

划目的是以有效的知识为重要决策提供支撑。从结果来看，这个计划及其所依靠的强有力的实证方法正越来越牢固地嵌入政策专业人士的培训与发展之中。但这一举措也需要进一步推进。虽然政府拥有大批训练有素的公共部门领导，但是仍需要采取更多措施使其能够获取最佳的证据，确保公共服务所投入的时间和金钱能够取得最好的成效。[①]

（三）基于证据的教育政策制定

总的来说，各种证据提供者以正式和非正式的形式参与政策制定过程的每一个阶段。在英格兰、威尔士和北爱尔兰地区，虽然法律并没有明确规定在政策制定过程中一定要有证据提供者的参与，但法律要求所有公务员必须客观地履行其职责，尤其是有关法律文件中规定应在证据分析的基础上形成建议和决定。英国《2010年平等法》（Equality Act 2010）要求英格兰和威尔士所有公共当局行使其职能时应充分进行诸多平等的考虑。北爱尔兰的政策制定者须遵从《1998年北爱尔兰法》（Northern Ireland Act 1998）第75章中有关公共当局义务的指导意见。为鼓励政策制定者和证据提供者之间的信息交流，政策制定者应能够获取和使用各种数据库、相关的研究结果、定期来自各咨询机构[②]的建议，以及各内阁部委的研究和统计部门的信息。[③]

在循证决策的语境下，英国的“有效网络”作为跨多重政策领域证据的中介发挥了重要的作用。除了“有效网络”的7个“有效中心”以及设在苏格兰和威尔士的两个附属机构外，威尔士还有其自己的地区性知识中介组织——威尔士社会经济研究、数据与方法研究所（WISERD）和威尔士公共政策研究所（PPIW）。在北爱尔兰，知识中介人的角色主要由北爱尔兰统计与研究局有关部门的职员和经济学家来担任，此外高校也在提供证据方面

① The What Works Team. The What Works Network：Five Years On [R]. London：What Works Network，2018：3.

② 例如，英格兰地区的教师专业发展专家组（Teachers' Professional Development Expert Group）、威尔士地区的数学任务与完成小组（the Maths Task and Finish Group）、北爱尔兰地区的资历专家组（the Qualifications Expert Group）等。

③ European Commission Education，Audiovisual and Culture Executive Agency. Support Mechanisms for Evidence-based Policy-Making in Education [R]. Brussels：Education，Audiovisual and Culture Executive Agency，2017：36.

发挥着重要作用。

教育领域的专家咨询一般由相关政府部门或议会专门委员会来组织开展，而且咨询内容会在网上公开发布。另外，也有些咨询活动通过问卷调查或焦点小组[①]（focus group）的形式进行。近年来，在教育领域采取循证决策比较典型的案例就是英格兰地区中学问责体系的改革。作为证据源的教育标准局及课程和资格局等非内阁部委都提出对中学问责体系的关切。这些证据表明，既有问责体系强调的是学生在GCSE考试中获得5个C至A^+等级的情况，这使得学校将注意力集中在C/D两个等级间的学生而使其他学生受到不利影响。对此，英国教育部的公务员提出一套体现政府政策目标的替代方案，而后，2013年2月至5月，教育部在网上开展公开咨询，面向中小学教师、校长、家长、学校、文凭授予机构、学科协会、工会以及其他机构，搜集其对政府提出替代方案的书面意见。咨询回应的文件显示，57%的回应者是上述各类人员或机构。在广泛搜集到的咨询文件中，家长、教师、校长和教育专家普遍表示支持。但是回应意见中也提出一些问题。例如，咨询文件中提出保留英语和数学考试中的C等级“门槛”，但一些回应者认为此举无益于实现预期的政策目标。英国教育部在考虑相关咨询证据的基础上，删除了上述两个学科的C等级“门槛”。新体制于2015—2016学年开始实施。同时，为避免造成实施上的不同步，该项改革措施没有实行预先的试点。[②]

北爱尔兰地区代表性的例子是高校搜集有关证据对培育集团（Nurture Group）进行有关评估对政策决定造成影响。培育集团是一个对具有社会性、情感和行为困难的儿童采取干预措施使其能够克服障碍，在主流课堂学习的专业机构。北爱尔兰教育部委托贝尔法斯特皇后大学对该部向培育集团提供资助所产生的影响进行评估。评估以有力的证据显示，培育集团的教育服务对儿童的社会性、情感和行为的改善发挥了显著而积极的作用。虽然政

---

① 焦点小组是一种质性研究方法，通常是在专业人士的引导下，通过问答和讨论来征求一组人员针对某一产品、服务、概念、广告、包装等的认知、意见和态度。

② European Commission Education，Audiovisual and Culture Executive Agency. Support Mechanisms for Evidence-based Policy-making in Education [R]. Brussels：Education，Audiovisual and Culture Executive Agency，2017：37.

府对培育集团的官方资助到2015年6月截止，但教育部基于评估意见决定继续提供支持和资助，并进一步拓展培育集团的教育服务。北爱尔兰教育部长曾指出，有价值的研究与评估提供了合理的证据，这为未来制定有关培育集团的决策奠定了基础。①

苏格兰虽然没有以立法的形式要求证据提供者参与政策制定过程，但是该地区也确实正式建立了囊括这类机构参与的安排。一般来说，这类机构以常规的利益相关者参与的形式涉入咨询过程。此外，有些机构还以特别或专门的方式非正式地参与咨询过程。证据提供者往往通过以上的形式参与决策的早期阶段和后期的评估阶段。苏格兰地区的证据提供者主要包括高等教育机构的有关院系、科研机构、评估或考试机构、教育部的研究与统计部门、国际组织、公共统计办公室、智库、咨询师、工会以及其他临时或专门机构。苏格兰高等教育基金委员会在代表政府分配资金的同时，也负有搜集和提供有关证据的责任。苏格兰也设有“有效网络”的地区联系办公室。为促进信息的交流，苏格兰的教育实践者和苏格兰基础教学委员会及苏格兰教育领导学院等伙伴组织也搜集各自的证据，并通过联合咨询委员会和利益相关者参与活动将信息传递给苏格兰政府。苏格兰政府也发表一系列的统计信息，委托开展教育系统的调查研究，并为有关研究者提供使用其数据信息的帮助服务。苏格兰地区比较典型的循证教育决策案例是其制定和修改“卓越课程”（CFE）的过程。该项改革发端于2002年，从2010年开始实施，2016年完成实施。2016年以前，苏格兰政府开展了多项措施来搜集证据。2011—2012年，苏格兰政府进行了“卓越课程”调查。同时，苏格兰政府还委托经合组织于2014年和2015年开展了对“卓越课程”的评估。②

二、参与式政策制定

20世纪90年代，经合组织曾提出将“积极社会”（active society）作为

①② European Commission Education，Audiovisual and Culture Executive Agency. Support Mechanisms for Evidence-based Policy-making in Education [R]. Brussels：Education，Audiovisual and Culture Executive Agency，2017：37，38.

社会政策的发展方向。这一思想的要义之一是政府的主要目标不再是保障全面就业，而是促进全面的就业能力（employ ability）。为此，政府主要的政策工具是教育和培训，政府通过为所有人提供经济机会与活动来消除贫困、依附和社会排斥。[①]与此相应，在强化社会关系治理（social relations of governance）的新背景下，“积极和参与式”的公民以及“授权式”政治领导模式在英国日益成为新的治理主题和形式。[②]

（一）参与式政策制定的制度安排

《联合国儿童权利公约》（United Nations Convention on the Rights of the Child）第12条规定：“缔约国应确保有主见能力的儿童有权对影响到其本人的一切事项自由发表自己的意见，对儿童的意见应按照其年龄和成熟程度给以适当的看待。”[③]

作为《联合国儿童权利公约》的缔约国，英国在民主进程及政策制定中也非常强调向年轻人征求意见，并鼓励他们的参与。英国教育大臣根据《联合国儿童权利公约》第12条及《2006年教育与督导法》（Education and Inspections Act 2006）第507B条款的规定，于2012年颁布《法定指导意见》（Statutory Guidance）。该指导意见要求地方当局“根据《联合国儿童权利公约》第12条的要求，应采取步骤了解年轻人的意见，并在有关青年人服务和活动的决策的制定过程中考虑他们的参与。为此，地方当局应建立和维持结构性的安排。为得到持续的改进，这些安排应保证年轻人至少每年就教育提供的质量和可获取性进行检查和报告。在适当的情况下，他们也应参与到服务的设计、实施与治理中。年轻人需要参与，在这一点上他们应该得到支持，确保代表当地年轻人以及那些可能没有发言权的人的全面多样性”[④]。

---

① OECD. Labour Market Policies for the 1990s [R]. Paris：OECD，1990：8.

② Jane Mulderrig. “Enabling” Participatory Governance in Education：A Corpus-based Critical Analysis of Policy in the United Kingdom [M] //Paul Smeyers，et al.（eds.）. International Handbook of Interpretation in Educational Research. Dordrecht：Springer，2015：442.

③ Unitied Nations Human Right. United Nations Convention on the Rights of the Child [EB/OL]. [2017-12-20]. http://www. ohchr.org/EN/ProfessionalInterest/Pages/CRC.aspx.

④ DfE. Statutory Guidance for Local Authorities on Services and Activities to Improve Young People's Well-being [Z]. London：DfE，2012：1.

英国教育部2014年制定了新的以“倾听儿童和青少年的声音并使其参与”为题的《法定指导意见》。该文件明确提出“学生声音”（pupil voice）的概念，即以各种方式倾听学生的意见，并使其参与到决策中。英国教育部认为，促进青少年学生参与的意义在于，有利于鼓励学生成为民主社会的积极参与者，同时也有助于提升学生学业成绩和成就。①

根据上述规定，年轻人主要通过青年议会②、青少年咨询机构、高等教育学生联盟、中小学学生联盟等各类“青少年代表机构”参与有关咨询活动，进而参与到政策制定过程之中。此外，青少年还通过在线咨询、焦点小组、街头访问和调查等多种方式参与咨询。近年来，英国在有关咨询中也越来越多地使用社交媒体这一被认为特别符合年轻人兴趣的手段。英国内阁办公室2016年1月发布修订咨询原则，其中建议政府各部考虑非正式的迭代咨询即使用新的数字工具和开放的协作方法是否合适。内阁办公室认为，咨询不仅仅是正式的文件和回应，也是一个持续的过程。内阁办公室还指出，修订咨询原则的主要目的就是在政策制定的早期阶段，使用更多的数字化方法与更广泛的群体进行磋商。③

（二）参与式政策制定的有关行为方

除了上文提到的年轻人代表机构、青少年组织以及青少年顾问、专家，尤其是青少年个体以外，参与式决策中包括政府部门、政府执行机构及地方当局等在内的公共当局也是重要的行为方。比较典型的公共当局包括如下几个机构。

1. 英格兰儿童专员

英格兰儿童专员（Children's Commissioner for England）是依据《2004年儿童法》（The Children Act 2004）而专门设立的职位。其主要职责是促进对儿童意见和利益的认识。《2014年儿童和家庭法》（The Children and

① DfE. Listening to and Involving Children and Young People [Z]. London：DfE，2014：2.

② 英国青年议会（UKYP）是由英国青年协会（BYC）运营的全国性组织，于1999年7月在英国议会下院发起成立。

③ UK Government. Guidance：Consultation Principles [EB/OL]. [2017-12-26] https://www.gov.uk/government/publications/ consultation-principles-guidance.

Family Act 2014）加强了专员的职权、权力和独立性，并强化了专员关照弱势群体儿童的责任。儿童专家促进儿童和青少年参与的主要途径包括有四个方面。（1）研究，该途径主要是基于儿童和青少年的意见。专员和工作人员会对个人和团体中具有特定经验或知识的儿童和青年进行咨询。他们的观点为专员的决策和建议提供信息。（2）青少年咨询团体，其中比较典型的团体是Amplify，该团体由30名11~18岁的青少年组成。Amplify每年召开三次全体小组会议，较小的小组会议则为专员提供建议或解决具体问题。（3）青少年专家组，主要包括两类专家组，一类是为有保健经历的儿童服务，另一类是为专员的沟通工作服务。（4）参与网络，这是由直接与儿童和青少年一起工作的组织、服务和团体组成，同时也是为了促进《联合国儿童权利公约》第12条的落实。该网络包括学校、学院、青年团体、保健委员会（care councils）中的儿童以及志愿和社区组织。专员确保包括支持残疾儿童和青年的群体，寻求庇护者或者有法律麻烦的群体。

2. 议会跨党派青少年事务小组（APPG）

议会跨党派青少年事务小组是议会两院中对特定问题具有共同利益的众多非正式团体之一。该小组与英国青年协会协调开展工作，主要任务是关注青少年问题，鼓励议员、青少年和青年服务机构之间的对话，以及鼓励采取协调一致的方式处理青少年事务。该小组约有70名成员，每年举行多次会议，并经常邀请大臣参会。

3. 英国青年协会

英国青年协会是英国一个独立的慈善机构，主要由年轻人运作并为年轻人提供服务。该协会致力于在地方、国家、区域和国际层面赋予年轻人权利并促进他们的兴趣，促进年轻人更多地参与社会和公共生活。英国青年协会已经获得政府资助，支持其“青年之声”（Youth Voice）计划，其中也包括青年议会活动。英国青年协会是一个会员组织，汇集了大约230个独立的组织，与地方、国内和国际的年轻人一起工作。该协会向英格兰的年轻人提供一系列的青年参与服务，以便他们影响地方和国家层面的公共决策。

（三）参与式政策制定的有关成效

2016年，共有97.8万余名来自英国的年轻人参加了年度“展现自我”投票。选票决定了英国青年议会的成员应该进行辩论并投票表决来年的竞选活动。通过投票选出的全国运动（national campaigns）将通过有关工作形成全国性和地方性成果。例如，英国青年协会下属的青年事务委员会编写了一份关于全国运动的主题报告，该报告提交给政府后收到正式答复。2017年，政府积极接受了2016年青年事务委员会关于种族主义和宗教歧视问题的建议。此外，在2014年12月下议院关于青年服务提供的辩论中，一些议员提供了他们的选区如何增加年轻人咨询以及如何影响青年服务的细节。

英格兰儿童专员组织每年一次的“接管挑战”（Takeover Challenge）活动。在该活动中，英格兰各组织向儿童和年轻人敞开大门使其有机会体验成人角色。这种“接管”体验使儿童和年轻人置身于决策岗位，活动还鼓励组织和企业听取他们的意见。在2016年的“接管挑战”活动中，全英格兰地区超过4.5万名儿童和年轻人“接管”了100余家组织和机构的有关岗位。在其中的“接管白厅”（Whitehall Takeover）活动中，司法部、内政部、外交部等政府内阁部门的22名大臣、议会数百名议员以及政府数十名高官都“退出”岗位交由儿童负责。儿童和年轻人代表出席高层会议，与公务员一起制定新政策，提出他们关切的问题，并在高级别场合中发言。[①]

第二节　教育政策制定过程

治理与政策（尤其是公共政策）之间存在着密切的关联。英国的一部政治学教科书就写道：“任何一个学生如果想了解英国今天的公共政策是如何制定的，很快就会发现有一个术语经常出现在文献中，那就是‘治理’。”[②] 在英国，治理与政策的关系表现为：一方面，英国国家性质的变化会对权力

① European Commission. Young People's Participation in Policy-making [EB/OL]. [2017-12-20]. https://eacea.ec.europa.eu/ national-policies/en/content/youthwiki/54-young-peoples-participation-policy-making-united-kingdom-england.

② David Richard and Martin J. Smith. Governance and Public Policy in the UK [M]. Oxford: Oxford University Press, 2009: 2, vii.

性质产生影响，而这种变化也会以治理的形式对公共政策制定产生影响；[①] 另一方面，治理经常通过公共政策的工具而保留在政治和行政领导层手中，而且通过公共政策安排的要素来诊断治理质量对于确定实现善治的实际和可持续战略至关重要。[②]

一、教育政策制定

教育政策制定涉及政策议题设置、政策表达、教育立法、政策执行以及政策调整与反馈等不同的阶段，这些阶段构成完整的政策制定循环。教育政策正是通过这种循环往复发生的作用而不断递进和改进。（参见表4-2）

表 4-2　教育政策制定过程

政策制定阶段	教育问题与发展
政策议题设置	大量团体表达对教育标准的焦虑。首相卡拉汉于 1976 年在全国范围内发起有关教育的大讨论
政策表达	搜集关于英国教育现状的信息；咨询相关团体或个人；重点放在父母和雇主等“消费者”而非教师或地方教育当局等“生产者”身上；鉴于其对教育标准的低下难辞其咎，现有教育体系中的多数均被否决
教育立法	《1980 年教育法》和《1986 年教育法》。《1988 年教育改革法》引入国家课程和国家考试，使学校脱离地方当局管理
政策执行	学校与地方执行国家教学大纲，发布考试结果，遴选新的治理实体
政策调整与反馈	对新政策下的教育标准进行评估。缩减国家教学大纲的范围，简化考试，引入“读写能力”与“计算能力”课时，按工作量支付教师工资等。新的权重放在体现更多差异性以适应不同学生的需要之上

① David Richard and Martin J. Smith. Governance and Public Policy in the UK [M]. Oxford：Oxford University Press，2009：2，vii.

② John Ugoani. Dimensions of Public Policy and Governance [J]. Journal of Public Policy and Governance，2014，1（2）：51.

资料来源：比尔·考克瑟，林顿·罗宾斯，罗伯特·里奇. 当代英国政治[M]. 4版. 孔新峰，蒋鲲，译. 北京：北京大学出版社，2009：542.

（一）精英决策

教育政策制定往往是一个多重利益群体参与和博弈的复杂过程。正如前文所述，很多国际组织、商业机构等都在影响一个国家的政策制定，例如经合组织、麦肯锡公司、皮尔森公司（Pearson）等，很多机构都在介入并影响教育改革。[①]英国政府在2010年发布的重要教育改革文件——《教学的重要性：2010年学校教育白皮书》就受到经合组织PISA的影响。在这份文件中，英国政府声称其改革的参照是亚洲经验，主张推行系统性的教育改革，以成为最具教育竞争力的国家，希望以此获得政策的合理性。

尽管英国在教育政策决策过程中受到多重影响，但在英国教育改革与发展过程中，中央政府对教育的干预不断加深。尤其是二战以后，英国政府认识到教育改革不只是学校的变革或活动，而是整个社区、整个国家一起动起来的变革。英国政府愈加将教育改革视为国家重要的教育政策，因此教育政策都属于政党施政的一个不可或缺的部分，也是政府推动国家发展不可推卸的责任，于是中央教育行政机构日益被推向教育决策的主导地位。事实上，英国政治学者比尔·考克瑟等曾在《当代英国政治》一书中在更宏观的维度上阐述了以首相及内阁为核心的行政体系在政策制定过程中的重要地位与作用。（参见图4-1）

英国及一些英联邦国家政府均自称是民主的，因为其政府体制中都存在代表人民的某种形式。然而这并不是直接民主。因为在复杂的社会里，大部分决策都是由一小部分代表制定的。虽然在教育政策的制定上，英国的中央教育行政机构会虑及公众和社会的需求以及国际教育发展的潮流，但实际上这些政策在更大程度上反映了担当统治者的精英们的偏好、利益和价值。一些政治家和社会学家认为社会中存在着一些“政治精英”。这些政治精英通常是来自于社会阶层中很小范围却把握关键政策部门的人，或是在政策制定

① 金津. 英国政府为什么“钟爱”中国教育？[N]. 英中时报，2016-05-20（A2）.

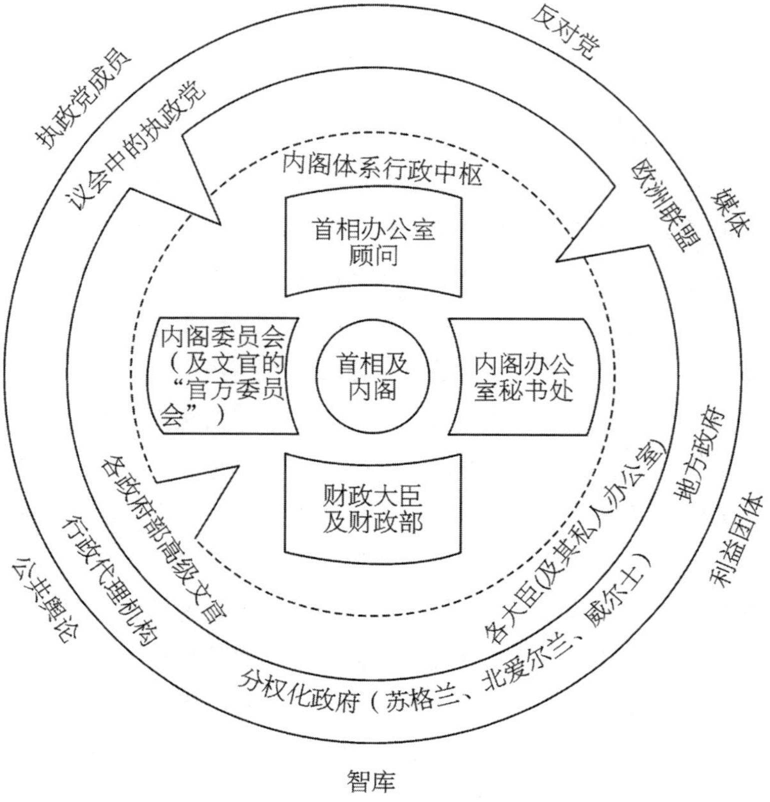

图 4-1　政策制定过程

资料来源：比尔·考克瑟，林顿·罗宾斯，罗伯特·里奇. 当代英国政治 [M]. 4版. 孔新峰，蒋鲲，译. 北京：北京大学出版社，2009：540.

中起主导作用的少数人。在英国，内阁大臣、高级公务员、主要咨询机构的成员，以及有名望的机构的负责人，都来自于相对狭小的社会阶层。这些人通常毕业于公学，并就读于牛津和剑桥，其父母也都属于类似小范围的中上阶层。但有证据表明，近年来高层决策人的社会背景已有所扩大。[①]然而，虽然制定和影响政策的参与者可能已经变得更加普遍，但他们仍然是排他性

① 迈克尔·希尔. 理解社会政策 [M]. 刘升华，译. 北京：商务印书馆，2005：72-97.

的精英，界定内部人士和外部人士的界限明确。①正如英国前教育大臣查尔斯·克拉克（Charles Clarke）所指出的，英国政府就是因为意识到教育改革需要整个国家方方面面一起动起来，故在行政上采取认定决策者为精英的中央集权制。②

英国宏观教育决策趋向中央集权，是推动教育改革的需要，也是教育行政体制变革的必然。当然，英国这种中央集权的决策路线，依托的是成熟的民主体制，其前提条件是专业能力和政治伦理。因为如果专业能力不足，不但政策理念和内容无法获得公众的认同，也可能做出错误的决策，甚或引发社会的动荡；而政治伦理则要求政策决策者必须勇于担负起政治责任。

（二）政策表达

英国前教育大臣克拉克在向议会报告时曾提到，“教育与其他社会服务工作一样皆属于公共事务，因此需要有一个全民共同认可的基础……教育工作的基本假设是只有一小部分精英可以做决策，然而，教育决策必须兼顾智愚贫富等各类人的尊严”。③

在很多人眼中，“保守”是英国人典型的民族特性。然而，一旦深入了解英国的历史与文化就会发现，其实英国人的这种“保守”并非守旧、维持现状和不思进取，只不过他们信奉“渐进式”的社会变革方式，在面临矛盾和冲突时会尽可能地以辩论、谈判和妥协等形式达成共识，避免引发激烈的阶级对抗与社会动荡。在英国宪政史上，1688年的“光荣革命”便是这种特性的集中体现。正如英国著名比较教育学者埃德蒙·金（Edmund King）所指出的：“英国人通过这种明显的逐渐演变和共同讨论，而不是革命——在欧洲大陆邻国中，这种革命时常把各种实行严格控制的制度砸得支离破

① Sonia Exley. The Politics of Educational Policy Making under New Labour：An Illustration of Shifts in Public Service Governance [J]. Policy and Politics，2012，40（2）：227-244.

②③ Charles Clarke. Department for Education and Skills：Five-year Strategy for Children and Learners [Z]. London：DfES，2004：5，13.

碎——的方式，能取得如此显著的成绩，是令人惊奇的。”①

注重决策的民主化，以开放的姿态充分考虑到公众和社会的需求，听取和吸收专家及专业组织的意见，建立起反思和沟通的顺畅渠道，是英国教育政策制定的一个主要特色。《1902年教育法》在制定过程中就曾引发广泛的辩论，但正是这种辩论使各方的利益诉求得到表达，他们间的谈判和妥协最终促成了该法的通过。《1988年教育改革法》是另一个很好的例证。该法中的核心内容，即设立全国统一课程，可以追溯到20世纪70年代的教育大辩论（The Great Debate）。1976—1977年间，英国的企业界、高等教育界、工会、地方教育当局、教育和科学部、教师团体及社会知名人士就卡拉汉首相演讲中提出的问题进行了广泛和深入的讨论，这次讨论所集聚的民意为其后教育和科学部的绿皮书、白皮书乃至最终的法律制定奠定了坚实的基础。

（三）教育立法

立法是英国中央控制的基础，也决定着英国教育系统的方向。②教育法律是教育政策的具体体现，也是保障教育政策相对稳定和有效的重要途径。但也有分析认为，与教育有关的议会法律在英国变得越来越平常，其影响力也在逐渐减弱。③

英国非常重视以立法的形式来进行重大的教育决策。在英国教育史上，特别是自二战以来，政府的基本教育政策都是通过议会的审议和立法程序，以法律形式确定下来的，并由此不断修改和完善形成今天英国的教育体系。例如，《1870年初等教育法》在完善原有的民办初等教育制度的基础上，建立了公立初等教育制度；1876年的《桑登法》和1880年的《默恩德勒法》进一步推动了强迫入学和义务初等教育的实施；《1902年教育法》确立了公立中等教育制度；《1918年教育法》将义务教育的年限延长至15岁；《1944年教育法》确立了从初等教育到继续教育相互衔接的公立教育体系，明确了中央和地方的教育管理职责；《1964年教育法》授予地方教育当局和民间团

① 埃德蒙·金. 别国的学校和我们的学校——今日比较教育［M］. 王承绪，邵珊，译. 北京：人民教育出版社，2001：186.

②③ Neville Harris and Stephen Gorard. Education Policy, Law and Governance in the United Kingdom［EB/OL］.［2018-02-12］. http://epapers.bham.ac.uk/741/1/Gorard_TiBi_Nr22.pdf.

体创办中间学校的权力；《1976年教育法》授权教育和科学大臣强迫地方教育当局按综合中学的组织结构组织中等教育；《1988年教育法》首次对初等教育课程作出全国统一规定，为5~16岁儿童设立全国统一课程。此外，英国议会还通过了诸如《伦敦政府法》《地方政府法》《就业和培训法》《全国卫生福利事业改革法》等大量与教育相关的法律。目前，英国议会颁布的全国性教育法规有20多种[①]，几乎覆盖了教育领域的方方面面。

英国的主体立法（primary legislation）即议会通过的法律是进行教育改革的关键工具。过去10多年中，英国议会通过的很多冗长而复杂的法律正影响着教育的组织和治理，并使得法律框架变得愈来愈完善。例如，《1998年学校标准与框架法》的篇幅有294页之多，《2000年学习与技能法》（Learning and Skills Act 2000）有135页，《2005年教育法》（Education Act 2005）有153页，《2006年教育与督导法》（Education and Inspections Act 2006）有262页。这种复杂性不仅体现在非常详细的法律规定上，也体现在新法修订以及引入新的独立条款的方式上。此外，由内阁大臣和国务大臣等政府行政团队成员颁布的条例和命令等次级立法也是英国社会立法的一个特色。这种委托式立法更为迅速，往往无需经过审查或辩论。在教育领域，这些次级立法、法规已经为详尽的立法框架增加了更多的细节。[②]

二、教育立法程序

英国的教育政策与教育立法具有非常密切的关系。英国任何执政党政府要进行教育改革或出台新的教育政策，都必须经过议会的立法程序，而不能以行政命令作为强制执行的依据。[③]因此，教育立法是英国教育政策制定和决策过程的一个主要方式，而英国的教育政策与决策也集中体现在制定教育法律的过程之中。英国历史上很多重大教育政策的制定和实施都是通过立法

① 刘茗. 传统与现代有机结合的教育管理体制——英、美、法、德教育管理体制比较[N]. 中国教育报，2003-08-16（4）.

② Neville Harris and Stephen Gorard. Education Policy，Law and Governance in the United Kingdom [EB/OL]. [2018-02-12]. http://epapers.bham.ac.uk/741/1/Gorard_TiBi_Nr22.pdf.

③ 王晓辉. 比较教育政策[M]. 南京：江苏教育出版社，2009：77.

的形式来进行的。

（一）立法动议

从来源来看，英国中央政府及教育行政机构在教育上的重大立法动议一般源自以下几个途径。

首先，立法的最初动议可能来自很多不同的地方，可能来自政府某个部门或者皇家专门调查委员会（Royal Commission）提交的官方报告，也有可能来自某个党派的政纲、压力集团或是媒体运动（media campaign）。但不管源于何处，除非赢得政府青睐并最终获得内阁的支持，进而在政府立法计划中获得一席之地，否则此种立法的念头通常会胎死腹中。[①]英国政府很多著名的教育政策往往可以追溯到一个政党在大选中就公共政策所发表的公开宣言和声明。例如，1987年保守党在大选宣言中许诺，如果它继续执政的话，将实施全国统一核心课程的政策。保守党在大选获胜后仅一个月，发表了题为《5—16岁国家课程：一份咨询文件》（The National Curriculum 5-16：A Consultation Document）的公众咨询文件，重新肯定1985年教育白皮书中提出的教育目标，并且强调在全国统一核心课程方面政府要加快步伐。[②]一年后，政府最终促成了《1988年教育改革法》的出台。

其次，中央教育行政部门改革委员会的意见，或为某一特定目的而设立的皇家专门调查委员会所提出的建议，往往也会影响到教育政策。例如，在职业教育领域，1887年英国在皇家技术教育委员会（Royal Commission on Technical Instruction）下设立了旨在促进技术教育立法的全国技术教育促进会（NAPTE）。该机构于1889年对技术教育展开调查活动，提出很多建设性的意见，并由此导致英国第一部关于技术教育的法律——《技术教育法》（Technical Instruction Act）的诞生。[③]

此外，一些重要的国际条约（如《罗马条约》《欧洲人权公约》等）以及议会议员个人的有关提案，也是英国教育立法的来源。

---

① 比尔·考克瑟，林顿·罗宾斯，罗伯特·里奇. 当代英国政治[M]. 孔新峰，蒋鲲，译. 4版. 北京：北京大学出版社，2009：367.

② 徐辉，郑继伟. 英国教育史[M]. 长春：吉林人民出版社，1993：355-356.

③ 王承绪，徐辉. 战后英国教育研究[M]. 南昌：江西教育出版社，1992：184.

教育政策上升为国家意志、成为教育立法的过程包括建立调查委员会、发表政策咨询报告、形成法案、提交议会审议、国王批准等若干程序。英国立法程序如表4-3所示。

表4-3　英国立法程序

阶段	场所	内容
一读	下议院（除非议案首先在上议院引入）	无辩论，完全是形式上的程序
二读	下议院	针对原则问题的辩论（政府议案在此阶段被驳倒的情况非常少见）
委员会阶段	通常在常设委员会中，执政党经常在其中占据多数；某些议案可能递交全院委员会	逐条详细审查，可能提出修正案，但是通常只有由大臣提出的议案拥有更大的成功概率，可能持续若干星期
报告阶段	下议院	针对修正后议案的报告，可能做出进一步的修正
三读	下议院	对最终文本的辩论，同意议案
上议院	议案在上议院经过同样的程序（委员会阶段通常在上议院议员席而非常设委员会进行）	上议院议员可能修正议案。如果议案被修正，则交回下议院进一步审议
审议上议院修正案	下议院	可能接受上议院的修正意见，如果不接受，通常上议院会做出让步，否则该议案可能重新引入，并不经上议院同意，根据《议会法》（the Parliament Act）于下次会期通过
英王批准		纯粹形式上的程序，此后议案成为正式法律

资料来源：比尔·考克瑟，林顿·罗宾斯，罗伯特·里奇. 当代英国政治[M]. 4版. 孔新峰，蒋鲲，译. 北京：北京大学出版社，2009：367.

（二）建立专门委员会

各类专门的调查、咨询委员会在英国政府教育决策的形成过程中发挥着极其重要的作用。这些委员会有两类：一类是隶属于中央教育行政部门的各种委员会，如中央教育咨询委员会（CACE）①、学校课程与考试委员会（SCCE）、全国师资培训与提供委员会（NACTST）等；另一类是由内阁、枢密院及中央教育行政机构设立的专门调查委员会，如1921年的教育经费审查委员会、1941年的中学课程和学校考试调查委员会、1945年的高等技术教育特别委员会、1946年的科学人力委员会、1961年的高等教育调查委员会、1965年的公学委员会等。

事实上，早在19世纪后半期，英国政府为推进教育改革相继建立了大学委员会（1850—1852）、克拉伦敦委员会（1861—1864）、汤顿委员会（1864—1869）等9个皇家委员会对大学教育、初等教育、公学、捐资办学、中等教育、科学教育等开展调查研究，为制定各种教育政策提供依据。委员会的工作对促成《1854年牛津大学法》（Oxford University Act 1854）、《1856年剑桥大学法》（Cambridge University Act 1856）、《1868年公学法》（Public Schools Act 1868）、《1869年捐办学校法》（Endowed Schools Act 1869）和《1899年教育委员会法》（Board of Education Act 1899）等一系列教育法律的出台发挥了积极而独特的作用。后来这种制度逐渐成为英国教育行政管理中一个独特的传统。②“事实上，我们甚至可以说，这些调查的主要价值就在于建立常规性的政策研究，在此基础上就可以对政策效果加以检验”③。1963年《罗宾斯报告》（Robins Report）出台之前的调查时间也长达两年。

---

① 该委员会由英格兰和威尔士两个委员会组成。

② 王承绪. 英国教育[M] //中国大百科全书总编辑委员会《教育》编辑委员会，编. 中国大百科全书·教育. 北京：中国大百科全书出版社，1985：495.

③ 霍华德·格伦内斯特. 英国社会政策论文集[M]. 苗正民，译. 北京：商务印书馆，2003：286.

各类委员会均有其明确的职责。对于中央教育咨询委员会来说，《1944年教育法》授权其“就他们认为合适的或政府要求他们研究的任何教育问题进行调查并提出报告”[①]；而对于各专门委员会，在成立伊始政府也都已明确其宗旨。例如1945年教育大臣委派尤斯塔斯·珀西勋爵领导的“高等技术教育特别委员会”，其职责是“在考虑工业界要求的基础上，研究英格兰和威尔士发展高等技术教育的需求，以及大学和技术学院在这一领域各自应做出的贡献，并就在这一领域维持大学与技术学院之间的适当合作途径，提出建议及其他需要考虑的问题”。1946年枢密院院长委任阿伦·巴洛爵士为主席成立的“科学人力委员会”，根据政府指示，其职责为“研究今后10年使用和开发英国科学人才和资源的政策，并尽早就大致的设想提出报告，以便于制订那些有赖于使用科学人力的领域的发展规划”。[②]

在人员组成上委员会一般都体现了权威性、广泛性和专业性的特点。中央教育咨询委员会的主席、委员及秘书均由教育大臣任命。其中英格兰和威尔士教育咨询委员会的成员分别由21人和18人组成。这些成员都是公立教育机构的资深人士或教育界以外对教育有认识的人士，按照惯例，成员包括中小学、继续教育、公学、教师协会、工商业界、科学界和宗教界的代表。[③]各专门委员会成员由政府部门任命，主席往往都由社会知名人士担任。委员会还可能下设若干个分支机构从事各种具体工作，其成员多由专业人员担任。以迪林领导的“国家高等教育调查委员会”（NCIHE）为例，该委员会设立了工作组和秘书处两大机构，其中工作组中包含有“高等教育的经济职能”“教学、质量与标准”“信息技术”“研究”等8个分支委员会，成员除32名调查委员会的正式委员外，还有数十名非正式委员，他们大多是大学的副校长和研究人员，也有来自通用电气公司等企业的代表；秘书处有大

① H.C. Dent. The Education Act 1944 [M]. London：University of London Press Ltd，1972：6.
② 徐辉，郑继伟. 英国教育史 [M]. 长春：吉林人民出版社，1993：323-324.
③ George Taylor & John B. Saunders. The New Law of Education [M]. 7th ed. London：Butterworths，1971：5-6.

量的专兼职人员负责政策咨询、业务支持与协助工作。①

从英国教育立法的实践来看，各种委员会的调查研究和报告以及其后的绿皮书、白皮书，为决策提供了翔实的事件背景和客观的事实基础；问卷、座谈、会议等多种调研方法的运用以及立法决策模式的完善，保障了立法程序和过程的严密性、科学性和准确性。

（三）发表研究报告

委员会接受任务后，为撰写出有质量的研究报告，通常要进行访问、会议、调查、取证、分析和研究等一系列的工作。例如，1961—1963年间，罗宾斯委员会为履行职责，开展了大量的调查研究工作，其中包括举行了111次会议，访问了90个组织机构和31位证人，收集整理了400多份书面材料，并对美国、苏联、法国、联邦德国、荷兰、瑞典、瑞士做了短期考察访问。②又如，迪林委员会的调查工作包括：向有关组织和个人发放了2000份问卷，并委托以伦敦大学教育学院巴奈特（Ron Barnett）教授为首的研究组对结果进行分析处理；在伦敦和爱丁堡分别邀请了29个和8个组织召开专题座谈会；1996年10月至1997年2月间，在莱斯特、埃克塞特、曼彻斯特、伦敦、贝尔法斯特、爱丁堡等6个城市举行由高等教育机构学者、行政人员、学生代表、雇主代表、培训与企业委员会（TECs）代表以及政府部门代表参与的咨询会议；派遣委员会成员到美国、日本、德国、法国、荷兰、澳大利亚和新西兰访问；等等。③

调查研究的最终形式是向委任部门提交研究报告。尽管报告的体例和内容各异，但有两个方面的内容是特别重要的。一是提出解决某一问题的原则。例如，普洛登委员会（The Plowden Committee）就儿童及初等学校问题提出补偿教育原则、儿童中心主义的进步主义原则、教育系统内部所有部门同等对待原则等三项原则。而最著名的当数《罗宾斯报告》中为扩大高等教

① NCIHE. How the Committee Carried Out Its Work.［2006-08-19］. http://www.leeds.ac.uk/educol/ncihe/.

② 徐辉，郑继伟. 英国教育史［M］. 长春：吉林人民出版社，1993：328.

③ NCIHE. How the Committee Carried Out Its work［EB/OL］.［2006-08-19］. http://www.leeds.ac.uk/educol/ncihe/.

育规模而提出的"所有具备入学能力和资格并希望接受高等教育的青年都应该获得接受高等教育的机会"。二是提出解决问题的具体建议与对策，即一揽子的政策方案。例如，《普洛登报告》提出的建议主要包括：家庭、学校与社区的关系，初等教育的结构，课程和内部组织，教师，校舍，学校的地位与管理等六个方面。《迪林报告》则围绕高等教育的目的与目标、学生与学习、资格与标准、地方的责任、政府的管理、信息通信技术等各个方面提出93条建议。而《罗宾斯报告》提出的建议更是达到178条之多。

（四）发布政策咨询报告

政府决定启动立法程序之前，通常会向政府各部门以及相关公共机构广泛征求意见，经常征询更广泛的外部利益的看法。这种征求意见的过程，不仅能够为政府提供更多的信息和专家观点，而且更能在赢取议会辩论和国民支持方面发挥至关重要的作用。只有在充分征询各方面意见后，具有立法设想的政府部门才能开始起草立法议案的过程，而法案则交由专门的议会法案草拟者——议会法律顾问局（Parliamentary Counsel）起草。[①]

绿皮书和白皮书是英国政府施政报告的两种主要形式[②]，是政府在吸收调查委员会建议基础上提出改革设想和政策意向的重要载体，同时也为公众、利益团体提供表达意见和建议的机会。

绿皮书是由政府发表的一种政策咨询文件，表明政府尚未最终下定决心，其中包含了在做出决定采取最佳政策选项前，为开展辩论和讨论而提出的政策建议。绿皮书中往往包括有几种可供选择的政策选项。在咨询和磋商以后，政府通常将在随后发表的白皮书中提出更确切的建议。

白皮书是由政府部门发布的包含有详细立法建议的文件。它一般在政府发表绿皮书、结束咨询过程以后形成。同时白皮书也是政府以法案的形式向议会提出其政策建议的最后一个阶段。白皮书通常是政府意图更为坚决的表述。然而，大臣们有时候可能注意到一种特别的"带有绿边"的白皮书，这

---

① 比尔·考克瑟，林顿·罗宾斯，罗伯特·里奇. 当代英国政治[M]. 孔新峰，蒋鲲，译. 4版. 北京：北京大学出版社，2009：368.

② 在英国的教育立法实践中还出现过红皮书、黄皮书等形式的政策报告书。

表明政府已做好准备听取意见，对原有方案进行修改。白皮书发表后，教育大臣作为提出立法动议的政府部门的代表通常要在议会就该政策建议进行陈述。[①]

英国各项重大教育立法过程中都伴随着政府发表的包括绿皮书和白皮书在内的诸多政策文件。例如，在《1944年教育法》法案形成以前，中央教育委员会在1941年就发表了一份题为《战后教育》的绿皮书，提出各种改革设想，并寻求公众的批评意见和修改建议。在此基础上，时任中央教育委员会主席的巴特勒（R. A. Butler）于1942年又向议会提交了一份名为《教育的重组》（Educational Reconstruction）的白皮书。正是这份白皮书奠定了以后教育改革与政策的基础。又如，在《1988年教育改革法》出台过程中，1976年教育与科学部发表的黄皮书《英格兰的学校教育：问题与倡议》（School Education in England：Problems and Initiatives）、1977年皇家督学（HMI）发表的《教育红皮书》、1977年教育与科学部发表的绿皮书《学校中的教育：一份咨询文件》（Education in Schools：A Consultative Document）、1985年教育与科学部发表的白皮书《把学校办得更好》（The Better Schools）等都对该法的定型起到积极的作用。

（五）形成法案

中央教育行政机构在发表政策咨询报告及征求公众意见后，便可以提出用以在议会开展辩论的提案即法案。教育大臣及公务员负责制定法案的具体文本，一般大臣负责确定法案的整体构架，而公务员负责编订详细内容。起草法案并不是在封闭状态下进行的，大臣和公务员会参考广泛的非官方咨询意见以确保实际运作中的贯彻实施。而且教育部也会根据法案所涉及的主题咨询不同的人士和组织，通常包括专家、地方教育当局、教师工会、议员及其他人员和政府部门等。政府的律师也会参与法案的设计。由这些人员共同起草的法案必须尽可能做到清晰和准确，使人们能够理解其含义而不能留下任何的纰漏。如果法案有争议，可送交内阁或内阁的某个委员会做进一步的协商讨论。

---

① DfES. White Papers and Green Papers［EB/OL］.［2006-08-11］. http:www.dfes.gov.uk.

法案一经形成就会尽快地以立法草案的形式公布，从而为开展公共审查（public scrutiny）与讨论提供充足的时间。法案草案在教育大臣同意并经公开咨询后，便可提交议会，准备在议会上院或下院提出（一般为下院），并在两院分别进行大体相同的通过程序。

（六）议会审查

议会立法程序，也就是法案成为法律的方式，体现议会决定决策过程结果的权力。①议会审查是英国教育立法过程中程序最复杂、矛盾冲突最集中的环节。例如，《1902年教育法》在议会下院审议过程中，进行了59天的激烈辩论，尤其是乔治（L. George）领导的自由党几乎对议案的每一条都提出反驳意见。②同样地，英国议会对《1988年教育改革法》的审议也花了320多个小时，其中有很多时间花在两院激烈的辩论上。③在20世纪80年代一项法案的审议中，保守党后座议员④也在激烈的辩论中挫败教育大臣基思·约瑟夫爵士（Sir Keith Joseph）要求学生为他们接受的高等教育支付费用的动议。⑤

教育法案在议会审查过程中通常包括在下院展开的一读、二读、委员会阶段⑥、报告阶段、三读以及其后的上院阶段等几个不同的阶段。

一读只是个程序上的仪式，一旦在下院提出，法案便可印制、散发并准备进入二读。而有关法案的修改将在委员会阶段以及其后的各个阶段进行。二读是对法案所包含的原则和范围进行一般的、广泛的讨论。辩论通常持续一天。教育大臣及其反对党同僚最先和最后发言，其余时间由后座议员发言。如争论激烈，则辩论终结，进行表决。由于政府是由在下院中占多数席

---

① Ted Tapper. The Governance of British Higher Education：The Struggle for Policy Control [M]. Dordrecht：Springer，2007：121.

② 徐辉，郑继伟. 英国教育史[M]. 长春：吉林人民出版社，1993：258.

③ 劳顿. 1988年教育改革法前后英格兰和威尔士的教育与培训 [M] //瞿葆奎. 教育学文集·英国教育改革. 北京：人民教育出版社，1993：781.

④ 后座议员指英国议会下院中坐在后排的议员即普通议员（包括首相在内的现任内阁成员和反对党的影子内阁成员坐在前排）。

⑤ Robert Stevens. From University to Uni：The Politics of Higher Education in England since 1944 [M]. London：Politico's Publishing，2004：37-38.

⑥ 即议会上、下院委员会审查议案二读与三读之间的阶段。

位的政党组成，因此政府法案在二读中几乎都能通过。二读后，议会将特别任命18名议员组成常设委员会，负责对法案进行详细的、逐条的审议。委员会成员均可提出条款修正案，委员会主席则有权选择进行辩论的条款修正案，以加快讨论。在报告阶段议员参与对委员会修改后法案的详细审议。同时，所有下院议员均有机会就法案修改意见和条款进行发言和表决。而委员会已否决的修改意见一般不再讨论。议会下院在三读中将再次审议最后版本的法案。由于法案主要的修改工作已在报告阶段完成，因此三读通常非常简略。如果还需进行实质性的修改，法案必须送还常设委员会由其进一步讨论。

法案在议会下院三读后将被呈送到上院，再次经过与上述阶段相同的审议程序。法案在上院不是形式上的审议，而是可能会有进一步的修改。如果法案在上院未经修改而通过，便可以直接呈送给国王；如有修改，则退回下院，由下院对上院的每一处修改进行辩论。对于上院的修正案，下院可以接受，也可以再行修改、另行拟定或拒绝。在后三种情况下，法案将被送回上院并附具原因；此时，上院一般会尊重下院的意见而予同意。如上院坚持己见，则法案将在两院间讨论，直至达成一致意见。如果两院仍不能达成一致，法案便流产，但这种情况极为少见。

这些听起来像是个非常彻底的审查过程，可事实上却没有那么有效。政府通常寻求推进一揽子庞大复杂的立法计划，并力争使立法过程在不做重大让步的情况下尽可能快地进行。因此，议会常设委员会中的执政党议员会心照不宣地默许政府议案。与此形成对比的是在野党议员的态度，他们在为数众多的修正案上口若悬河，雄辩滔滔，力争将立法过程拖得越长越好。这种情况将一直持续下去，直到政府失去耐心而设定时间表，“终止议会辩论”为止。[1]

（七）国王批准

法案通过议会的所有审议阶段后将呈请国王批准。国王的批准将通过议会两院的发言人宣布，并记录在议会官方的议事录中。经过国王的签署和批

① 比尔·考克瑟，林顿·罗宾斯，罗伯特·里奇. 当代英国政治[M]. 孔新峰，蒋鲲，译. 4版. 北京：北京大学出版社，2009：371.

准，法案正式成为法律。[①]

第三节　压力集团、政党、媒体与教育政策制定

政策制定过程中的各参与者构成一个相互联系、交织与互动的复杂关系网络结构（参见图4-2）。虽然上文强调了以首相和内阁为中心的行政体系的重要作用，但围绕在这个核心之外的压力集团、政党、媒体等参与者在政策制定过程中的作用也不可或缺。

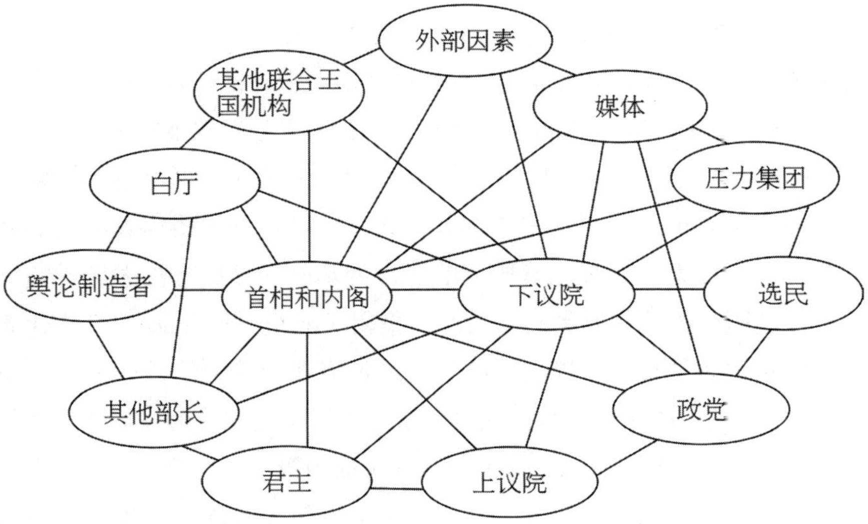

图 4-2　政策制定参与者的网状结构

资料来源：奈杰尔·福尔曼，道格拉斯·鲍德温. 英国政治通论[M]. 苏淑民,译. 北京：社会科学文献出版社，2015：32.

---

① The UK Parliament. Bill Procedure [EB/OL]. [2006-08-11]. http://www.parliament.uk/works/newproc.cfm.

一、压力集团

压力集团（Pressure Groups）是社会上旨在通过政治或其他行动实现其希望发生的变化或阻止其不希望发生的变化的任何团体。[①]压力集团是现代民主社会中的重要组织。和政党一样，压力集团也努力寻求影响公共政策制定和执行，只是压力集团是一种非正式政治组织。

（一）压力集团的类型

对教育变革的任何一种解释，都必须考虑到这样的事实：不同的社会阶级和社会集团都致力于制定和阐明各自的政策。实际上，这些政策就是反映这些阶级和集团的各自需求与愿望的总观点。当然，先进的工业社会中充满对立的社会势力之间的矛盾和分裂，这种分裂和冲突必然会直接地反映到教育界中来。[②]在英国，亦是如此，影响政策的各种集团所做出的尝试主要是在正式体制之外。压力集团是从白厅和威斯敏斯特外部将各种诉求努力向它们自己期待的方向推动，而非从内部推进。在英国教育政策的多层治理结构中，包括压力集团和工会在内的教育组织的代表拥有很多影响政策的渠道。[③]

英国的压力集团有两种主要划分方式。一种是以集团代表的利益来划分，具体又可分为以某种经济职能的运行为基础，目标是扩大属于特定专业、行业及职业的某些人员利益的部门集团（sectional groups），如代表教师利益的英国教师协会；以共同的立场或价值观为基础的目标集团（cause groups），这类集团往往又被称为立场集团、思想集团或偏好集团，其代表包括“宪政88”等组织。另一种是以描述采取的策略及与政府间的关系来划分，具体可分为包括职业游说公司和特别问题组织等的主要集团（primary

---

① 奈杰尔·福尔曼，道格拉斯·鲍德温．英国政治通论[M]．苏淑民，译．北京：社会科学文献出版社，2015：127.

② 卡特林娅·萨里莫娃．当代教育史研究与教学的主要趋势[M]．方晓东，译．北京：教育科学出版社，2001：16.

③ Philipp Knodel. On Silent Wings—PISA，Bologna，and the Debate about Internationalization in England [M] // Kerstin Martern，Philipp Knodel and Michael Windzio (eds.) . Internationalization of Education Policy：A New Constellation of Statehood in Education? Basingstoke：Palgrave Macmillan，2014：143-144.

groups）以及教会和大学等在内的次要集团（secondary groups）。①也有人将其划分为与政府联系密切的内部集团（insider groups）和经常采取政府不赞成行动的外部集团（outsider groups）。

有些压力集团引起人们关注的原因是其成员拥有专业知识。尤其是在教育和医疗卫生领域，这种“重量级”的压力集团很多。据说在许多不同的专业领域里，存在许多“政策网络”和“政策团体”。当然，很多压力集团的行为都与“慈善事业”有关。同样，政策制定过程的理论也需要为“慈善事业”与“行善者”留有空间。政策制定中，不应忽视有关利他主义的重要问题。政治家或有些政客愿意为理想而奋斗的说法并不幼稚。②

此外，不可忽视的是，随着欧盟对英国公共政策影响的加强，布鲁塞尔自然日渐成为压力集团活动的重要中心。包括英国产业联合会、英国全国农场主联合会和本土公司在内的压力集团也都参与其中，在布鲁塞尔设立办事处或雇佣职业说客。很多集团都寻求与其他成员国中相似利益关系的组织联合起来建立欧洲压力集团（Eurogroups）。相对而言，这些大集团对欧洲政策具有更大的影响力。③

（二）压力集团的功能

有学者曾以“宣传爆炸”（advocacy explosion）和“游说爆炸”（lobbying explosion）来描述利益集团在美国教育政策制定中发挥的重要作用。④很多研究都摒弃了英国体制中压力集团无足轻重的想法。虽然有人仍持保留态度，但不少人认为英国的压力集团的作用或许和美国的一样明显。⑤1997年，英国两大主要党派成员加起来的总人数大约是70万，2002年便只有61万了。而压力集团成员人数多达数百万，远远超过了各政党的成员

①③ 比尔·考克瑟，林顿·罗宾斯，罗伯特·里奇. 当代英国政治[M]. 孔新峰，蒋鲲，译. 4版. 北京：北京大学出版社，2009：219-221，444，123.

②⑤ 迈克尔·希尔. 理解社会政策[M]. 刘升华，译. 北京：商务印书馆，2005：99，95-96.

④ V. Darleen Opfer. Beyond Self-interest：Educational Interest Groups and Congressional Influence [J]. Education Policy，2001,15（1）：135.

数。[①]在国家层面，压力集团可以以落选来要挟无视他们利益的政党。事实上，英国大部分很强大的压力集团都与一个或多个政党建立了关系。工会是这种现象的典型实例。[②]

压力集团主要具有以下四种功能。（1）充当政府与公众之间的中介。压力集团作为发言人和谈判者代表着具有特定范围的部门利益，通过参与政府行政措施和立法详细措施及提供建议，以及随后提供公众对政策输出和决策过程满意度的反馈，来帮助各级政府制定和实施政策。（2）作为政府的对手和批评者。正如有学者指出的，选民所做的远不止选出自己的代表，在有关政策实施问题上，他们还应坚持行使建议、劝诱和警告代表的权力，这主要通过压力集团系统来实施。[③]（3）作为政府的延伸和代理人。在此方面最典型的就是20世纪六七十年代，英国工会联盟和英国工业联合会作为经济利益集团，实质上几乎在所有经济管理实务以及其他事务中充当了政府的义务伙伴。（4）作为信息宣传员和传播者。其主要目的是宣传特定观点或捍卫特定的立场。[④]

在政府制定政策的整个过程中，压力集团都可以从中施加影响和压力，如促使政府意识到某个问题的重要性，明确提出可供选择的政策建议，在议会辩论阶段施加影响，利用媒体进行跟踪报道，然后再采取行动促使由此形成的相关法律规定或政策文件得以执行。压力集团通常所采取的最有效的一贯策略，就是私下进行的“院外活动”，游说相关公务员和大臣。[⑤]（参见表4-4）

---

① 比尔·考克瑟，林顿·罗宾斯，罗伯特·里奇. 当代英国政治[M]. 孔新峰，蒋鲲，译. 4版. 北京：北京大学出版社，2009：444，123.

② 迈克尔·希尔. 理解社会政策[M]. 刘升华，译. 北京：商务印书馆，2005：95，96.

③ R. Kimber and J. J. Richardson（eds.）. Pressure Groups in Britain. London：Dent，1974：280.

④ 奈杰尔·福尔曼，道格拉斯·鲍德温. 英国政治通论[M]. 苏淑民，译. 北京：社会科学文献出版社，2015：131.

⑤ 丹尼斯·卡瓦纳. 英国政治：延续与变革[M]. 刘凤霞，张正国，译. 4版. 北京：世界知识出版社，2014：228.

表 4-4　压力集团在政策制定过程中的活动

政策制定阶段	压力集团活动
认为有必要制定政策：将拟定政策列入议事日程	营造有利的舆论氛围
	唤起媒体与公众的兴趣
	游说相关议员、政党及智库团体
进入程序：详细拟定有关法律法规及政策文件的草案	尝试与政府接触
	提供有关信息和专业知识，争取与政府协商谈判
立法阶段：进入上下两院及专业委员会辩论阶段	游说两院议员及相关委员会成员，争取对法规进行修改
	争取议员提出议案
实施阶段：白厅、地方政府及有关行政代理机构	为重新制定政策提供信息反馈

资料来源：丹尼斯·卡瓦纳. 英国政治：延续与变革[M]. 刘凤霞，张正国，译. 4版. 北京：世界知识出版社，2014：229.

二、政党

政党有多种形式：执政党或反对党、议会政党、政治政党，等等。英国政府常常被称为议会政府或内阁政府，但也可以称之为政党政府。这是因为，在某些方面，现代英国议会和内阁的最主要特征表现为它们与各政党的关系。①

在产生变革的意义上，政党可能不是原动力，但如果没有它的作用，新的政策就不会生根发芽。因此，政党在新政策思想的产生过程中扮演着至关重要的角色。政党政策需要对重大的社会经济和政治转变问题做出回应。

① 丹尼斯·卡瓦纳. 英国政治：延续与变革[M]. 刘凤霞，张正国，译. 4版. 北京：世界知识出版社，2014：172-173.

更为微妙的是，政党为政策张力的管理提供了不可或缺的环境，同时成为新政策思想得以建构的组织框架的组成部分。尽管如此，对政党在政策发展中的作用，尤其是在高等教育领域，也存在相当的质疑。塔珀就指出，现有的对政党在高等教育政策制定过程中作用的分析往往淡化其重要性。①柯根等学者也持有类似的观点，认为政党在政策变革中的参与很少，并且认为即使是保守党新思想的出现（特别是“新右派对高等教育的思考”），也应更多地归功于智库而不是想象中的保守党本身。②

政府对整个国家负责，议员对其选民负责，同样地，政党也要对其成员负责。政府是国家机构的组成部分，议员在议会的结构和程序内发挥作用，而政党则以其规则手册（rulebook）为指导，并与其他机构互动以提高其效力，工党和工会的联系就是最好的例子。1945年后工党对“科学与社会主义”结合的重视，加上对大学的强烈劝告，扩大了其对科学技术的承诺。扩张和扩大社会机会、刺激经济增长和加强对科学和技术的承诺等主题相对和谐地融合在一起。因此，在历史上更多地表现为与中学教育有关的传统的工党开始“侵入”高等教育辩论。让·博科克（Jean Bocock）和理查德·泰勒（Richard Taylor）认为，工党在高等教育政策上一直坚持“三个持续的子议题”：首先，更多地发展职业、技术和专业教育项目是必要条件，这反映出工党对人力资本理论的接受；其次，高等教育被视为实现理想社会目标的便利而实用的工具，特别是作为在精英标准决定的阶级结构背景下增强机会平等的手段；再次，高等教育有义务传播积极的价值观。③而新的发展趋势则是，保守党和工党都对传统的大学自由主义观念持逐渐增长的怀疑，并开始

① Ted Tapper. The Governance of British Higher Education：The Struggle for Policy Control [M]. Dordrecht：Springer，2007：93.

② Maurice Kogan & Stephen Hanney. Reforming Higher Education[M]. London：Jessica Kingsley，2000：207–209.

③ Jean Bocock and Richard Taylor. The Labour Party and Higher Education：The Nature of the Relationship [J]. Higher Education Quarterly，2003，57（3）：221–222.

将高等教育视为首要的经济资源。[1]

虽然不少人仍认为，政党具有重要的政策制定作用，但这种作用大多是受到政党的领导层的激励，而很少从底层向上渗透。而且，几乎不可避免的结果将是政党内部关系紧张，至少是在各方的对比水平之间。例如，保守党和工党的两位大臣基思·约瑟夫[2]及查尔斯·克拉克[3]都曾在学费问题上与其议会政党发生激烈冲突。基思被迫放弃了他的提议，查尔斯与议会中工党的后座议员进行了漫长的谈判，据称这导致他对他们做出了重要的让步，以确保《2004年高等教育法》（Higher Education Act 2004）获得通过。[4]

三、媒体

英国政治学者认为，毫无疑问，在过去的四五十年间，媒体在英国政治制度中开始发挥越来越重要的作用。[5]事实上，早在19世纪，英国公众就通过公众舆论即群众请愿、公众集会及示威游行等方式向下院施加压力。而如今，争取公众舆论支持的主要手段就是利用各种公关技术以及依靠大众传媒。

在教育政策制定的现实情境中，政府部门和利益集团大都想从消息灵通的观察家和评论家那里寻求有利的舆论导向，而政府决策者们对这些人的判断也往往给予重视，而且反应非常敏锐。这是因为媒体宣传往往可以营造一种有利于利益集团表达其强烈诉求的气氛，例如对学校由于财政压力而解雇教师等现象的披露，将有助于教育部从白厅争取更多的财力援助。此外，利益集团还利用媒体发布有利于它的民意测验结果，并借此推动其事业。例如，它们可以将扩招教师、提高教师工资待遇、加强在职培训及完善教学设

---

① Brian Salter and Ted Tapper. The State and Higher Education[M]. Ilford：Woburn Press，1994：20-36.

② 基思·约瑟夫于1981年9月至1986年5月担任教育与科学大臣。

③ 查尔斯·克拉克于2002年10月至2004年12月担任教育与技能大臣。

④ Ted Tapper. The Governance of British Higher Education：The Struggle for Policy Control [M]. Dordrecht：Springer，2007：94.

⑤ 奈杰尔·福尔曼，道格拉斯·鲍德温. 英国政治通论[M]. 苏淑民，译. 北京：社会科学文献出版社，2015：169.

施等诉求，假以“提高教育质量”的名义公布于众。尽管公众舆论能够决定的事情极其有限，但它所营造的舆论氛围足以影响利益集团的立场，也是每个当选领导人在决策时所要考虑的一个因素。①

近年来，随着新的信息通信技术的发展，尤其是互联网的普及，新媒体在教育政策制定中的影响也越来越引人注目。有学者认为，互联网创造了一种新的政治沟通方式，由此形成的网络运动具有改变政府与社会权利关系的潜力。互联网作为传播信息、争执和辩论的平台，吸引了许多人加入到政治争论之中，而这些人往往不涉足更传统形式的政治参与（如参加会议或向报纸投稿）。②正如保守党的乔治·奥斯本（George Osborne）所指出的，人民正通过博客和网络将自主权掌握在自己手中。他们组织运动，建立联盟。现在他们是主人。③

总之，媒体在当代英国治理发展中对政府和公众都发挥着独特的作用。一方面，由于高度关注公共政策的瑕疵和缺点以及政治家们的责任，媒体无疑使政府治理变得更加困难；另一方面，媒体的影响力远远超越了政党政治范围，它向公众传达了很多有用的信息和意见，并且偶尔提高了公众对如何加强英国民主的认知水平，对英国民众的价值观、态度和行为都产生明显影响。然而，需要注意的是，虽然英国媒体在某种意义上具有很大的力量和影响，但这种力量和影响却不如以前强大。④

---

① 丹尼斯·卡瓦纳. 英国政治：延续与变革[M]. 刘凤霞，张正国，译. 4版. 北京：世界知识出版社，2014：231.

②④ 奈杰尔·福尔曼，道格拉斯·鲍德温. 英国政治通论[M]. 苏淑民，译. 北京：社会科学文献出版社，2015：37，172−173.

③ George Osborne. Politics and Media in the Internet Age [EB/OL]. [2018−06−27]. https://conservative−speeches.sayit.mysociety. org/speech/599948.

第五章　英国基础教育治理

在当代的治理理论中，有学者强调治理是政府从远处的“指导”，也有学者认为治理是为追求特定的政策而采取的诸多正式和非正式指导与协调机制，还有人关注的是由不同行为者、伙伴关系、公共私人合作以及志愿部门等组成的网络。对于英国而言，治理的核心在于政府和国家机构在“作为一个新自由主义政体进行自身重组”时可能扮演的指导性角色，即在中央集权的同时放松对某些权力的管制，以及国家对制度框架的持续权力和对资源的监管。[①]在英国的基础教育领域，治理所涉及的权力重新配置与平衡的基本发展轨迹是，逐渐从中间层面削弱地方教育当局的权力，转而通过国家课程与评价体制和政府对教育机构与个体绩效的审计，以及通过在准自治公立学校中建立差异化市场，向顶层和底层不断加强权力。[②]英国工业联合会总干事约翰·克里德兰（John Cridland）也认为，分权和控制权下放到学校绝对是正确的方法，应该扩展到全英国的所有学校。[③]本章在对英国学校体系与治理制度进行分析的基础上，将着重从学校的外部视角即与中央政府、地方当局及产业界的关系，以及学校内部治理的视角加以审视和阐述。

---

① Anne West. Education Policy and Governance in England under the Coalition Government（2010–15）：Academies，the Pupil Premium，and Free Early Education [J]. London Review of Education，2015，13（2）：22.

② Jane Mulderrig. “Enabling” Participatory Governance in Education：A Corpus-based critical Analysis of Policy in the United Kingdom [M]. //Paul Smeyers et al.（eds.）. International Handbook of Interpretation in Educational Research. Dordrecht：Springer，2015：449.

③ CBI. Leading the Way：Improving School Governance and Leadership [R]. London：CBI，2013：3.

第一节 学校体系与治理制度

随着英国政府部门和公共部门改革的不断推进，传统的公立学校在办学形式和办学自主权方面发生了新的变化。这种变化对学校治理也产生了直接而重要的影响。同时，英国出台的一系列法律和政策既为学校治理变革提供了法定依据，也为学校治理持续发展提供了制度保障。

一、学校体系

在英国（尤其是英格兰地区），虽然大部分学生就读于地方当局所建的公立学校，但学校体系结构仍具有多样化的特点。其中，由地方教育当局设立并由其运营的学校为郡立学校（county schools），非由地方教育当局设立但由其负责管理的学校为民办学校（voluntary schools），民办学校又分为受监管民办学校（controlled schools）、受津贴民办学校（aid schools）和特殊协议民办学校（special agreement schools），等等。①

目前，英国基础教育阶段主流的学校类别有如下几种：

（1）社区学校（community schools）。社区学校的前身是郡立学校，由地方当局举办和管理，地方当局拥有这类学校的土地及校舍，并对学校的人事任免和入学要求有决定权。这些学校往往不受商业机构和宗教团体的影响。

（2）基金会学校（foundation schools）。很多基金会学校的前身都是直接拨款学校（grant-maintained schools）。这类学校的校董会负责招聘教师及招收学生，校舍和校园则属于校董会或慈善团体。

（3）受津贴民办学校。一般来说，这类学校多为教会学校，学校的校董会负责招聘教师及招收学生，而学校校舍和校园则由慈善组织拥有。

（4）受监管民办学校。这类学校通常都是教会学校。校舍与校园由慈善团体拥有，但招聘教职员工和招收学生的工作由地方当局负责。②

① UK Parliament. Education Act 1996 [Z]. London：The Stationery Office Limited，1996：14-15.

② DCSF. The Composition of Schools in England [Z]. London：DCSF，2008：9.

与此同时，近年来，随着中央政府不断要求下放学校自主权，英国还涌现出一些新型学校，主要包括如下几种：

（1）公立自治学校。一种接受公共经费资助的独立学校。这类学校无须遵循国家课程要求，可制定自己的学期时间，但仍需和其他公立学校一样遵循有关招生、特殊教育需求和开除等方面的规定。公立自治学校直接从中央政府而非地方当局获取经费，由公立自治学校信托机构（academy trust）负责办学，以及招聘教职员工。有些公立自治学校还有商业机构、大学、其他学校、宗教团体和志愿机构等赞助方提供赞助，并负责改善这些学校的办学绩效。

（2）自由学校。通常由慈善机构、大学、独立学校、社区及教会团体、教师、家长及商业机构等举办，由政府提供经费支持。这些学校无须遵循国家课程要求，它们可以设定自己的教职员工薪资标准，以及调整学期和教学日的时间。这些学校号称“全能”（all-ability）学校，但不能像文法学校一样按照学术选拔程序选择学生。

（3）城市技术学院（city technology colleges）。这类学校是由中央政府直接出资在城市地区兴办的一种独立学校，采取的是慈善公司担保的形式。虽然须要遵循国家课程要求，但这类学校教学更偏重于自然科学、数学及技术培训。

（4）教会学校（faith schools）。这是具有宗教色彩的教育机构，并具有与其他公立学校不同的学生入学标准和教师招聘政策。这类学校须遵循国家课程要求，但可以选择它们在宗教研究中所教的内容。将近半数的教会学校是受监管和受津贴民办学校。

英国还设有为数众多的私立学校。这些学校也称独立学校（independent schools），主要通过收取学费而非从政府获得经费办学，并且无须遵循国家课程要求。其中比较典型的就包括文法学校（grammar school）。文法学校由校董会、基金会机构或信托机构管理，往往根据学术能力选拔全部或大部分学生。目前，英格兰共有大约150所文法学校。由于按学生能力进行筛选，文法学校在英国教育界备受争议，但政府对文法学校的做法仍持容忍态度。

此外，英国还设有两类特殊的学校。一是特殊学校（special schools），主要满足在沟通与互动、认知与学习、社会情感与心智以及感觉与生理等四个方面存在特殊教育需求的学生的需要。二是学生收容处（pupil referral units），由地方教育管理机构创办及运营，专为因辍学、早孕等特殊情况而无法接受正常教育的学生提供教育服务，以帮助他们重返校园。学生收容处设有专门的管理委员会，委员会成员由学校领导及社会服务部门的工作人员组成。[①]据统计，英格兰地区拥有1.2万余所社区学校、1200多所基金会学校以及203所公立自治学校。[②]英国各类学校之治理比较见表5-1。

表5-1　英国各类学校的治理比较

	自由学校	公立自治学校	公立学校	独立学校
收入来源与拨付	公共拨款 教育部按照公式计算直接拨付	公共拨款 教育部按照公式计算直接拨付	公共拨款 地方当局拨付	学费和遗赠等私人途径；没有公共拨款
实物资产所有权	慈善信托基金（必须为非营利组织，但可以包括慈善机构、家长/教师团体、大学等）	慈善信托基金	社区学校为地方当局，其他类型学校的土地和校舍可由慈善机构、宗教团体或治理机构所有	私人，通常为信托基金，但不一定都是如此
决策与财务责任	受托人/学校治理机构	受托人/学校治理机构	学校治理机构	校董/受托人
私人部门参与	能够将学校运作和管理分包给其他私人部门机构	能够将学校运作和管理分包给其他私人部门机构	能够将学校运作和管理分包给其他私人部门机构	可以完全或部分由私人经营

资料来源：New Schools Network. Comparison of Different Types of School：A Guide to Schools in England [Z]. London：New Schools Network，2015：9-10.

① GOV. UK. Types of School [EB/OL]. [2017-09-08].https://www.gov.uk/types-of-school.
② Scottish Parliament Information Centre. SPIC Briefing：Administration of School Education：International Comparison [Z]. Edinburg：Scottish Parliament Information Centre，2010：9.

二、法律与政策

英国目前的基础教育学校权力结构以及不同治理和控制机构间的关系可以追溯到20世纪80年代，尤其是《1988年教育改革法》（Education Reform Act 1988）的出台。[①]《1988年教育改革法》提出教育大臣可设立直接拨款学校，这些学校独立于地方当局，由中央政府直接提供资助。[②]直接拨款学校成为20世纪80年代英国保守党政府促进教育提供多样性以及削弱地方教育当局影响的一个重要举措，同时也为后来的基金会学校奠定了基础。[③]该法还规定，教育大臣可建立城市技术学院及城市技术与艺术学院（CCTAs），并提出相应的治理规则。[④]此后的《1993年教育法》（Education Act 1993）对直接拨款学校的设立、管理、拨款、变更及关闭等又做出进一步规定。

《1996年教育法》（Education Act 1996）将《1944年教育法》（Education Act 1944）以来的教育立法合并为一部单一的法律，其中涉及对法定教育制度、教育大臣和地方教育当局的职能、地方教育当局运营的学校、直接拨款公立学校等的详细规定。《2002年教育法》（Education Act 2002）中第三部分专门就公立学校问题做出规定，其中第一章的标题即是“公立学校的管理”（Government of Maintained Schools）。该章22个条款，就治理机构、管理工具、学校管理的一般责任、校董的培训与支持、学校联盟、学校间的合作、校董的报告与其他信息等具体问题做出详细的规定。[⑤]《2008年教育与技能法》（Education and Skills Act 2008）对地方教育当局促进辖区人员参与教育和培训、雇主参与教育和培训以及学校治理机构听取学生意见等方面做出规定。《2010年儿童、学校与家庭法》（Children，Schools and Families

---

① Maria Balarin and Hugh Lauder. The Governance and Administration of English Primary Education [R]. Cambridge：University of Cambridge，2008：1.

②④ UK Parliament. Education Reform Act 1988 [Z]. London：Her Majesty Stationery Office，1988：47-74，110.

③《1998年学校标准与框架法》宣布废除直接拨款学校，其中一部分学校转变为后来的基金会学校。

⑤ UK Parliament. Education Act 2002 [Z]. London：The Stationery Office Limited，2002：iv.

Act 2010）着重对学校治理机构为社区提供设施、组建公司建立公立自治学校、开办新学校等方面的权力做出修订和规定。[1]《2011年教育法》对教育机构、公立自治学校、16岁后的教育与培训等做出修订和规定。

从英国中央教育行政机构的政策来看，儿童、学校和家庭事务部2009年在学校白皮书《你们的孩子，你们的学校，我们的未来》（Your Child，Your Schools，Our Future）中就学校间的伙伴关系、地方和中央政府的角色、学校干预与改进等做出规定。2010年，教育部发表《教学的重要性：2010年学校教育白皮书》，并在其中的“问责”部分涉及学校治理机构的问题，尤其是对校董会的规模、能力等问题提出政策建议。2016年3月，教育部在《卓越教育无处不在》（Educational Excellence Everywhere）中指出，从2010年起教育部已开始将地方和中央政府的权力下放给最好的学校领导者……今后五年，英国政府将进一步下放权力，并推动建立一个教师和学校领导能够在其中工作的更智能的教育系统。[2]英国教育部在白皮书中甚至提出学校治理更为宏大的目标：到2020年末，所有学校都要转型成为公立自治学校或进入转型的进程之中；到2022年底，地方当局将不再开办任何学校。[3]同时，根据《2002年教育法》的要求，教育大臣先后制定了《2007年学校治理（章程）（英格兰）条例》（School Governance（Constitution）（England） Regulations 2007）、《2012年学校治理（章程）（英格兰）条例》（School Governance （Constitution） （England） Regulations 2012）以及《2013年学校治理（角色、程序与补助）（英格兰）条例》（The School Governance（Role，Procedures and Allowances）（England）Regulations 2013）（以下简称“《2013年学校治理条例》”）。《2013年学校治理条例》于2013年9月1日正式生效。该条例对治理机构和校长角色、治理机构人员的任命与罢免、治理机构会议与纪要、治理机构各委员会以及校董津贴等做出规定。《2017年学校治理（章程与联盟）（英格兰）（修订）条例》（The School Governance（Constitution

① UK Parliament. Children，Schools and Families Act 2010 [Z]. London：The Stationery Office Limited，2010：3-4.

②③ DfE. Educational Excellence Everywhere [Z]. London：DfE，2016：9，53.

and Federations）（England）（Amendment）Regulations 2017）对原有条例做了局部修订。2014年1月，英国教育部面向公立学校、公立自治学校和自由学校校董制定了《校董手册》（Governors' Handbook）。该手册为校长、校董和治理机构工作人员提供了翔实的信息，其主要内容包括学校治理机构的核心作用与职能，以及章程与程序、教育与督导、学生福祉、教师与员工、学校财务、信息分享等治理机构具体的法定责任。

第二节　各级政府与学校治理

在英国的治理架构中，中央政府与地方政府的权力关系变化对学校治理具有直接而重要的影响。中央政府与地方政府权力的此消彼长在学校治理中都可以看到明显的表现。

一、中央政府作用的强化

英国中央政府在学校治理中的作用呈现出日益加强的趋势。虽然英国官方不断强调自治与参与，但英国基础教育的治理模式却已朝向与采取国家课程、标准和评价等更重要的控制措施相匹配的方向转变。

首先，虽然英国中央政府在很多方面都下放了权力，但其通过制定条例（regulation）、指导意见（guidance）、督导（inspection）以及拨款和标准制定等方式仍保留有诸多重要的权力，以此来干预“失败”的学校以及相关学校教育事务。例如，中央政府制定法定国家课程框架，向地方当局支付学校补助金，并设计分配公式。而地方当局往往保留对高成本特殊教育需求和“学生收容处”的责任。中央政府加强对学校的控制突出体现在根据《1992年教育（学校）法》设立教育标准局。作为非内阁部委机构，教育标准局的活动与政府政策的实施和确认密切相关，这表明在英格兰地区已丧失独立的督导机构。[①]值得注意的是，英国两党都将提高教育标准作为教育政策的共同焦点。英国政府不断加强与完善在教育领域的标准制定职能，以加强对学校教育的监管。以教师标准为例，英国政府制定的教师标准涵盖了教师从业资格、职前培训课程标准、教师专业素养与职业能力、教师行为规范以及教学方法标准等。（参见表5-2）

表 5-2　英国政府近年来制定的教师标准

年份	文件名称
1997	《追求卓越的学校教育》（Excellence in Schools）
1997	《合格教师身份标准》（Standards for Qualified Teacher Status）
1998	《教学：高地位、高标准——教师初始培训课程要求》（Teaching：High Status，High Standard. Requirements for Courses of Initial Teacher Training）
1999	《教师：迎接变革的挑战》（Teachers：Meeting the Challenge of Change）
2001	《学校：取得成功》（Schools：Achieving Succes）
2002	《符合教学资格：合格教师专业标准与教师初始培训要求》（Qualifying to Teach：Professional Standards for Qualified Teacher Status and Requirements for Initial Teacher Training）
2002	《合格教师身份标准》（Standards for Qualified Teacher Status）
2005	《英格兰注册教师行为与实践准则》（England's Code of Conduct and Practice for Registered Teachers）
2005	《面向全体学生的更高标准、更好的学校》（Higher Standards，Better Schools for All）
2006	《教师课堂标准》（Standards for Classroom Teachers）
2006	《合格教师身份建议修订标准》（The Revised Standards for the Recommendation for Qualified Teacher Status）

① Robin J. Alexander. Culture and Pedagogy：International Comparisons in Primary Education [M]. Oxford and Boston MA：Blackwell，2001：142.

续表

年份	文件名称
2007	《终身学习部门教师、导师、培训者新专业标准》（New Overarching Professional Standards for Teachers, Tutors and Trainers in the Lifelong Learning Sector）
	《英格兰教师专业标准》（Professional Standards for Teachers in England）
2010	《教学的重要性》（The Importance of Teaching）
2012	《教师标准》（Teachers' Standards）
2016	《卓越教育无处不在》（Educational Excellence Everywhere）

其次，治理模式变革带来了学校体系的“重新代理”（re-agenting），从根本上改变了传统参与者的角色以及制定政策的方式。一系列新的机构和参与者开始活跃于教育政策舞台。中央政府教育主管部门不断减少直接管理和提供服务的责任。地方教育当局和教师等负责教育政策制定和实施的传统参与者已被重组，教育标准局、学校培训与发展局（TDA）和资格与课程局等准非政府部门公共机构以及私营公司在不断发挥作用。①2009年英国儿童、学校和家庭事务部在学校白皮书《你们的孩子，你们的学校，我们的未来》中明确提出，该部和各非部委公共部门一道，将继续发挥战略领导的作用，确保国家课程和资格制度符合目的，确保问责制提供办学绩效的一致性和可获得的信息，确保公平而可预测的拨款制度，并制定规定确保学校教育的最低标准和公平入学机会。②

再次，中央政府在学校治理中的作用还体现在教育大臣权力的不断扩张。按照《1993年教育法》的规定，教育大臣对接受公共资金的有关机构行使权力，促进英格兰和威尔士地区初等、中等和继续教育的发展。同时，教

① Maria Balarin and Hugh Lauder. The Governance and Administration of English Primary Education [R]. Cambridge：University of Cambridge，2008：1-4.

② DCSF. Your Child，Your Schools，Our Future：Building a 21st Century Schools System [Z]. London：The Stationery Office，2009：82.

育大臣应行使权力规范管理英格兰和威尔士学校及继续教育部门院校提供的教育服务，以提高标准、鼓励多样性和扩大选择机会。①而后的《1996年教育法》也重申了上述规定。②但更为重要的是，教育大臣有权对办学情况不佳的学校进行干预，建立新的治理机构取代既有的治理机构。《2002年教育法》第56条明确赋予了教育大臣干预学校的权力，即公立学校如存在严重问题或需要采取特殊措施，教育大臣可以任命他认为合适数量的附加校董（additional governor），同时可以提名其中的一人为学校治理机构的主席，从而取代原经选举产生的学校治理机构的主席。与此同时，在学校存在上述问题的情况下，教育大臣还可以指示地方教育当局要求学校在某一指定的日期停止办学。③《2011年教育法》（Education Act 2011）进一步赋予教育大臣更多权力。其中第46条规定，教育大臣可以从规定的日期开始，指示修改英格兰地方当局维持的整个或任何部分的学校拨款计划。④第56条规定，教育大臣拥有更大的权力关闭学校或使之重新开办为公立自治学校。⑤第62条规定，教育大臣可以取消对成为公立自治学校的基金会学校和受监控民办学校的非宗教教师的保护。⑥第63条规定，教育大臣有更大的权力为自由学校提供土地。⑦

二、公立学校改制的推进

在过去25年，英国不同政治派别所组建的政府都信奉自由市场的理念。与此同时，英国中央政府一方面不断发挥更强大和更积极的作用，另一方面也让学校更多地控制自己的资源。⑧公立自治学校改革计划就是最近几年来英国中央政府最有代表性的一项公立学校改制举措。

---

① UK Parliament. Education Act 1993 [Z]. London：Her Majesty Stationery Office，1993：1.

② UK Parliament. Education Act 1996 [Z]. London：The Stationery Office Limited，1996：5.

③ UK Parliament. Education Act 2002 [Z]. London：The Stationery Office Limited，2002：39.

④⑤⑥⑦ UK Parliament. Education Act 2011 [Z]. London：The Stationery Office Limited，2011：50，55，59，125.

⑧ Anne West. Education Policy and Governance in England under the Coalition Government（2010–15）：Academies，the Pupil Premium，and Free Early Education [J]. London Review of Education，2015，13（2）：29.

公立自治学校是一种由中央政府直接拨款资助的独立学校。《2010年公立自治学校法》规定，学校可以向教育部申请取得中央政府而非地方当局管理的公立自治学校的地位。[①]《2011年教育法》进一步明确规定，如果地方当局想在其辖区内建立新学校，建立的必须是公立自治学校。[②]有学者认为，英国中央政府正是通过不断扩大公立自治学校计划，来加强对校本教育（school-based education）的控制。[③]事实上，2010年5月，《公立自治学校法案》（Academies Bill）一经提出，就表明要剥夺地方当局否决一所学校成为公立自治学校的权力，取消了家长和教师反对此类计划的法定权力，并允许"优秀"学校通过"快速通道"进入公立自治学校的改制程序。英国全国教师联盟教育事务主管约翰·班斯（John Bangs）对此曾批评说，在设立公立自治学校的过程中，地方社区被"完全剥夺"了发言权，政府毫不征求家长、教职员工及地方人士的意见就设立公立自治学校简直令人震惊，这比工党曾经考虑过的任何事情都更加集权。[④]而时任教育大臣迈克尔·戈夫（Michael Gove）则在该法案议会二读时向议员表示，公立自治学校为相关学校提供了更大的自主权，为教师提供了更多自由，并为这项已被证明可以提高所有儿童和大多数弱势群体标准的计划注入了新的活力。[⑤]

按照相关规定，每个公立自治学校都必须设立一个免税慈善机构和担保有限公司构成的公立自治学校信托机构。公立自治学校由非营利性信托机构（公立自治学校信托机构）所有，该信托机构还须向教育部提供经审计的账目。每个公立自治学校信托机构都需与教育大臣签署资助协议。资助协议

---

① UK Parliament. Academies Act 2010［Z］. London：The Stationery Office Limited，2010：1.

② UK Parliament. Education Act 2011［Z］. London：The Stationery Office Limited，2011：98.

③ Anne West. Education Policy and Governance in England under the Coalition Government（2010–15）：Academies，the Pupil Premium，and Free Early Education［J］. London Review of Education，2015，13（2）：25.

④ Jessica Shepherd. Academies Bill is Anti-democratic，Lawyers Warn［EB/OL］.［2010-06-06］. https://www.theguardian.com/ education/2010/jun/06/academies-bill-give-teachers-authorities.

⑤ UK Parliament House of Commons. Hansard：Academies Bill［EB/OL］［2010-07-19］. https://publications.parliament.uk/pa/c m201011/cmhansrd/cm100719/debtext/100719-0001.htm#10071915000001.

规定了适用于每个公立自治学校的要求和授予资助的条件。如果中央政府愿意，中央政府可以进行高度的控制。如果公立自治学校考试成绩差，并且经教育标准局的督导，公立自治学校信托机构也可以由中央政府解散。因此，中央政府通过与公立自治学校信托机构签订的合同（资助协议）以及其能使用法规来否决资助协议而对公立自治学校拥有高度的控制权。

公立自治学校可以享有自由和灵活的教学、经费使用和办学方式，特别适合当地社区学生及其父母、教师以及与学校合作的人员。公立自治学校的自由和灵活性包括：不受地方当局的控制、可以自主设置教师的薪酬和条件、享有实施多样课程的自由（须教授广泛而均衡的课程，其中包括英语、数学、科学和宗教教育）、享有更大的预算管理权。[①]公立自治学校政策推出后，在实践中逐步演化发展为如下几种不同类型的学校：

（1）资助型公立自治学校（sponsored academies），是英国中央政府的一种选择性干预策略。几乎所有的资助型公立自治学校教育水平都比较低下，而且通常都位于高度贫困的城市地区。大多数业已建立的资助型公立自治学校都具有资助方、新的学校领导、新的治理机构、新的法律地位、新校名等一些共同的特征。其主要目标是提升教育标准、开展创新实践，与商业界、社区团体及当地学校建立伙伴关系以及促进社区的再造。

（2）转化型公立自治学校（converter academies），是英国中央政府2010年推出的一种公立自治学校形式。如果一所办学情况良好的学校，未被教育标准局评为“优秀”（Outstanding）或“良好且具有优秀特征”（Good with Outstanding Features），愿意与其他方面合作形成伙伴关系，那么该学校可以申请成为一所公立自治学校。申请成为转化型公立自治学校的学校需要在过去三年的考试成绩上及其与当地和全国的比较中表现出色，并且经教育标准局认定为有能力改善办学成果和领导。

（3）连锁型公立自治学校（academy chains），是由两所及以上学校申请建立正式伙伴关系从而转型获得公立自治学校地位。作为连锁的一部分，学校可以从公立自治学校地位的自由中受益，共同分享专业知识和服务，从

① DfE. Academies Annual Report 2010/11 [Z]. London：The Stationery Office，2012：15.

而提升资金的使用价值并提高标准。有些连锁型公立自治学校也使用“联盟”（federation）的名称。参与连锁型公立自治学校的学校可以有自己独立的或者共同的公立自治学校信托机构和治理机构。

（4）自由学校，是一种对国有部门来说全新的公立自治学校形式。这类学校可以是全新建立的，也可以是由独立学校转变为公立学校（state school）。有关学校、教师、家长和资助方等都可以发起建立自由学校。与其他公立自治学校一样，自由学校也须通过“拨款协议”（Funding Agreement）确定其财务责任和办学目标。

（5）工作室学校（studio schools），是一种新型小规模的面向14~19岁学生的公立学校。这类学校一般的规模只有300人左右。既有的学校不能直接转变成工作室学校，而须与资助方合作建立新的学校。工作室学校的目标是培养学生的综合性能力，通过项目式学习（project-based learning）来发掘学生的潜能。所有的工作室学校均须提供国家课程，同时特别强调英语、数学和综合科学（double science）。

（6）大学技术学院（university technical colleges），也是一种具有新教育理念的学校。和工作室学校一样，既有的学校也不能直接转成大学技术学院，而是学院与资助方合作建立新的学校。这类学校为14~19岁学生提供高水平、全日制和技术性的课程。大学技术学院与自由学校一样具有某些权力。该种学校往往具有最高的标准，由大学、雇主或继续教育学院发起建立，并提供明确的升学途径，即进入高等教育或在工作中进一步学习。

表5-3　2017年英国各类公立自治学校的数量

学校层次	学校类型	学校数量（所）	学校数量合计（所）
公立自治学校（小学）	转化型公立自治学校	2530	3748
	资助型公立自治学校	1082	
	自由学校	136	

续表

学校层次	学校类型	学校数量／所	学校数量合计／所
公立自治学校（中学）	转化型公立自治学校	1471	2325
	资助型公立自治学校	619	
	自由学校	151	
	大学技术学院	48	
	工作室学校	36	
公立自治学校（特殊教育学校）	转化型公立自治学校	171	232
	资助型公立自治学校	38	
	自由学校	23	
公立自治学校（非传统教育服务）	转化型公立自治学校	44	94
	资助型公立自治学校	15	
	自由学校	35	
总计			6399

资料来源：DfE. National Statistics：Schools，Pupils and Their Characteristics：January 2017 [EB/OL]. [2018-01-12]. https://www.gov.uk/government/statistics/schools-pupils-and-their-characteristics-january-2017.

公立自治学校为校长、教师和家长提供了更大的自由度和灵活性，促进了学校系统的创新和多样性。截至2017年，英格兰地区公立自治学校数量已达6399所（参见表5-3），占各类学校（包括公立中小学、特殊学校、独立学校及学生收容处）总数的27%。[①]尤其是在中等教育阶段，公立自治学校的比例非常高，这意味着地方当局在中等教育方面的作用大大减弱。英国政府援引经合组织的研究结论认为“建立更多自治的学校将有助于课程、教学

① DfE. National Statistics：Schools，Pupils and Their Characteristics：January 2017 [EB/OL]. [2018-01-12]. https://www.gov. uk/government/statistics/schools-pupils-and-their-characteristics-january-2017.

和治理方面的创新，从而改善教育成果”①，并积极宣传公立自治学校带来的变化和成效。

然而，公立自治学校计划一经推出就伴随着诸多争议。这其中首要的是对政府投入大笔资金迅速扩张该计划的担忧。早在2005年英国议会下院教育与技能委员会就发布报告指出，“我们认识到一些城市内城区的中等教育确已失败，我们愿意相信公立自治学校是一种解决方案。然而，50亿英镑的资金对于一项计划来说的确是很多的钱。政府可以将公立自治学校数量限制在30~50所，并在扩大该方案之前对其效果进行评估”。②同时，也有研究对公立自治学校所取得的成绩表示质疑。英国教育政策研究所（EPI）大卫·劳斯（David Laws）领衔开展的一项研究表明，在提升教育标准方面，公立自治学校并没有优于地方当局管理的学校。他认为，历届政府一直在“否认”公立自治学校的失败，政治家们用“大量的政治资本投入”来实现它的成功。劳斯透露，在他担任大臣时，教育部已经拿到了内部数据，这些数据显示公立自治学校存在很多问题，但因政府在鼓动公立自治学校的扩张而不愿公布。工党影子内阁教育大臣安吉拉·雷纳（Angela Rayner）也认为，保守党的公立自治学校“固定化”（fixation）的做法正在损害教育。这种“一刀切”式的学校改进方式存在严重的缺陷。③也有人对公立自治学校引入的市场机制表示疑虑。工党前领袖尼尔·基诺克（Neil Kinnock）在作客英国广播公司节目时明确反对公立自治学校。他认为，学校类型的增加造成偏好的变化。公立自治学校导致形成一个卖方市场，是一种“选择的扭曲”（distortion of choice），因为它们允许学校选择家长和学生，而不是家长选择学校。他还对个人或公司因捐赠现金而对这些学校机构施加影响表示关注。④

---

① OECD. Education at a Glance 2010：OECD Indicators［M］. Paris：OECD Publishing，2010：420.

② UK Parliament House of Commons Education Committee. Secondary Education：Fifth Report of Session 2004–05［Z］. London：The Stationery Office Limited，2005：14.

③ Jon Stone. Academy Trust Schools among the Worst at Raising Pupil Performance，New Research Shows［EB/OL］.［2018-01-12］. https://www.independent.co.uk/news/uk/politics/academy-trust-schools-among-the-worst-at-raising-pupil-performance-new-research-shows-a7124651. html.

④ Kinnock Criticises City Academies［EB/OL］.［2018-01-12］. http://news.bbc.co.uk/2/hi/uk_news/politics/4917808.stm.

事实上，英国议会下院教育委员会[①]（House of Commons Education Committee）2015年发表的题为《公立自治学校与自由学校》（Academies and Free Schools）的报告提供了比较客观的结论。该报告指出，政府应该停止夸大公立自治学校的成功，并且对于确凿的结论保持谨慎，除非证据是有益的。公立自治学校并不总是成功的，也并非那些处于困境的学校唯一正确的选择。公立自治学校的真正价值在于“无论它们是连锁型公立自治学校还是地方当局，公立自治学校不断扩大的好处之一是为学校监督、支持和干预系统提供者之间竞争的发展提供了机遇”，因为“过去一直缺乏取代地方当局监督的办法，现在教育当局应该明白它必须不断地改善否则就会永远失去公立部门的学校”。正如该报告所指出的，“过去地方当局的民主授权往往是对失败行为的保护性掩饰，并且由于缓慢或不适当的干预而受到阻挠。而如今，公立学校和公立自治学校部门之间现在存在的紧张关系无疑是有益的”。[②]

公立自治学校的改革举措也反映出英国学校教育治理格局中主要行为者的权力关系变化。有学者将其概括为英国校本管理的两个主要特征，其一是权力的集中，其二是建立持久的国家控制的市场。政策发展表明中央政府对其他行为者，特别是地方当局以及学校施加的控制。地方当局作为教育提供者的作用因大多数中学转为公立自治学校、引入自由学校，以及新办学校只能是公立自治学校或自由学校而减弱。[③]

三、地方当局职能的“终结”

传统上英国地方教育当局一直致力于提供基础教育服务。自1944年以来，地方教育当局与中央政府及地方机构共同发挥这种作用。《1988年教育

① 英国议会下院教育委员会由议会下院任命组成，主要负责审查教育部及其所属公共机构的经费开支、行政管理及有关政策问题。

② UK Parliament House of Commons Education Committee. Academies and Free Schools：Fourth Report of Session 2014−15 [Z]. London：The Stationery Office Limited，2015：64.

③ Anne West. Education Policy and Governance in England under the Coalition Government（2010–15）：Academies，the Pupil premium，and Free Early Education [J]. London Review of Education，2015，13（2）：29.

改革法》通过将资源和决策权转移给学校，从根本上改变了地方教育当局的职能。保守党政府将地方教育当局视为“地方官僚机构”和“提升教育标准的障碍”，地方教育当局日益成为以市场为导向的对立面。[①]新工党政府继承向学校下放权力和加强中央政策制定与监测的政策方向，由此地方教育当局的作用变得更加明确，只是在标准制定、学校成绩和招生政策等方面有所加强。

按照《1996年教育法》第12条的界定，地方教育当局是指英格兰地区的郡议会、区议会、伦敦自治市的市议会以及伦敦金融城的市议会。在威尔士地区，地方教育当局主要是指郡议会及郡自治市议会（county borough council）。地方教育当局的主要职能是通过确保有效的初等教育、中等教育和继续教育满足本地居民的需求，为社区居民的精神、道德、智力和身体发展做出贡献。地方教育当局应确保有充足的学校提供初等教育、中等教育和继续教育。[②]《2008年教育与技能法》提出，英格兰地方教育当局必须确保其职能（只要其能够被行使），以促进管辖地区人员有效参与教育或培训。[③]

近年来，英国中央政府教育主管部门在不断强化向学校赋权的同时，也逐步淡化甚至完全“剥夺”了地方当局的角色。2010年，英国儿童、学校与家庭事务部在一份有关学校治理的文件中认为，地方当局应该支持学校努力实现持续改进；学校与地方当局之间的关系应基于干预与办学成败（即办学越成功干预越少），并最大限度地向学校分配资金和责任。这些原则使学校能够自主运作。然而，学校治理机构须就学校的办学方式向地方当局负责。[④]英国政府白皮书《卓越教育无处不在》非常明确地提出，在推进公立自治学校的过程中需要重新定义地方当局的角色，地方当局要在学校运营和学校改进方面“退后”，其职责应该转变为保证每个孩子上学的权力，保证学生的需求得到满足，并支持家长和社区参与学校事务。白皮书甚至从根本上“终结”了地方当局与学校之间的管辖关系。白皮书提出公立学校改革转型的时

---

① John Fitz and Stephen G. Chris. School Admissions after the School Standards and Framework Act：Bringing the LEAs back in? [J]. Oxford Review of Education，2002，28（2&3）：376.

② UK Parliament. Education Act 1996 [Z]. London：The Stationery Office Limited，1996：5-6.

③ UK Parliament. Education and Skills Act 2008 [Z]. London：The Stationery Office Limited，2008：5.

④ DCSF. A Guide to the Law for School Governors [Z]. London：The Stationery Office Limited，2010：14.

间表，即到2020年底，所有学校都将成为公立自治学校或正在转变为公立自治学校；到2022年底，地方当局将不再运营学校。英国政府强硬地表明态度，如果公立学校在2020年没有转变或启动转变为公立自治学校，中央政府将采取措施，在2022年前将其直接转变为公立自治学校。此举表明，中央政府将彻底结束地方当局在运营学校方面的作用。在此背景下，地方当局的新角色是促进所有学校转变为公立自治学校。而在未来，地方当局应重点履行和加强的核心职能则是成为致力于在各地实现卓越教育的一个关键合作伙伴。①

第三节 学校内部的治理

英国教育部在《教学的重要性：2010年学校教育白皮书》中曾将学校治理机构（governing bodies）的校董称为教育系统中的“无名英雄”。②英国教育部负责学校事务的政务次官约翰·纳什（John Nash）也认为，长期以来学校治理机构作用的重要性一直被低估，但它确实是每一所学校重要的战略决策机构和愿景制定机构。学校治理机构对于提升学校办学绩效和学生学业成就、确保投入的资源使每个孩子获得最好的教育，具有重要的作用。③随着地方教育当局控制的削弱以及向学校自我治理的转向，学校治理机构的作用变得越来越重要。正如英国惠康基金会④（The Wellcome Trust）和全英学校校董协会⑤（NGA）在《学校治理框架》（A Framework for

---

① DfE. Educational Excellence Everywhere [Z]. London：DfE，2016：53–65.

② DfE. The Importance of Teaching：The Schools White Paper 2010 [Z]. London：The Stationery Office Limited，2010：71.

③ DfE. Governors' Handbook：For Governors in Maintained Schools，Academies and Free Schools [Z]. London：DfE，2014：4.

④ 惠康基金会是一个致力于改善卫生健康的全球性慈善基金会，主要支持开展自然科学、人文和社会科学领域的研究，以及教育、公众参与和医学研究的应用。

⑤ 全英学校校董协会是英格兰地区公立学校和公立自治学校校董及托管人的代表机构，旨在通过推广学校的高标准和提升学校治理委员会的有效性来改善儿童和青少年的福利。以提供信息、咨询和培训等方式来行使其职能。

Governance）中所指出的，强有力的治理是一所学校成功的关键因素。[①]英国议会下院教育委员会也认为，学校治理机构在学校领导上发挥着重要的作用。[②]英国教育部对学校治理机构更是抱有很高的期待，认为此类机构对确保每个孩子能够接受到最可能的教育发挥着关键性的作用。[③]在学校治理机构角色和作用不断强化的背景下，校长的责任主要包括对学校的内部组织、管理与控制，以及学校的教育绩效。校长须遵循学校治理机构的合理指导，并就其责任的履行情况向学校治理机构负责。[④]因此，如今许多学校校长的角色与小型公司的首席执行官有着更多的共同点。[⑤]

一、学校治理机构的核心职能

全英学校校董协会曾提出有效治理的八个基本原则，主要包括：（1）选择合适的人参与治理；（2）理解治理委员会的角色与责任；（3）良好的委员会负责人；（4）专业的工作人员；（5）基于信任的良好关系；（6）了解学校的有关信息、教职员工、家长、学生和社区；（7）能够提出具有挑战性的问题；（8）有信心为了孩子和年轻人的利益进行勇敢的对话。[⑥]这其中有好几项都与学校治理机构有着密切的联系，也表明学校治理机构的重要作用。

在英国的基础教育领域，以法律来规范教育治理突出体现在学校治理机构的地位上。《1996年教育法》第79条明确规定，郡立学校或地方教育当

①⑥ The Wellcome Trust and The National Governors' Association. A Framework for Governance：A Flexible Guide to Strategic Planning［Z］. London：The Wellcome Trust，2015：3，4.

② UK Parliament House of Commons Education Committee. The Role of School Governing Bodies：Second Report of Session 2013–14 （Volume I）［Z］. London：The Stationery Office Limited，2013：3.

③ DfE. Governors' Handbook：For Governors in Maintained Schools，Academies and Free Schools［Z］. London：DfE，2014：5.

④ UK Parliament. The School Governance（Role，Procedures and Allowances）（England）Regulations 2013［Z］. London：The Stationery Office Limited，2013：3.

⑤ CBI. Leading the Way：Improving School Governance and Leadership［R］. London：CBI，2013：12.

局运营的特殊学校的管理工具是治理机构。[①]《2002年教育法》进一步规定，“每一所公立学校都应设有一个治理机构，该机构是按照有关规定组成的法人团体”；公立学校治理机构的主要目的是“为促进学校的高标准教育成就而管理学校”，“公立学校应在学校治理机构的指导下进行管理”。该法还规定了学校治理机构的一些权力，例如，“出于学校办学的目的可采取任何对其来说必要的或有利的措施”，“有权借取其认为合适数额的资金，并就该借款给予治理机构任何土地或其他财产的任何抵押、押记或其他担保”，“有权获得和处置土地和其他财产”，“有权订立合同”，“有权投入未立即需要的任何款项，以进行他们有权进行的任何活动”，“有权接受赠款、赠地及其他赠予财产并使用它，或以信托的方式持有和管理它”，以及“出于慈善的目的，为维护学生及其家庭的利益，有权向社区提供任何设施和服务”[②]。《2010年儿童、学校与家庭法》为学校治理机构增加了更多的权力，其中包括“有权组建公司建立公立自治学校”，“可向公立自治学校的所有人提供咨询和协助；可以成为其他公立学校基金会的成员”以及“有权提出建立新学校”。[②]

《2013年学校治理条例》规定了学校治理机构的三项核心职能，即制定学校的发展愿景与战略方向、确保校长对学校的办学绩效的责任以及确保学校财务资源得到有效使用。[③]2014年教育部制定的《校董手册》对此做出详细的解释。（1）制定战略方向。学校治理机构是每一所学校战略决策的关键机构，其职责就是制定学校的战略框架，并确保学校发展符合其法定责任。学校治理机构应确保学校具有长期的战略愿景，并据此确定战略重点和目标，以及实现这些目标的政策和计划。同时，学校治理机构还要定期检查学校进展情况，并根据这些进展定期审查其战略框架。（2）促使校长对学校的办学绩效负责。学校治理机构的一项重要职能就是遴选和任命校长。校

① UK Parliament. Education Act 1996 [Z]. London：The Stationery Office Limited，1996：42.

② UK Parliament. Children，Schools and Families Act 2010 [Z]. London：The Stationery Office Limited，2010：3-4.

③ UK Parliament. The School Governance（Role，Procedures and Allowances）（England）Regulations 2013[Z]. London：The Stationery Office Limited，2013：3.

董在遴选中应充分认识到每位候选人的优势和不足，做出最好的决定。任命校长后，治理机构应支持和加强对学校日常运作的领导。治理机构应发挥战略性作用，着重强调校长负责，避免直接介入学校的实际运行。对治理机构来说，拥有有能力的校董至关重要，但更重要的是要强调建立健全的问责制。（3）确保财务健康、廉洁和物有所值（value for money）。学校治理机构负责确保学校的经费得到有效使用，这要求至少要有1名校董具有财务方面的能力和经验。《校董手册》中还提供了一系列的财务信息资源和工具，帮助校董确保学校经费支出物有所值。[①]除上述权力与职能之外，《2008年教育与技能法》还对学校治理机构提出要求，即学校治理机构须征求和考虑学生对规定事项的意见。[②]

根据学校类型的不同，公立学校治理机构的职能包括拥有土地以及充当雇主、招生机构、慈善信托董事会和公司董事等。这对学校治理机构来说是一个很高的要求，主要通过如下方式来实现：（1）了解其战略角色，即与校长建立富有成效和支持性的关系，对学校的办学绩效负责，并根据客观数据采取有力的战略决策；（2）确保治理机构成员具有必要的能力并做出承诺、应对学校面临的挑战并做出改进，以及使学校领导对学校的办学绩效负责；（3）任命一位有效的主席来领导和管理治理机构；（4）任命高素质的职员并根据学校治理机构的性质和职责给成员提出建议，确保治理机构有效和高效地运行；（5）根据教育标准局的要求，定期对其运行情况进行评估，并为提升其效能做出必要的改革；（6）不止是对一所学校进行管理，需要更具战略性的视角促进学校发展，并通过跨学校比较和对比的能力，创造更强大的问责制。[③]各类学校治理机构职权范围参见表5-4。

① DfE. Governors' Handbook：For Governors in Maintained Schools，Academies and Free Schools [Z]. London：DfE，2014：6-13.

② UK Parliament. Education and Skills Act 2008 [Z]. London：The Stationery Office Limited，2008：104.

③ DfE. Governors' Handbook：For Governors in Maintained Schools，Academies and Free Schools [Z]. London：DfE，2014：6-7.

表 5-4　各类学校治理机构的职权范围

	受监管民办学校	受津贴民办学校	社区学校	基金会学校	信托学校	公立自治学校/自由学校
招生权力	×	√	×	√	√	√
员工雇主	×	√	×	√	√	√
土地和校舍所有者	×	×	×	√	×	部分情况
资金收入	地方当局	地方当局	地方当局	地方当局	地方当局	教育大臣
慈善地位	豁免慈善 *	豁免慈善	×	豁免慈善	×	豁免慈善

注：豁免慈善是指在英格兰和威尔士成立的以慈善为目的的机构，这类机构不受英格兰和威尔士慈善委员会的监管。

资料来源：DfE. Governors' Handbook：For Governors in Maintained Schools, Academies and Free Schools [Z]. London：DfE. 2014：6.

二、学校治理机构的组织结构

《1996年教育法》第78条规定，郡立学校、受监管民办学校及公立特殊学校（maintained special school）治理机构中校董的类型包括家长校董、教师校董、基金会校董（foundation governor）及指定校董[①]（co-opted governor）等。郡立学校、受监管民办学校及公立特殊学校治理机构的组成包括：（1）校长，除非校长选择不做校董；（2）由各类不同人士担任的校董（具体如表5-5和5-6所示）。受津贴民办学校、受监管民办学校和特殊协议民办学校的治理机构成员包括：校长（除非校长选择不参与），至少1名家长校董，至少1名地方教育当局任命的校董，至少1名教师校董（如果在校生人数少于300人）或至少2名教师校董（如果在校生人数超过300人）以及基金会校董。[②]直接拨款公立学校治理机构成员除了校长、家长校董、教师校董、基金会校董外，

① 指定校董是指由非指定校董指定任命的校董。

② UK Parliament. Education Act 1996 [Z]. London：The Stationery Office Limited，1996：42-47.

还包括首席校董（first governor）、赞助校董（sponsor governor）和附加校董。其中要求首席校董的人数要超过其他各类校董，而且至少2人来自在校学生家长、至少2人来自当地社区。更为重要的是，在学校办学出现亘大过错或持续失败或违反相关规定的情况下，教育大臣可取代部分或全部首席校董的职权。附加校董也由教育大臣任命，人数不超过2名。①

表 5-5　《1996 年教育法》中规定的郡立学校及公立特殊学校校董类型及数量

校董类型	在校生少于 100 人的学校	在校生为 100～300 人的学校	在校生为 300～600 人的学校	在校生超过 600 人的学校
家长校董	2 人	3 人	4 人	5 人
地方教育当局任命的校董	2 人	3 人	4 人	5 人
教师校董	1 人	1 人	2 人	2 人
指定校董	3 人	4 人	5 人	6 人

资料来源：UK Parliament. Education Act 1996 [Z]. London：The Stationery Office Limited，1996：43.

表 5-6　《1996 年教育法》中规定的受监管民办学校校董类型及数量

校董类型	在校生少于 100 人的学校	在校生为 100～300 人的学校	在校生为 300～600 人的学校	在校生超过 600 人的学校
家长校董	2 人	3 人	4 人	5 人
地方教育当局任命的校董	2 人	3 人	4 人	5 人
教师校董	1 人	1 人	2 人	2 人
基金会校董	2 人	3 人	4 人	4 人
指定校董	1 人	1 人	1 人	2 人

资料来源：UK Parliament. Education Act 1996 [Z]. London：The Stationery Office Limited，1996：43.

① UK Parliament. Education Act 1996 [Z]. London：The Stationery Office Limited，1996：120-126.

按照《2002年教育法》的规定，学校治理机构的组成应包括：（1）经选举或任命产生的家长校董；（2）经选举或任命产生的教职员工校董；（3）经任命的地方教育当局校董；（4）经任命的社区校董（受津贴的民办学校除外）；（5）经任命的基金会校董或伙伴校董（partnership governors，仅适用于民办学校、基金会学校及基金会特殊学校）；（6）可能规定的其他人员。[①]

2012年英国教育部颁布的《校董手册》中明确规定，建立于2012年9月1日之前的学校治理机构，社区学校、社区特殊学校及公立幼儿园须有家长校董、教职员工校董、地方当局校董、社区校董等四类校董。受监管民办学校还须具有第五类校董——基金会校董。受津贴民办学校也须具有基金会校董，但可没有社区校董。此外，《校董手册》还规定有一类可选择的赞助校董。小学的治理机构可额外再任命1~2名赞助校董。中学的治理机构可任命不超过4名赞助校董。受津贴民办学校和基金会学校可任命与基金会校董数量相同的赞助校董。因此，按照一般规定，公立学校治理机构的规模最低不少于9人，受津贴民办学校和基金会学校治理机构的规模最低分别不少于10人和11人，而各类学校治理机构的规模最多不能超过20人。如果加上基金会校董和赞助校董，受津贴民办小学和基金会小学治理机构规模最多可达24人；而受津贴民办中学和基金会中学治理机构的规模最多可达28人。（参见表5-7）

同时，对于建立于2012年9月1日之后的学校治理机构，它们须遵循《学校治理（英格兰）条例》所规定的要求，其学校治理机构的规模最低为7人，包括校长（除非校长决定不做校董）、至少2名家长校董、至少1名教职员工校董、至少1名地方当局校董以及基金会校董或伙伴校董。此外，学校治理机构可以任命额外的指定校董，其数量不超过治理机构成员总数的三分之一。[②]

《校董手册》还对公立自治学校的治理结构作出规定。公立自治学校信

① UK Parliament. Education Act 2002 [Z]. London：UK Parliament，2002：12-13.

② DfE. Governors’ Handbook：For Governors in Maintained Schools，Academies and Free Schools [Z]. London：DfE，2014：24-25.

托机构本质上是一个慈善有限公司。所有的公立自治学校信托机构都具有两层治理结构。其一是信托机构成员，与股东相似，是信托机构联合协议的签订者，同时还包括慈善组织章程允许的其他个人。如果信托被清盘，信托机构成员对信托负有有限财务责任，并可任命和罢免受托人。其二是受托人，他们具有前文所述的学校治理机构的三项核心战略治理职能。受托人也是慈善公司的董事。他们负责确保慈善公司活动取得预期目标，并符合慈善和公司法以及公立自治学校信托资金协议的要求。有些公立自治学校信托机构（multi-academy trust）还通过将治理职能分权给地方治理机构，形成由当地校董组成的第三层次的治理结构。①

表 5-7　英国教育部规定的各类学校校董的数量

<table>
<tr><th rowspan="2">学校类型</th><th colspan="5">校董类型</th></tr>
<tr><th>家长</th><th>教职员工</th><th>地方当局</th><th>社区</th><th>基金会 / 伙伴</th></tr>
<tr><td>社区学校（包括社区特殊学校、公立保育学校）</td><td>至少 1/3</td><td rowspan="4">至少 2 名，但不超过 1/3，包括校长</td><td>1/5</td><td>至少 1/3</td><td></td></tr>
<tr><td>有资格的基金会学校</td><td rowspan="2">至少 1 名，但与有资格担任家长校董的基金会校董一起计算时应至少 1/3</td><td rowspan="3">至少 1 名，但不超过 1/5</td><td>至少 1/10</td><td>必须超过其他校董人数的 2 倍</td></tr>
<tr><td>受津贴的民办学校</td><td></td><td></td></tr>
<tr><td>受监管的民办学校</td><td>至少 1/3</td><td>至少 1/10</td><td>至少 2 名，但不超过总人数的 1/4</td></tr>
</table>

资料来源：DfE. The Governors' Guide to the Law [Z]. London：The Stationery Office Limited，2012：8-9.

① DfE. Governors' Handbook：For Governors in Maintained Schools，Academies and Free Schools [Z]. London：DfE，2014：22.

目前，英国公立学校治理机构已形成比较庞大的网络。统计显示，在英格兰地区，约有30万人担任校董。①英国工业联合会/皮尔逊（Pearson）教育和技能调查也显示，约有1/3（32%）与学校有联系的雇主允许其现有员工担任校董，利用他们的专业知识帮助学校高效办学。②英国教育部的调查表明，公立小学治理机构的平均规模是12~15名校董，一些学校的校董达到20~25名。公立中学治理机构的规模要更大一些，平均为17~18名校董，有些学校的校董人数多达30人。巴斯大学的研究则进一步揭示学校治理机构的组成问题：在学校治理机构主席中，97%是白人和英国人，1/3的人年龄超过60岁，40岁以下的仅占8%。③

按照英国政府的规划与设计，未来公立学校治理机构的组成可能朝向小型而高效的方向发展。2012年9月，英国政府颁布规定，地方当局所属公立学校的治理机构重组为规模更小的、能力更强的机构。新规发布后，英国教育部强调，“我们不会规定任何特定的（治理）模式，因为地方治理机构最适合自己做这件事”。英国政府的目标是：每所学校都有一个高效运转的治理机构，该机构应能够充分认识其职责并关注其核心战略职能，由具有相关技能和经验的人士组成，并通过适当的结构和程序高效地开展工作。④而且，按照英国教育部的解释，根据现行的规则和规定，公立学校及公立自治学校治理机构成员应基于治理的利益相关者模式（stakeholder model of governance），强调保障不同利益群体的代表性。但是教育部也认为，强调代表性并非与强调技能不一致，代表性的结构本身并不一定会导致高质量的治理。⑤

---

①③④ UK Parliament House of Commons Education Committee. The Role of School Governing Bodies：Second Report of Session 2013–14 （Volume I）［Z］. London：The Stationery Office Limited，2013：3，10−13,14.

② CBI. Leading the Way：Improving School Governance and Leadership［R］. London：CBI，2013：17.

⑤ UK Parliament House of Commons Education Committee. The Role of School Governing Bodies：Second Report of Session 2013–14（Volume I）［Z］. London：The Stationery Office Limited，2013：7.

当前，英国学校治理机构的发展仍面临很多新的挑战、争议与矛盾。首先，在学校治理机构的规模上，英国教育部主张小规模高技能的治理机构。英国教育部在《教学的重要性：2010年学校教育白皮书》中强调小规模高技能的治理机构对更迅速地支持校长及实现高标准具有好处。①英国国家学校领导学院（NCSL）也支持这一立场，支持学校建立小型的校董核心团队。国家学校领导学院认为这样的学校治理机构比那些拥有20名校董、尝试解决所有问题的学校治理机构更加有效。其次，在学校治理机构的人选和结构上，全英学校校董协会调查发现，大部分学校治理机构都很难招聘到有能力的校董。英国国家学校领导学院也指出，大量证据表明，学校校董是因为他们的代表性角色而受聘的，而不是某个特定的技能组合（skill-set）。教育标准局前首席督学在其2010—2011年度报告中指出，不同类型学校的治理质量存在"相当大的差异"。一位全国性学校治理机构的领导警告，在地方社区技能基础薄弱的地区，如果有更多技术熟练的非本地人担任校董，或者当地治理机构始终缺乏技能，都会导致困境的不断扩大。这将扩大技能较差的社区和平均水平之间的差距，并导致治理机构可持续性的问题。②

三、学校治理机构的支持保障

为使学校治理机构能够更好地实现治理职能，英国教育部在《校董手册》中提出从减少官僚主义和加强对校董的支持与培训等方面保障学校治理机构的有效运转。

在减少官僚主义方面，英国教育部明确指出，希望治理的法律框架能够为治理机构提供完成工作所需的权力，而不是用繁文缛节来"捆绑"它们。这意味着减少自上而下的规则，并允许治理机构更有效地运作。为此，英国教育部于2012年制定了简化版的公立学校章程和更加灵活的公立自治学校章

① DfE. The Importance of Teaching：The Schools White Paper 2010 [Z]. London：The Stationery Office Limited，2010：71.

② UK Parliament House of Commons Education Committee. The Role of School Governing Bodies：Second Report of Session 2013–14 (Volume I) [Z]. London：The Stationery Office Limited，2013：4-7.

程。新规于2013年9月开始实施，为学校自治机构的角色、程序和捐助建立了一个更加简洁的框架。英国教育部强调正在努力考虑强化理事机构的具体法律责任，并已经删除或简化了一些过时或次要的职责。[①]

确保校董发挥作用的关键就在于开展有质量的培训。《2002年教育法》就曾规定，地方教育当局应向每一位校董提供免费的信息和培训，使其能够有效履行其职责。[②]全英学校校董协会也认为，有必要强调传播有效实践，支持开展强制性的入职培训。剑桥教育（Cambridge Education）则建议，作为一种最低要求，校董入职的第一年要接受强制性的全国入职课程培训。很多人认为这种培训应该通过同伴支持（peer-support）的形式，由有经验的校董指导缺乏经验的校董。[③]目前，为校董提供支持的主要机构是国家教学与领导力学院。该学院编制了题为《引领校董：学校和公立自治学校校董会主席的角色》（Leading Governors：The Role of the Chair of Governors in Schools and Academies）的手册，详细描述了校董会主席的角色，以及校董会主席所应具有的品质。该学院还开发了针对校董会主席和副主席的领导发展项目，并通过18个特许地方提供者提供相关的培训。该项目要求学员进行为期3个学期以上50个学时的培训，主要通过工作坊、在线活动、个人反思和校本学习等手段来实现。该学院还通过全国学校治理领导项目（National Leader of Governance Program）为校董会主席提供同伴互助支持（peer-mentoring support）。此外，“校董一站式服务店”（SGOSS）、校董热线（Governor Line）、全英学校校董协会、地方当局以及其他商业性校董支持组织也为校董提供多种支持与培训服务。[④]

---

①④ DfE. Governors' Handbook：For Governors in Maintained Schools，Academies and Free Schools [Z]. London：DfE，2014：17，18.

② UK Parliament. Education Act 2002 [Z]. London：The Stationery Office Limited，2002：14.

③ UK Parliament House of Commons Education Committee. The Role of School Governing Bodies：Second Report of Session 2013–14（Volume I）[Z]. London：The Stationery Office Limited，2013：18.

第四节　产业界与学校治理

英国工业联合会代表着英国19万家企业和约700万名雇员的利益，是英国最大的企业游说组织。英国工商业界在学校教育治理中扮演着积极而重要的角色，其中比较有代表性的就是英国工业联合会。英国工业联合会一直致力于推动政策变革，近年开展了“教育运动”（education campaign），实施了“教育与技能调查”。

一、倡导“教育运动”

英国工业联合会传统的专业领域是致力于帮助人们实现向工作的过渡。然而，英国企业界认为，这种过渡虽然重要但不能从源头上解决教育中的低绩效问题。鉴于国际竞争对手每年都在提高学生的学业成就，英国工业联合会需要采取更为根本性的措施。企业界形象地指出，从一开始就“预防受伤”远比通过学徒培训或其他形式的后期教育的方式来“贴膏药”要好得多。因此，英国工业联合会召集企业领袖、学校校长、教师、学者和各方面专家开展对话，并先后发表两份报告，寻求以新的“教育运动”来解决学校中存在的问题。

（一）改革教育系统：英国工业联合会的第一份报告

2012年夏，英国工业联合会召集商界领袖、教师、学校领导和学者共同回顾和商讨英国教育系统的表现情况。当年11月，在年度大会之前，英国工业联合会发表研究报告，提出改革从学前到18岁教育的学校系统的每一个层次。商界领袖要求对英国教育系统进行彻底反思，尤其是废除16岁普通中等教育证书考试，破除国家课程和考试成绩排行榜造成的“考试工厂”。英国工业联合会总干事约翰·克里德兰（John Cridland）指出，雇主希望学校毕业生不仅仅获得一大堆考试通过的证书，而是具有全面的能力并且“接地气”。[①]英国工业联合会发表的报告《第一步：改善我们学校的新途径》（First

① Peter Walker. Business Leaders Criticise Slipping Standards of ‘Exam Factory’ Schools [EB/OL]. [2018-02-12]. https://www. theguardian.com/politics/2012/nov/19/business-standards-exam-factory-schools.

Steps —— A New Approach for Our Schools）（以下简称《第一步》），从企业界的视角审视学校教育改革问题。该报告认为，改善教育是英国长期增长战略中最重要的组成部分。[①]

1. 存在的问题

《第一步》报告在实证调查的基础上，提出英国学校教育中存在四个方面的问题。

一是英国教育系统并没有实现全体学生的发展。虽然英国学生的平均表现在缓慢提升，但仍有很多学生处于掉队的状态。因此，英国教育系统更像是“传送带”（conveyor belt），它虽然以一定的速度推进儿童的发展，但不能很好地满足个人需求。报告提出，应抛弃三分之一的孩子没有达到预期核心知识和技能水平是可接受的这一观念，代之以每个学生的发展来判断学校的成功。报告指出，英国经历的模式并不是不可避免的。其他高绩效的学校系统表明，可以大幅度减少差距并在广泛的基础上提高标准。

二是学校发展目标不明确。报告提出，全球最好的学校系统和英国最好的学校，都首先明确它们应该提供什么。它们所做的一切都是为了实现这个目标。但就英国范围来说，情况并非如此。多年来，一系列改革让学校感到困惑，这些改革采取的鼓励微观管理和调查的方式失去了教师的支持。学校系统应对预期成果做出更清晰更广泛的表述。应该列出学生需要掌握的核心且必要的学科知识，而且应该阐明学校系统应该培养的行为和态度。这种发展目标表述应该是长期的、稳定的，并得到包括政党在内的各利益相关者的广泛支持。

三是家长和社区参与不足。报告指出，家长和社区的参与与学生的教育表现有很大的关系。对学校来说，家长和社区的有效支持不应减少，工商业界的支持也非常重要。学校应积极参与到更广泛的社区之中，以确保年轻人都能接触到他们所期待的积极的角色榜样和想法。

四是向教师和校长赋权不够。报告提出，现行体制长期以来对教师和校长采取的是一种微观管理，并由此对其形成束缚。因此，应进一步加快推进

---

① CBI. First Steps — A New Approach for Our Schools [R]. London：CBI，2012：5.

控制权的分散，并使之扩展到英国所有权力下放。报告指出，教师和学校领导是专业人员，应给予他们更大的课堂自由、更好的专业发展，构建一种与有效的绩效管理制度相联系的改进文化。

2. 提出的建议

针对上述问题，《第一步》报告也提出了相应的建议。第一是教育部应加快英格兰地区所有学校的权力下放计划，而且此举应该扩展到英国其他地区的学校，使校长充分利用自主权实现真正的改进；以地方分权的形式，赋予教师更大的自由，让他们能根据学生的情况调整教学；支持教师和校长的专业发展，确保其有效应对挑战。校长应成为严格的并能为教师接受的管理者，应采取绩效评价、奖励、改进计划及解聘等措施。

第二是取消当前小学过于详细和重复的国家课程，代之以语文、数学、科学和计算机科学等明确的课程目标。这些目标应比现行的国家课程目标更具延展性，而且可以由教育标准局进行评价。根据英国及全球最佳学校系统的成功经验，通过小学的教学质量改进以及设定转学年龄的新方法，解决7岁和12岁学生的“学业表现漂移”（performance drift）问题。废除GCSE考试，制定一种更加严格和多样的评价方式，帮助学生在14岁、16岁和18岁等重要年龄节点做出更好的决策，而非简单以更严格的考试取代GCSE。

第三是所有学校应就其提供教育服务的结果作出清晰、广泛认同和稳定的声明。这种声明所包含的不是学生的学术性表现，而是学校所有办学活动中所培养的学生的行为和态度。它应该成为评价所有新的政策理念、学校及其监测结构的基础。这意味着应向教育标准局等机构提供更多资源，使其开发比当前使用得更广泛的测量和评价手段，并支持督导人员使用这些手段。由此形成的将是涵盖学生学业发展和行为发展的、更好和更适切的叙述性报告，以及使用这些报告而不是考试成绩排行榜对学校进行评价。

第四是学校应采取促进家长和更广泛社区（包括与商业的联系）参与的策略。同时，工商业界应对以需求为导向的学校计划（needs-led school programme）进行战略性、系统性和长期性参与做出新承诺，其重点在于提高期望和学业成就。

（二）改善学校治理：英国工业联合会的第二份报告

在学校日益拥有更多自主权的改革背景下，英国工业联合会认为，政府必须建立适当的保障措施，以维持和提高标准，增强信心和信任，并确保新的自由不被滥用或被剥削，而核心则是需要学校治理和领导的改善。为此，2013年英国工业联合会又发表了题为《引领方向：改善学校治理与领导》（Leading the Way：Improving School Governance and Leadership）（以下简称《引领方向》）的报告，针对英国主要政党对政府分权和向学校权力下放政策存在的不同立场发表了意见。英国工业联合会总干事约翰·克里德兰在报告中指出了英国教育面临的最重要的问题，他呼吁政府、政党、企业和学校应携手实现教育的阶梯式变革。①

《引领方向》报告主要从以下几个方面提出学校治理与领导方面应注意的问题，并提出相应的对策和建议。

第一，强有力的领导和治理对于学校改进尤为必要。英国工业联合会指出，有证据表明更有效的治理以及高质量的领导与管理对教育服务质量以及学生学业成就具有积极的影响。然而教育标准局发现，在2011—2012学年，英格兰地区1/3公立学校的学校领导与管理质量存在问题。因此应自上而下地推动教育标准的提升。英国工业联合会还认为，控制权下放给学校和校长是最近对英格兰教育体系进行大规模改革的中心环节之一。经合组织及其他机构也持有同样的看法，即学校应享有更大的自主权，从而使校长可以像其他高级专业人员一样自由地开展领导和管理，并允许教师专注于教学。与此同时，向学校放权的一个不可或缺的条件就是，学校应持续关注建设高质量领导力，确保实现有效治理。在此方面，英国工业联合会的具体建议为：（1）不断推进将控制权下放给学校，使校长和校董能够实现真正和持久的变革；（2）确保现有的学校治理框架和结构得到落实，鼓励采取强有力的问责，这其中包括对治理机构重要性和创新性的关注。②

---

①② CBI. Leading the Way：Improving School Governance and Leadership [R]. London：CBI，2013：3，8-12..

第二，学校领导需要有效的支持机制来实现卓越。英国工业联合会认为，必须为学校领导建立尊重和鼓励创新及领导力的有效“护栏”。最好的支持显然不是通过对地方当局权力控制的加强，而是通过学校之间更多的合作、对学校领导更明确的期望、更专注于专业发展以及更有效的治理机构来实现的。英国工业联合会明确表示，地方当局控制不是正解，权力下放意味着削弱地方当局的作用，而将资源分配和决策制定的权力逐步转交给学校自身。同时，学校间分享最佳实践经验是有效的工具，此举将有助于推动教育标准的不断提高。教育标准局在树立成功学校领导标杆以及评估学校是否展现其特质方面扮演着至关重要的角色，因而教育标准局能够支持学校领导和治理的提升。英国工业联合会还强调，应支持校长在其职业生涯中发展他们的技能，所有的校长都应该发展批判性地评估他们学校的运作的能力，并且通过从教育部门以外的实践中学习来帮助他们发展这种能力。为此，英国工业联合会提出的具体建议为：（1）地方当局不应再增强对学校的控制，这既不能促成改进，还会造成倒退；（2）教育标准局应继续关注领导和治理的质量，并使之成为真正的优先事项；（3）必须开展真正的运动，在学校中营造持续专业发展的文化，尤其是针对现状和未来的学校领导者；（4）学校及其治理机构应该认识到具有行业经验的学校领导的价值，在教育部门和行业间应该有更多的交流，以确保学校高级管理团队的技能、知识和经验更好地结合。①

第三，善治就是要给予学校领导有效的战略指导和挑战。英国工业联合会认为学校治理机构的目标非常明确，主要集中在三项核心活动上：一是确保清晰的愿景、精神特质与战略方向；二是使校长对学校和学生的教育表现负责；三是监督学校的财务绩效，确保经费得到有效使用。学校治理机构的作用类似于公司的董事会，其对学校领导的贡献是战略性的而非运作性的。学校治理机构的组成对其履行特定职责的能力有着明确和直接的影响，因此确保正确的人员组成至关重要。同时，教育部应向校董提供支持和指导，并

① CBI. Leading the Way：Improving School Governance and Leadership [R]. London：CBI，2013：8-9，10-12.

确保其有效性。对此，英国工业联合会建议：（1）需要向学校、校长及校董明确阐明，学校治理机构的重点应放在战略问题上；（2）学校治理机构的组成必须以技能和能力为中心，不能规模过大以致妨碍决策；（3）应为所有校董提供培训和支持并鼓励其参与。①

第四，个体和公司应能够从学校管理中受益。英国工业联合会认为，校董在学校治理中发挥着重要的作用，提高教育绩效并使治理机构更趋商业化的最佳途径之一是吸引更多的行业人士担任校董。来自企业部门的人士担任校董不仅会使学校及其学生受益，也会使志愿者本身及其雇主受益。同时，政府在提高对校董工作的认识和赞赏方面发挥着重要作用，宣传这一作用可能会提高合适的志愿者人数。英国工业联合会提出三点建议。（1）需要做更多的工作从企业中吸引个人担任校董，这需要政府、教育部门和企业共同努力。鉴于提高小学标准的特别重要性，最初的工作重点应放在吸引企业中的个人在这些学校的治理机构中服务。（2）应将企业准许其职员担任校董的要求扩展至公立自治学校和自由学校以及其他公立学校。（3）政府高级大臣应更加积极地支持校董发挥作用。②

第五，企业和学校间应相互分享经验教训。英国工业联合会认为，学校治理机构和行业治理（industry governance）有着共同的基础。使机构负责是学校治理机构和公司董事会都在履行的一项关键职能，但大多数的学校治理机构没有向校长提供适当水平的支持和挑战，导致治理和领导不足。学校和企业间有很多可以共同分享的经验教训。因此，英国工业联合会建议学校和企业相互学习，以改善其运作，特别是围绕董事会组成。应该更加明确与私营部门的公司治理的关系。③

英国工业联合会发表报告后，全英学校校董协会对其中的大部分建议都表示支持，并非常欢迎联合会呼吁加强雇主与学校之间的联系。英国工业联合会就业与技能政策部门主任尼尔·卡伯里（Neil Carberry）认为："我们需要政府和企业之间建立更密切的合作关系，以提供适当的方式来提升我们

①②③ CBI. Leading the Way：Improving School Governance and Leadership [R]. London：CBI, 2013：13-15，16-17，18.

所有学校的表现，并帮助每个孩子发挥其潜力。”

二、推动政策变革

2018年3月，英国工业联合会主席保罗·德雷克斯勒（Paul Drechsler）在位于伯明翰的英国学校与学院领导者协会发表讲话时，呼吁政策制定者在英格兰提供更好的教育服务而非仅仅关注结果和死记硬背，鼓励将思考、质疑、创造力和团队合作的教学作为学校教育的重点。

保罗结合英国对经合组织PISA测试的反应指出了当前教育政策中存在的问题。他引用PISA测试负责人安德里亚斯·施莱彻尔（Andreas Schleicher）的话说，英国政策制定者正在以不同的方式对其他国家的测试结果做出反应。在其他国家，政策制定者正在努力通过鼓励学生为自己的学习负责来提高绩效。保罗指出，经合组织很清楚，英国现在比世界上任何其他地方都在做更多的死记硬背。时间表的确很重要，但是如果所有学生都在记忆事实，他们就会失去更多的东西。学校教育本不必如此。新加坡、芬兰和美国最好的学校都表明不必这样做。在那里，教育具有明确的目标、明确的核心学科标准、明确的适当问责制，以及所有促进全人发展的基础。这些国家就教育系统的需求进行了有益而开放的对话。而不是像英国一样，自20世纪70年代以来，被一种令人衰弱的“消耗战文化”（culture-war-of-attrition）所笼罩。保罗呼吁抛弃原有的意识形态，不再固着于学校结构和考试改革。现在是时候就如何帮助年轻人取得成功进行全国性的、理性的辩论了。然后进行课程改革，以实现所需的结果。

保罗指出，教育不仅仅是为了给人们提供他们在当今工作场所所需要的东西，而是要培养他们塑造明天的探究精神。在他看来，这个事情听起来很简单，但这正是令人担心之处。也许政治家的认识根深蒂固，也许意识形态的承诺过于牢固，也许旧习惯的改变会变得艰难，但是仍应该采取积极举措，说服政治家建立一个新的教育委员会。这个委员会可以绕过“地盘之争”（turf wars），应该拥有广泛的成员，包括教育界领导、企业人士、年轻人、家长和政治家等所有了解教育并希望我们的国家取得成功的人。他强调，现在应该开始根据证据做出教育决策，促使学校和学院达成共识，并为他们提供所需的支持、鼓励和资源，使考试系统服务于此，而非驾驭它。①

三、实施“教育与技能调查”

英国工业联合会于2008年联合爱德思②（Edexcel）首度开展了“教育与技能调查”，其主要目的是对企业关注的教育与技能方面的重点问题进行全面的分析。该调查主要由董事会高级管理人员完成，调查的重点是影响企业竞争力表现的关键教育和技能问题。调查涵盖了广泛的领域，包括领导和管理，基本技能，有关科学、技术、工程和数学（STEM）的高级技能，资格改革和政府培训资金等。③

对于开展这项调查的背景，时任爱德思董事总经理杰瑞·加维斯（Jerry Jarvis）指出，英国1/3的成年人不具有基本的离校资格（school-leaving qualification）。英国每年有25万名毕业生，而中国和印度的年均毕业生达400万。这种状况对英国全球经济竞争力的影响是显而易见的。时任英国工业联合会总干事理查德·兰伯特（Richard Lambert）也认为，英国在保持竞争力方面面临重大挑战，特别是在经济不确定的时候。英国最有价值的资源是员工的技能。因此，必须培养这些人才，以便个人能够为国家的经济繁荣做出贡献并从中受益，同时公司也才能继续蓬勃发展。企业界也明确表示，政府的首要任务是必须让年轻人从学校毕业时具有读写和计算能力，这样公司才能赋予他们在工作场所取得成功的技能。而且，培养年轻人柔性的就业能力（例如团队工作、问题解决、积极态度等）也显得更加重要。④

自2008年以来，英国工业联合会先后与爱德思、诺德安达教育有限公

① CBI. Education Is More than Knowledge Alone [EB/OL]. [2018-03-09]. http://www.cbi.org.uk/news/education-is-more-than- knowledge-alone/

② 爱德思公司是培生集团的一个子公司，是英国国内外教育资格和评价服务的提供商。

③④ CBI. Taking Stock：CBI Education and Skills Survey 2008 [M]. London：CBI，2008：6，4-5.

司[①]（Nord Anglia）、教育发展国际公司[②]（EDI）以及培生集团[③]等合作，连续10年持续从企业与产业需求的角度开展教育与技能调查。（历次调查的主题可参见表5-8）最新一轮的调查于2018年8月启动。

表5-8　英国工业联合会历年教育与技能调查的主题

年份	资助方	主　题
2008年	爱德思	盘点（Taking Stock）
2009年	诺德安达教育有限公司	新兴强者：动荡时代的教育与技能价值（Emerging Stronger：The Value of Education and Skills in Turbulent Times）
2010年	教育发展国际公司	准备成长：商业界优先考虑的教育与技能（Ready to Grow：Business Priorities for Education and Skills）
2011年	教育发展国际公司	构筑成长：商业界优先考虑的教育与技能（Building for Growth：Business Priorities for Education and Skills）
2012年	培生集团	学会成长：雇主所需的教育与技能（Learning to Grow：What Employers Need from Education and Skills）
2013年	培生集团	改变步伐（Changing the Pace）
2014年	培生集团	增长的途径（Gateway to Growth）
2015年	培生集团	激励增长（Inspiring Growth）
2016年	培生集团	正确的结合（The Right Combination）
2017年	培生集团	帮助英国实现繁荣（Helping the UK Thrive）

① 诺德安达教育有限公司成立于1972年，是英国国际学校的提供商。该公司面向2~18岁儿童在25个国家开办55所学校，学生超过5万人。

② 教育发展国际公司是英国领先的教育与培训资格和评价服务提供商。该公司获得英国政府认证，可以授予包括学徒和文凭在内的广泛的职业资格证书。

③ 培生集团成立于1998年，是英国一家面向学校、企业及直接面向学生提供教育出版和评价服务的公司。其拥有的教育媒体品牌包括朗文（Longman）、艾迪生·卫斯理（Addison Wesley）等。

英国工业联合会2017年的“教育与技能调查”涉及340多家组织机构，其中既包括雇员50人以下的小微企业，也包括雇员人数达5000人以上的大型企业，中小企业的比例占到1/3左右。调查涵盖了英国所有的经济部门，其中比例较高的部门包括制造业（14%）、教育（14%）、专业服务（11%）和建筑业（10%）。[①]2017年的调查显示，尽管英国经济持续向好，但企业关注的是能否找到足够的具有合适技能的员工，将近2/3的技能差距（skill gap）成为对英国竞争力的威胁。许多年轻人离开学校而没有打下在工作和生活中取得成功所需的坚实的教育基础，仅在学术方面，超过1/3的学生英语（39.8%）和数学（39%）在GCSE考试中没有达到C等及以上的水平。调查指出，英国的学校已取得切实的进步，但仍有很多需要改进之处。企业界认为，对于11岁以前的教育，学校的重点应该是培养学生的核心技能，如识字和算术（67%）、自我管理（41%）和沟通交流能力（34%）。而对于11岁后的教育，可以更加关注工作意识和未来的可能性，超过1/3（37%）的企业强调要更多地参与企业活动以提高年轻人的理解，激励他们了解未来的选择，也有1/3（33%）的企业强调要寻求改善对学生的职业生涯建议。同时，只有1/3（34%）的企业认为学校和学院毕业生进入就业市场时的外语能力令人满意，英国企业对法语（51%）、德语（47%）和西班牙语（45%）等主要欧盟成员国语言存在很大的需求。调查还指出，企业和学校的伙伴关系正在稳步发展，但该体系应更加明确。同时，企业也强调技能差距和不匹配问题。3/4的企业（75%）希望在未来几年为更高水平技能的人提供更多的职位，而只有2%的企业预计会提供低技能的职位。超过一半的企业（61%）对将来会有足够的人才可以填补其高技术工作所需的技能表示缺乏信心。对此，英国工业联合会副总干事乔希·哈迪（Josh Hardie）表示，技能必须成为英国工业战略的核心，这是一个国家可以拥有的最佳增长战略。更多高技能机会对未来来说是个好消息，这也是可以在生产力方面取得进步的一个标志。但是由于技能短缺的问题不断增加，这种情况就会受到

① CBI. Helping the UK Thrive：CBI/Pearson Education and Skills Survey 2017［M］. London：CBI，2017：94，8-11.

影响。他认为，以往英国技能系统的主要特征就是受到政治干预和不断进行零碎的改革，因此，企业界期望教育大臣能够认识到他们需要扮演的角色。这种伙伴关系对于技能改革的成功至关重要。哈迪还强调指出，企业可以而且必须做更多工作，以确保不会以地域或背景来定义一个人的生活机会。①

“教育与技能调查”无疑对教育部门和企业部门都具有重要的意义。英国工业联合会指出，开展该调查以及调查的结果对塑造其未来的政策建议具有重要的作用，从而有助于确保英国企业拥有在未来几十年内蓬勃发展所需的技能。英国工业联合会认为，更好地了解企业对教育的看法比以往任何时候都更加重要。在未来十年，我们的生活方式和工作将因技术发展、全球化、人工智能、自动化等因素的影响而迅速发生变化。这将带来令人兴奋的机会，同时也为下一代提出需要应对的挑战。该调查在很大程度上为制定现在和未来需要实施的政策和改革搜集和提供了扎实的证据。此外，英国工业联合会的“教育和技能调查”结果在《金融时报》、英国广播公司和《独立报》等媒体上被广泛引用。可以说，该调查对于了解企业和雇主观点提供了独特的渠道和途径。②

① CBI. Skills Needs Must Now Drive Reforms — CBI/Pearson Education and Skills Survey [EB/OL]. [2017-07-10]. http://www. cbi.org.uk/news/skills-needs-must-now-drive-reforms-cbi-pearson-education-and-skills-survey/.

② CBI. CBI Launches the 2018 Education and Skills Survey [EB/OL]. [2018-08-02]. http://www. cbi.org.uk/news/cbi-launches- the-2018-education-and-skills-survey/.

第六章 英国高等教育治理

尽管治理在教育领域是一种“新鲜事物”，但不少研究者仍认为高等教育机构尤其是大学的治理由来已久，而且对大学发展产生了深远影响。正如安德鲁·博格斯（Andrew M. Boggs）所指出的：“几个世纪以来，大学治理在改变大学期望的平行过程中经历了重大转变……而每一次院校治理新类型的引入都会对既有大学造成压力，使其采取治理新类型的要素。即使像牛津大学这样英语世界最古老的高等教育机构也不能免受这种反复出现的变革压力。”①

在英国高等教育治理的发展过程中，院校自治和外部干预始终是各方讨论的核心主题。与此相应，人们围绕上述主题形成两个不同的认识：其一是将大学视为“学者的共和国”（republic of scholars），其二是将大学视为“利益相关者组织”（stakeholder organization）。对前者而言，院校自治和学术自由被视为一个硬币的两面，也就是说领导和决策是基于独立学者的共同决策（collegial decisions）。对于后者而言，虽然院校自治被认为是领导者进行战略决策的基础，但是院校自治的首要任务是满足主要利益相关者的利益，而院校内学者的声音只是众多利益相关者之一。②

传统上，与中小学校相比，英国高等教育系统并不是政府干预的政治重点所在，高校主要通过“缓冲机构”（buffer agencies）间接接受指导，学术自由的信条在政策领域受到尊重。而且高等教育部门通常被认为是“特殊的”，与外部宏观力量相隔绝，并由传统的内部和学术主导的力量所塑

① Andrew M. Boggs. Changing Concepts of ‘The University’ and Oxford’s Governance Debates, 1850s–2000s[M]. //Ana Simões, et al. (eds.). Sciences in the Universities of Europe, Nineteenth and Twentieth Centuries. Dordrecht: Springer, 2015: 50.

② Ivar Bleikliea and Maurice Kogan. Organization and Governance of Universities [J]. Higher Education Policy, 2007, 20 (4): 477.

造。然而，自20世纪80年代以来，英国政治经济环境发生了巨大的变化，高等教育部门经历了渐进式管理化（managerialisation）变革。[①]可以说，在这种变革过程中，"学者的共和国"在不断失色，而"利益相关者组织"正愈益变得引人注目。随着政府控制的加强，大学的自治权也不断被削弱。与此同时，大学应该作为商业企业进行组织和管理并成为"创业型大学"（entrepreneurial universities）的观念深刻影响了关于高等教育组织和领导力的规范性辩论。[②]

对于上述变化，乐观主义者认为，经济企业、公共权力机构和知识机构之间建立新联盟和合作是必要的，此举会给大学和知识生产带来理想的后果。这种想法对公众就该问题的辩论产生了强烈的影响。怀疑论者和批评者则认为，以"学术资本主义"（academic capitalism）的兴起和大学作为文化机构的"毁灭"为代表，施加给大学的强大外部影响导致了内部价值体系的崩溃，而内部价值体系是维持学术自由以及独立和批判性学术的基石。尽管如此，乐观主义者和怀疑论者都认同这样的假设，即大学治理发生了根本性的变化，并关注新理念和政策如何改变大学的运营条件。[③]基于以上的考虑，本章也将重点关注英国高等教育治理发生了哪些根本性的变化以及这些变化何以发生。

第一节　高等教育的体系与结构

英国高等教育体系与结构是一个历史发展的结果，也是制约与影响高等教育治理的客观条件和重要基础。高等院校因其来源、地位、使命、财富、资源、研究活动和收入、教育提供和学生特征的不同而高度分化。院校之间

① Ewan Ferlie and Gianluca Andresani. United Kingdom from Bureau Professionalism to New Public Management? [M] //Catherine Paradeise, et al. (eds.). University Governance: Western European Comparative Perspectives. Dordrecht: Springer, 2009: 177.

②③ Ivar Bleikliea and Maurice Kogan. Organization and Governance of Universities [J]. Higher Education Policy, 2007, 20 (4): 485, 482.

的这种分化不仅影响着变革对各个院校产生的冲击，也影响着它们在因应政府政策、从事各种市场活动以及回应人口、技术和环境变化等其他驱动因素上可以拥有多大的自主权。①

一、高等教育的体系

随着英国高等教育规模的不断扩大，高等教育体系中机构的多样性体现得越来越明显。英国有关文献中越来越多地使用“高等教育提供者”（higher education provider）的表述形式，就是对多样性的很好体现。按照英国大学协会的统计，目前英国共有166个高等教育提供者。其中，大部分为公立高等教育机构，私立院校只有9所。在地域分布上，英格兰地区最多，达132所；苏格兰地区次之，为19所；威尔士和北爱尔兰地区分别为10所和5所。②此外，英国还有大量的继续教育学院（further education colleges）和不接受公共资金资助的高等教育提供者。总体而言，英国的高等教育体系可以从高等教育机构的自主权、学位授予权和接受公共资金资助的情况等几个方面进行考察和分析。

（一）自治型高等教育机构

英国高等教育机构的规模、历史、使命和学科组合各不相同。大学和其他接受公共资金直接资助的高等教育机构是自治的独立组织，拥有自己的法律身份和权利，包括学术和管理。虽然它们依赖于政府资金，但它们并非由国家拥有或管理，它们是依赖政府的私人机构。

在中世纪时期，两所最古老的大学——牛津大学和剑桥大学主要是为教会提供培训。在19世纪30年代伦敦大学和戴勒姆大学成立之前，它们一直是英国仅有的两所大学。19世纪后期，随着大型工业城镇兴起而建立的新城市大学（civic universities）进一步促进了高等教育的发展。20世纪50年代，

---

① William Locke and Alice Bennion. The United Kingdom：Academic Retreat or Professional Renewal?[M] // William Locke，et al. （eds.） Changing Governance and Management in Higher Education：The Perspectives of the Academy. Dordrecht：Springer，2011：176.

② Universities UK. Higher Education in UK：Facts and Figures 2017 [Z]. London：Universities UK，2017：7.

在既有的高等教育机构和新建的多科技术学院（polytechnics）中都出现了职业和专业高等教育，以适应地方工业发展需要。根据1963年《罗宾斯报告》的建议，20世纪60年代英国高等教育入学规模持续扩大。大学和多科技术学院之间的“二元鸿沟”一直持续到20世纪90年代初。《1992年继续和高等教育法》（Further and Higher Education Act 1992）将所有接受公共资金直接资助的高等教育机构纳入单一部门，采取相同的资金和质量保证安排。但是，在《1992年继续和高等教育法》之前和之后建立的大学之间仍存在一些区别。1992年以前的大学通常为研究型大学，它们教学的重点是传统的学术性课程；而1992年后设立的大学通常是多科技术学院或教师培训学院，大多是非研究性的，通常提供更广泛的职业性课程。然而，在原有的学院和高等教育机构获得大学地位之后，随着大量新大学的出现，这种区别在新世纪以后变得越来越不明显。

（二）具有学位授予权的高等教育机构

英国的高等教育学位和其他高等教育资格由授予机构合法拥有，而不是由国家拥有。但是，授予英国学位的权力受法律管辖，未经授权的机构授予或提供英国学位都是违法行为。英国有160多所高校拥有学位授予权（DAPs），它们可能通过皇家特许状、议会法律或枢密院许可获得这种权力。1992年以后，根据《1992年继续和高等教育法》的规定，希望获得学位授予权的机构都要向枢密院提出申请。

英国的立法涵盖三种类型的学位：教学型学位（taught degrees）（即根据教学而非研究项目授予的学位）、研究型学位（research degrees）以及基础学位（foundation degrees）。这三个类别中的每一个都有自己的一套标准，高等教育质量保证署会对这些标准进行评估。申请机构只有在获得教学型学位授予权（TDAP）的基础上，才能被授予研究型学位授予权（RDAP）。英国并没有对学位授权机构定期审查认证制度，受公共资助的机构一旦获得学位授予权，便可永久享有这种权力，但是，受私人资助机构需要每六年接受对学位授予权的审查。基础学位授予权（FDAP）由枢密院在有限的时间（一般为期六年）内授予继续教育部门的机构。其他类型的高等教育资历（如证书和文凭）可由任何组织授予。

（三）大学和大学学院

在英国，并非所有高等教育机构都有权使用“大学”（university）的名称，按照法律规定有三种情况可以使用。一是根据《1992年继续和高等教育法》的规定，枢密院负责批准使用“大学”（包括“大学学院”）的名称。在2005年以前，还有对研究型学位授予权的额外要求。二是根据《2006年公司法》（Companies Act 2006）的相关规定，各机构可以在获得批准其名称中使用“大学”的名称。三是根据英国议会通过的有关私法的规定。自2005年以来，具有教学型学位授予权以及达到全日制学生总人数和学位课程人数最低注册规定[①]要求的机构，也被允许使用“大学”这一名称。具有教学型学位授予权但不符合大学有关人数标准的机构可申请使用“大学学院”的名称。

（四）其他接受公共资金资助的高等教育提供者

英国的很多学院（colleges）和其他高等教育机构没有学位授予权，但它们可以提供完整的、能够获得认可的英国学位的课程。这些院校的课程通常需要由具有学位授予权的高等教育机构批准。一些机构作为高等教育机构可获得英格兰高等教育基金委员会的直接公共拨款。关于一个组织是否可以被认定为有资格获得公共拨款的高等教育机构的决定由英国政府高级委员会——枢密院来负责。枢密院根据高等教育质量保证署和英格兰高等教育基金委员会的建议采取相应措施。其中，获得公共拨款的高等教育机构的认定标准包括要求55%的课程应该是高等教育课程。英国的继续教育学院也可以提供高等教育项目（programmes）。这些项目通常直接由具有学位授予权的高等教育机构根据正式的认可安排进行设计和批准。一些短期课程也可由培生集团等独立的资历授予机构批准提供。提供高等教育服务的继续教育机构可以获得英格兰高等教育基金委员会直接资助，也可以通过特许经营安排提供资助。特许经营安排可以涵盖全部或部分高等教育项目，这意味着一旦学生在该高等教育机构注册，该机构就可获得拨款，同时该机构也要负责其质量保证。然后，该高等教育机构

① 原来规定的人数分别为4000人和3000人，但后来这些规定人数已不断减少。根据2015年商业、创新和技能部《高等教育提供者指南》（Guidance for Higher Education Providers）中有关申请“大学”和“大学学院”名称的标准与程序的规定，分别为1000人和750人。

要将一部分资金转入提供教学的继续教育学院。

（五）不接受公共资金资助的高等教育提供者

近年来，英国越来越多的独立私人机构也开始提供高等教育，这些机构被称为“替代提供者”（alternative provider）。仅在英格兰地区，2017年就有115家替代提供者。[①]这类高等教育“替代提供者”泛指任何高等教育课程的提供者，包括营利性和非营利性组织，但它们既不是继续教育学院，也不直接接受公共资金。正如英国政府在2011年6月的白皮书《高等教育：学生是整个系统的核心》中所表达的态度，高等教育“替代提供者”的不断增加是政府政策的一个指向，其主要目的是为满足日益增加和差异化的高等教育需求。[②]

二、大学的类型结构

英国高等教育的治理模式与高等教育机构尤其是大学的类型结构密切相关。与美国、澳大利亚等国不同，英国大学治理模式并非源于单一传统。英国有独特的牛桥（Oxbridge）模式、中世纪或古代苏格兰模式、城市大学模式以及1992年后的高等教育法人（higher education corporation）模式。[③]就大学而言，有学者根据内部管理结构的标准将英国大学分为三类：一是牛津大学和剑桥大学；二是伦敦大学和威尔士联邦大学；三是其余的包括威尔士的大学学院和十几个组成伦敦大学的主要非医学院校。[④]也有人按照时间跨度将其分为：研究型大学即罗素大学集团（Russell Group）、1992年以前的大学、1992年后的大学、2004年后的大学以及高等教育学院。本书综合历史、

① HEFCE. Higher Education Providers [EB/OL]. [2018-07-21]. http://www.hefce.ac.uk/analysis/HEinEngland/providers/aps/.

② EURYDICE. United Kingdom-England：Types of Higher Education Institutions [EB/OL]. [2018-07-25]. https://eacea.ec. europa.eu/national-policies/eurydice/content/types-higher-education-institutions-91_en.

③ Michael Shattock. Managing Good Governance in Higher Education [M]. Maidenhead：Open University Press，2006：5.

④ Graeme C. Moodie and Rowland Eustace. Power and Authority in British Universities [M]. Abingdon：Routledge，2012：48.

使命、功能等因素，结合英国教育部的分类[①]，将英国大学初步分为古典大学（ancient universities）、联邦大学（federal universities）、红砖大学（red brick universities）[②]、平板玻璃大学（plate glass universities）及新大学[③]（new universities）等五个类型。

（一）古典大学

英国的古典大学通常指建立于1600年前的6所大学，具体又可细分为英格兰的牛桥大学以及苏格兰的古典大学。其中，苏格兰的古典大学包括具有很多共同特点并受《1858—1966年苏格兰大学法》[④]（The Universities（Scotland）Acts 1858 to 1966）制约的4所大学，即建立于1413年的圣安德鲁斯大学、建立于1451年的格拉斯哥大学、建立于1495年的阿伯丁大学以及建立于1583年的爱丁堡大学。《1966年苏格兰大学法》称这些大学为"古老大学"（older universities）。这些大学都具有由校董会（court）、校务委员会（council）和学术评议会（senate）组成的三重机构与权威关系的治理结构。

牛津大学和剑桥大学作为古典大学的代表，除了是最古老的英国大学之外，还以教职员工一般机构的管理角色及其各个学院的持续重要性而著称。它们是通过自身特有的结构来管理而不可能在别处复制的一类大学。这两所大学最重要的管理特征是，最终的权力属于所有驻校教师（resident master）（其中绝大多数是学术人员，其余由大学和学院的高级官员组成）参与的立法会（legislative assembly）。[⑤]

人们常常认为，与许多欧洲国家的集中制度相比，甚至与美国的许多

① 英国教育部2016年在研究报告《教学卓越框架：高技能就业成果的分析》（Teaching Excellence Framework：Analysis of Highly Skilled Employment Outcomes）中，以建校历史为序将大学划分为古典大学（1800年以前建立）、红砖大学（1800—1860年建立）、平板玻璃大学（1960—1992年建立）及1992年后大学（1992年以后建立）四类。

② 红砖大学又称城市大学。

③ 新大学又称1992年后大学（post-1992 universities）。

④ 该法是《1858—1932年苏格兰大学法》（Universities（Scotland）Act 1858 to 1932）和《1966年苏格兰大学法》（Universities（Scotland）Act 1966）的合称。

⑤ Graeme C. Moodie and Rowland Eustace. Power and Authority in British Universities [M]. Abingdon：Routledge，2012：48.

公共机构相比，长久以来英国大学的“皇家特许状”（Royal Charter）赋予了它们一种准私人地位（quasi-private status），具有高度的自我管理权，以及宪法保护免受外部监管或指导的权力。值得注意的是，18世纪和19世纪之交牛津大学和剑桥大学的各个学院经常被认为是一个典型的例子，从这些学院可以体现出由学术人员管理和拥有、完全自治机构的纯粹“行会”（guild）模式。① 然而，有学者认为，这更接近于理想类型的概念化，而不是历史上准确的描述。还有学者指出，大学和大多数学院的治理委员会（governing councils）的成员中包括毕业生，有时还有大量非居民和非教学人员的“院士”（fellows）。因此，与普遍印象相反，它们当然不是完全由教学人员管理的机构。实际上，“教职员工自我管理的基本原理主要是基于财产权以及学术的需要”的论述可能并不充分。②另外，在英国，授予“特许状”并不代表永久和无条件地授予自治权。③在英国宪政背景下，甚至牛津、剑桥的各个学院也不能免除受外部干预的影响。国家一再选择干预所谓的私人治理（private governance）问题，以回应对公共利益的不断变化的解释，并通过立法、监管和财务等杠杆来实现，旨在指导或引导大学朝向国家认可的方向发展。④

（二）联邦大学

联邦大学主要有两所，即建立于1893年的威尔士大学和建立于1900年的伦敦大学。威尔士大学是较为古老的一所联邦大学，它由诸多分散且高度自治的院校组成，而且它们之间的沟通很差。如果纯粹以学术为最高考虑的话，威尔士大学可能不会继续下去，但它实际上主要被视为一个院校联盟。两者中规模更大的是伦敦大学，它拥有各种各样的组成单位，从非常专业的研究机构到与自治大学非常相似的大型学院（colleges）或专门学院（schools）。

---

①③④ Oliver Fulton. Higher Education Governance in the UK：Change and Continuity［M］// Alberto Amaral，Glen A. Jones and Berit Karseth（eds.）. Governing Higher Education：National Perspectives on Institutional Governance. Dordrecht：Springer，2002：188，190，188-189.

② Graeme Moodie and Rowland Eustace. Power and Authority in British Universities［M］. London：Allen & Unwin，1974：27.

伦敦大学1836年获得皇家特许状，建校之时它只是作为伦敦大学学院（UCL）和伦敦国王学院（KCL）学生的学位授予考试委员会。1900年伦敦大学形成联邦大学的架构。伦敦大学的18个组成学院常被视为是“独立的大学”，从最实际的角度，它们可以单独招生，也可以各自与政府协商拨款问题。从法律的角度，这些学院被称为“受认可的机构”（recognized bodies），这意味着它们有权为学生组织考试并授予学生大学学位。其中，城市学院、考陶德艺术学院（Courtauld Institute of Art）、金史密斯学院（Goldsmith）、伦敦国王学院、伦敦政治经济学院（LSE）、玛丽王后学院（Queen Mary）、皇家霍洛威学院（Royal Holloway）、亚非学院（SOAS）、圣乔治学院（St George’s）和大学学院更是有权授予自己的学位而非伦敦大学的学位。

（三）红砖大学

红砖大学指的是19世纪末至20世纪初期在英格兰主要工业城市建立的大学，其主要目标是适应经济社会发展对技术、科学、设计和工程等学科不断增长的高等教育需求。其中，最初的6所红砖大学分别是：1900年被授予皇家特许状的伯明翰大学、1903年被授予皇家特许状的利物浦大学和曼彻斯特维多利亚大学[①]、1904年被授予皇家特许状的利兹大学、1905年被授予皇家特许状的谢菲尔德大学以及1909年被授予皇家特许状的布里斯托大学。20世纪20年代，保守党首相斯坦利·鲍德温（Stanley Baldwin）曾为这些维多利亚时代和爱德华时代主要建立在英格兰中部和北部城市的大学而欢呼。他认为，这是一个“未来的历史学家将其视为文艺复兴时期的发展……正如15世纪文艺复兴时期那样的真实”。然而，牛津大学历史学家威廉·怀特（William Whyte）在《红砖大学：一个英国城市大学的社会建筑史》（Redbrick：A Social and Architectural History of Britain’s Civic Universities）中指出，“未来的历史学家”并没有实现这一预测；这几乎是一场被遗忘的

① 2004年，曼彻斯特维多利亚大学（Victoria University of Manchester）与1956年成立的曼彻斯特大学科技学院（UMIST）合并成为曼彻斯特大学（University of Manchester）。

革命，一场如今没人会去注意的文艺复兴。尽管如此，他认为，红砖大学提供的是一种向具有不同宗教信仰和社会阶层的人们以及妇女开放的高等教育，它们影响了后来在20世纪60年代和90年代扩大高等教育的浪潮，并确实塑造了英国高等教育的整个特征。[①]

（四）平板玻璃大学

平板玻璃大学最早是由迈克·彼洛夫（Michael Beloff）1968年在其著作《平板玻璃大学》（The Plateglass Universities）中提出的，主要是指20世纪60年代英国《罗宾斯报告》发表前后的英国高等教育大扩充时期获得皇家特许状的一些大学，如分别于1961年、1963年、1965年和1968年建立的苏塞克斯大学（University of Sussex）、约克大学（University of York）、沃里克大学（University of Warwick）和阿尔斯特大学（University of Ulster）等。很多学者认为，建立这些新大学是中央政府认可的行动，但却是由大学拨款委员会这种准国家机构来精心策划安排。[②]不过，这类大学仍对英国高等教育变革产生了深远影响。有学者在媒体撰文指出，20世纪60年代平板玻璃大学的到来拓宽了大学入读者的视野，并培养了一批注重实验、合群和多样化的新学生。古典大学和红砖大学精英选拔的日子正在迅速成为过去。[③]

（五）新大学

新大学指的是根据1991年高等教育白皮书《高等教育：一个新的框架》（Higher Education：A New Framework）的建议，以及《1992年继续和高等教育法》的规定，由原来的职业性的多科技术学院、高等教育学院等升格而成的大学。英国高等教育专家迈克尔·沙托克（Michael Shattock）将这

---

① John Morgan. How the Redbrick Universities Created British Higher Education [EB/OL]. [2018-07-21]. https://www.times highereducation.com/news/how-the-redbrick-universities-created-british-higher-education.

② Filippakou Ourania1 and Tapper Ted. The New Universities of the 1960s：From the Quasi-State's Model to Mission Group Pressures [EB/OL]. [2018-07-12]. https://www.srhe.ac.uk/conference2014/abstracts/0209.pdf.

③ Helen Frances Vaudrey. Pillow Talk：Under the Covers at Freshers' Week [EB/OL]. [2013-09-17]. https://www.independent.co. uk/student/student-life/pillow-talk-under-the-covers-at-freshers-week-8821863.html.

种新型大学称为“高等教育法人”。①高等教育法人的院校治理强调的重点是以外部和业内人士连同院校管理人员为主导而非学术人员的事务委员会（business-boards）。很多学者认为，英国这种新型大学是大学官僚化快速发展以及20世纪80年代至90年代英国政府财政部门日益要求对使用公共资助进行报告的自然产物。

《1992年继续和高等教育法》颁布后，英格兰地区33所多科技术学院和德比郡高等教育学院、威尔士多科技术学院以及3所苏格兰主要院校被授予大学地位。新大学的前身多科技术学院被艾瑞克·罗宾森（Eric Robinson）称为“人民的大学”。②多科技术学院升格为大学后，仍保留了这一特色。在很多大臣看来，1992年后的大学的主要作用是“面向商业”的机构，培养职业学科和应用研究的毕业生，好像“职业”和“应用”是直截了当的标签。在英国高等教育专家彼得·斯科特（Peter Scott）看来，1992年后的大学真正实现了大众化高等教育。它们在学生扩张方面很快，并且扩大了“中英格兰”学生、工人阶级家庭和少数民族学生的参与。他认为，“多科技术学院升格十年后，情况变得越来越好。当我从一个罗素集团大学到一个‘1992年后’的大学时，我没有意识到跨越了很大的鸿沟。大多数人认为大学和理工学院之间的旧区别已逐渐消失”。③

第二节　高等教育治理的法律与政策

英国大学的治理模式源自中世纪欧洲的巴黎大学，即把大学作为学者和教师的行会。1231年教皇格列高利九世（Gregory IX）颁发给巴黎大学的

① Michael Shattock (ed.). The Structure & Governance of Higher Education [M]. Guildford: Society for Research into Higher Education, 1983.

② Eric Robinson. The New Polytechnics: The People's Universities [M]. Harmondsworth: Penguin, 1968.

③ Peter Scott. It's 20 Years since Polytechnics Became Universities—And There's No Going Back [EB/OL]. [2012-09-03]. https://www.theguardian.com/education/2012/sep/03/polytechnics-became-universities-1992-differentiation.

《大宪章》（Magna Charter）中明确了学术声音（academic voice）在巴黎大学治理结构中的核心地位。巴黎大学的治理结构被后来建立的牛津大学和剑桥大学所采用，由此成为400年间英格兰地区唯一的大学治理类型，[①]并为后来英国大学的治理结构奠定基础。与其他高等教育系统相比，英国高等教育机构表现出强烈的自治的意识形态（ideologies of autonomy），并保留了院校自治的重要来源。英国高等教育机构借助非政党机构（一般是枢密院或议会）颁发的章程或法规，保障了自身的权力。[②]

一、高等教育治理的有关法律形式

英国高等教育机构的法律基础各不相同。历史上，英国高等教育机构的法定自治权由皇家特许状、教皇诏书（Papal Bull）、章程（Statute）或议会通过的法律所保障，这些法定文件规定了它们与政府机构的关系。大多数1992年以前的大学都是由皇家特许状建立的，是一种"特许法人"（chartered corporation）。皇家特许状为大学提供了宪章和法规，成为大学运作所应遵循的一般规定。此外，还有极少数1992年以前的大学是根据具体的议会法律建立的。根据《1988年教育改革法》，1992年以后的大学和一些其他高等教育机构成为"高等教育法人"，大多数都是根据政府文书（Instrument of Government）和政府条款（Articles of Government）来运作。1992年后的新大学并没有被给予特许地位，而是对其治理机构人数和来源作出法律规定，治理委员会权力和责任也由政府作出规定。这与传统大学校务委员会是明显不同的。

（一）皇家特许状

在19世纪之前的英国，授予"注册特许状"（Charter of Incorporation）

---

① Andrew Boggs. Understanding the Origins, Evolution and State of Play in UK University Governance [M]. // Edward S. Miller (ed.). The New Collection. Oxford: New College, 2010: 3.

② Ewan Ferlie and Gianluca Andresani. United Kingdom from Bureau Professionalism to New Public Management? [M] // Catherine Paradeise, et al. (eds.). University Governance: Western European Comparative Perspectives. Dordrecht: Springer, 2009: 177.

是创建独立法人资格的主要方法。很长一段时间内，大学、学院、学校、市政当局、行会和同业工会、各种各样的慈善机构，以及随着贸易的发展越来越多的股份公司，都通过这种方式注册被授予特许状。长期以来，枢密院采用了各种不同的标准对这些组织机构授予特许状。随着19世纪引入立法促进商业企业的成立，以及慈善立法的出现，通过授予特许状设立独立法人的机会大大减少，并且授予特许状更多地被视为皇室恩惠或作为区别标志的特殊标识。目前，英国有超过1000个组织被授予皇家特许状。对于高等教育机构来说，获得皇家特许状的绝大部分是1992年以前的大学。按照英国枢密院的解释，皇家特许状是由女王授予的一种成立工具，赋予一个组织独立的法律人格，并确定其管理自身事务的目标、章程和权力。因此，每个皇家特许状的条款有所不同，具体取决于所纳入的组织类型的特别要求。①

（二）大学章程

章程和条例（ordinance）同样为大学管理其事务提供了根本性的制度框架。英国最早记录的大学章程可追溯至1250年的手稿，但该章程直到1571年议会通过有关牛津大学和剑桥大学注册成立的法律才正式得到认可。②大学有权根据皇家特许状制定其章程，但对章程的任何修改都需要得到枢密院或议会的批准。例如，《1862年牛津大学法》（Oxford University Act 1862）就对牛津大学的章程做出修订，该法的全名即为《一项拓展牛津大学拥有章程的权力以及对该校名誉校长在学校董事会司法行政作出进一步规定的法律》。皇家特许状和章程授权大学制定和修改具体的条例。

（三）大学法

大学法（Universities Act）（及其变体）是英国以及加拿大、马来西亚、新西兰等受英国传统影响的国家制定的与大学有关立法的总称，包括《1743年大学（葡萄酒许可证）法》（The Universities （Wine Licences） Act 1743）、《1825年大学法》（The Universities Act 1825）、《1871年大

---

① Privy Council. Chartered Bodies [EB/OL]. [2018-03-12]. https://privycouncil.independent.gov.uk/royal-charters/chartered-bodies/.

② University of Cambridge. Statutes and Ordinances of the University [EB/OL]. [2018-07-22]. https://www.governance.cam.ac. uk/governance/uni-legislation/Pages/Stats-and-Ords.aspx.

学考试法》（The Universities Tests Act 1871）、《1943年的大学和学院（信托）法》（The Universities and Colleges（Trusts）Act 1943）、《1966年（北爱尔兰）新大学（土地征用）法》（The New Universities （Acquisition of Land）Act （Northern Ireland）1966）、《1858—1966年（苏格兰）大学法》（The Universities （Scotland） Acts 1858 to 1966）、《1858—1880年大学和学院房地产法》（The Universities and College Estates Acts 1858 to 1880）以及《1925—1964年大学和学院房地产法》（The Universities and College Estates Acts 1925 to 1964）等。

英国议会也会为特定的大学立法。《1571年牛津大学和剑桥大学法》（The Universities of Oxford and Cambridge Act 1571）就是一例。1859年英国议会又通过《1859年牛津大学和剑桥大学法》（The Universities of Oxford and Cambridge Act 1859），废除了《1571年牛津大学和剑桥大学法》以及所有的特许状中对牛津市市长、市议员和公民强加的宣誓保护牛津大学自由和特权的各项义务。此后，英国议会1923年通过的《1923年牛津大学和剑桥大学法》（The Universities of Oxford and Cambridge Act 1923）则为两校现行的章程奠定了基础。类似的还有牛津大学的《1854年牛津大学法》、《1862年牛津大学法》，剑桥大学的《1856年剑桥大学法》，伦敦大学的《1898年伦敦大学法》（University of London Act 1898）和《1994年伦敦大学法》（University of London Act 1994）等。

二、政府及非政府机构的相关政策

20世纪80年代和90年代的高等教育大众化和市场化这两种发展趋势也对大学治理产生了影响，使大学办学的“天平”从本质上的“内部的”学术性事务偏向院校定位、使命乃至生存的“外部的”事务。[①]这其中，政府出台的政策发挥着重要作用。正如《1988年教育改革法》所述，中央国家教育机构已成为塑造英格兰高等教育发展的主导力量。虽然这一直是事

① Catherine Bargh，Peter Scott and David Smith. Governing Universities：Changing the Culture?［M］. Buckingham：SRHE and Open University Press，1996：3.

实，而且对于所有政府部门来说也的确如此，但这种“侵入”的性质特别令人感兴趣。[①]

（一）大学组织的政策与规范

1979年以撒切尔夫人为首的保守党赢得大选上台后，英国高等教育的发展环境发生了重大变化。由于不满大学的运作方式，撒切尔政府削减大学预算，主张采取更加市场化的高等教育体系。1985年，英国大学校长委员会在对大学管理进行了一系列调查和研究的基础上发表《贾勒特报告》（Jarratt Report），旨在提升大学的办学效率和促进大学的善治。该报告在大学治理方面提出的建议包括：（1）应坚持校务委员会在治理院校中的责任，尤其坚持学术决策和结构的战略规划方面的责任，将规划、资源分配和问责结合起来，形成一个连接学术、财务和物质的治理过程；（2）应继续发挥学术评议会在协调和认可具体学术工作上的重要作用，将其作为产生学术观点并向校务委员会提出广泛问题建议的主要论坛。[②]《贾勒特报告》对英国大学治理产生了深远的影响，也在很大程度上导致了大学权力从学术委员会到校务委员会的重大转变。[③]这个时期国家和政府开始对大学治理和公司化产生浓厚兴趣，也就是实施新公共管理的治理，使政府越来越多地采取“商业化”的方式。[④]该报告提出的建议既是大学行业组织积极应对大学外部环境变化和压力挑战而做出的选择，同时也为此后大学的治理改革奠定了思想、舆论和政策基础。

---

① Ted Tapper. The Governance of British Higher Education：The Struggle for Policy Control [M]. Dordrecht：Springer，2007：58.

② CVCP. Report of the Steering Committee for Efficiency Studies in Universities（Jarratt Report）[R]. London：Committee of Vice-Chancellors and Principals，1985：36.

③ Julie Rowlands. Academic Governance in the Contemporary University：Perspectives from Anglophone Nations [M]. Singapore：Springer Nature Singapore Pte Ltd，2017：30.

④ Christopher Pollitt and Geert Bouckaert. Public Management Reform：A Comparative Analysis—New Public Management，Governance，and the Neo-Weberian State [M]. 3rd ed. Oxford：Oxford University Press，2011：1.

目前，英国大学在治理上普遍遵循的是大学主席委员会[①]（CUC）制定的《英国高等教育治理机构成员指南》（Guide for Members of Higher Education Governing Bodies in the UK）。该指南于1995年首次正式发布，并于1998年、2002年、2004年、2009年和2011年进行修订。2004年版以后的指南还明确了大学治理机构的角色，并包含了良好实践的具体案例，以及自愿遵照实施的《治理实践规则》（Governance Code of Practice）。最新一版的指南提出建立卓越工作关系的8项关键原则：战略伙伴关系、以学生为中心、尊重与理解、开放与信任、相互支持与承诺、独立、问责、多样与平等。[②]

2014年，大学主席委员会发布更加明确的《高等教育治理规则》（Higher Education Code of Governance）。该文件指出，高质量的高等教育需要唤起公众的信任以及保护英国高等教育系统的声誉，这取决于许多共同的价值观念。在治理实践中如果未能采用和实施这些商定的价值观念，可能会产生超出院校关切以外的影响，可能会破坏英国高等教育机构的集体声誉。在此基础上，该文件提出高等教育治理的核心价值包括：（1）自治是质量和国际声誉的最佳保证；（2）学术自由和高质量的研究、学术和教学；（3）通过善治保护学生的集体利益；（4）发布可公开获取的准确和透明的信息；（5）要认识到直接来自利益相关者的资金问责要求，高等教育机构须明确它们与支付服务费用的利益相关者是一种合同关系，而且要明确付费者能够获得的服务；（6）要在整个院校机构中实现机会均等和多样性；（7）坚持向所有能够从中受益的人提供高等教育的原则；（8）充分和透明地对公共资金负责。该规则还进一步提出高等教育治理的7项主要要素：（1）

① 大学主席委员会前身是建立于1986年的大学治理机构主席会议（meeting of chairs of university governing bodies），后改称为大学校务委员会主席委员会（CCUC）。1993年该委员会与新大学主席常设委员会（Standing Committee of New University Chairmen）合并为大学校务委员会和董事会主席委员会（Committee of Chairmen of University Councils and Boards）。1996年该组织改名为大学主席委员会（Committee of University Chairs）。

② CUC. Guide for Members of Higher Education Governing Bodies：Supplementary Guide regarding the Role of University Governing Bodies in Relation to Student's Unions [Z]. London：Committee of University Chairs，2011：1.

治理机构对院校活动毫不含糊，通过集体负责，对其职权范围内的基本关切事项作出最终决定；（2）治理机构通过确保遵守立法、监管以及道德要求，制定明确的规章、政策和程序，来维护院校声誉；（3）治理机构通过与行政部门合作确定院校使命和战略，确保院校的可持续性，此外，还需要确保采取适当的措施来实现这些目标，并建立有效的控制和风险管理系统；（4）治理机构通过与学术评议会/学术委员会或其他治理工具中规定的同等机构开展合作，确保学术治理有效；（5）治理机构与行政部门合作，确保在院校重要的外部活动方面进行有效控制和尽职调查；（6）治理机构必须促进整个院校的平等和多样性，包括其自身的运作；（7）治理机构必须确保治理结构和程序符合公认的良好实践标准。①大学主席委员会鼓励英格兰、威尔士和北爱尔兰的大学校务委员会采用《高等教育治理规则》。尽管是自愿性的，但英格兰高等教育基金委员会强烈建议英格兰地区各大学的校务委员会采用该规则，并要求各大学就其遵守规则的情况在大学年度报告或经审计的财务报表中做出报告。②

（二）政府主管部门的政策与规定

1997年以迪林为主席的国家高等教育调查委员会发表了题为《学习型社会中的高等教育》（Higher Education in the Learning Society）的调查报告，即《迪林报告》（Dearing Report）。《迪林报告》首次提出了大学治理机构的最大规模，以及为英国高等教育部门制定更强有力的善治准则的必要性。③

《迪林报告》中的“建议54”提出了有关大学治理的建议：“我们建议政府与有关代表机构在三年内确定每个院校治理机构的身份是否清楚无误。如果不是，政府应采取行动澄清立场，确保校务委员会是最终决策机构，并使董事会具有更广泛的代表性作用，为决策提供信息，但不作出决定。”在

① CUC. The Higher Education Code of Governance [Z]. London：Committee of University Chairs，2014， 8-9.

② HEFCE. HEFCE's Accounts Direction to Higher Education Institutions for 2015-16 Financial Statements [Z]. Bristol：HEFCE，2015.

③ Terri Kim. Changing University Governance and Management in the UK and Elsewhere under Market Conditions：Issues of Quality Assurance and Accountability [J]. Intellectual Economics，2008，2（4）：36.

"建议55"中，《迪林报告》还进一步提出大学对治理机构的组成方面的意见："我们建议政府采取行动，以便：（1）个人担任治理机构的成员不得超过两个任期；（2）每个院校的治理机构都要包括学生和工作人员以及大多数非专业人员；（3）个人不得担任两个以上任期的治理机构主席。"《迪林报告》在"建议58"和"建议59"中提出对由大学拨款委员会负责确保大学治理机构的运转，以支持有关大学治理的建议："我们建议，在中期内，协助治理机构进行系统审查，拨款机构和代表机构为具有类似特征和愿望的院校制定适当的绩效指标和基准。我们向资助机构建议，作为公共拨款的一个条件，它们应要求院校发布年度报告，描述治理机构审查的结果，并就遵守治理行为规范的其他有关方面做出报告。"[①]

在此基础上，英国财政部委托《金融时报》主编理查德·兰伯特[②]（Richard Lambert）开展了有关商业与大学合作情况的调查（即兰伯特调查（Lambert Review）），并于2003年发表《兰伯特报告》。《兰伯特报告》再次强调指出大学治理与管理中的薄弱之处。该报告指出，《迪林报告》中的很多建议并没有得到实施，敦促大学主席委员会与高等教育部门及政府协商，制定一份能够代表整个高等教育部门最佳实践的简明治理守则。《兰伯特报告》中提出了一份治理守则草案，并以此作为大学主席委员会讨论的基础。[③]该草案提出，每所院校都应由一个有效的治理机构领导，明确地和集体地负责监督该院校。每所院校都应能够清楚地确定其治理机构，它应该最多由25名成员和大多数非专业成员构成。院校治理机构的主要职责是：（1）任命校长为院校的首席执行官，并制定适当的安排，以监督其表现；（2）批准院校的使命和战略愿景、长期发展计划、关键绩效指标（KPI）和年度预算，并确保这些事项符合利益相关者的利益；（3）根据计划和批准的关

---

① The National Committee of Inquiry into Higher Education. Higher Education in the Learning Society [R]. London：Her Majesty's Stationery Office，1997：377.

② 兰伯特爵士后来还曾担任英格兰银行货币政策委员会委员、英国工业联合会总干事以及沃里克大学名誉校长。

③ Her Majesty's Treasury. Lambert Review of Business-University Collaboration：Final Report [R]. Norwich：Her Majesty's Stationery Office，2003：99.

键绩效指标监测院校的绩效，并在可能的情况下，根据其他院校的情况进行基准比较；（4）建立监督控制与问责制度，包括财务和运营的控制与风险评估，以及处理内部申诉和管理利益冲突的明确程序。①

2011年英国商业、创新与技能部在白皮书《高等教育：学生是整个系统的核心》中宣布，英国政府将建立一个新的英格兰地区高等教育监管框架，并采取基于风险的质量保证方法。②此后不久，英国政府公布征求意见文件。该文件在“授予教学型高等学位证书与权力的标准”部分专列了“治理与学术管理”的内容。③该文件并没有在任何地方提及大学内部学术委员会的作用，而是建议英格兰高等教育基金委员会以“独立主导监管机构”（independent lead regulator）的角色评估每所大学是否达到“善治”的标准。④

与此同时，英格兰高等教育基金委员会也建立了一个“监管伙伴小组”（RPG），负责就英格兰高等教育拨款和监管安排发展所涉及政策、战略和运营问题向政府、英格兰高等教育基金委员会和其他国家机构提供建议。2013年，监管伙伴小组发布《高等教育运行框架》（Operating Framework for Higher Education），规定英格兰高等教育提供者应如何接受问责和监管。在大学治理方面，该文件指出，高等教育运行框架的主要目的是使英格兰高等教育基金委员会成为高等教育提供者进行有效公司治理的补充。⑤2014年，英格兰高等教育基金委员会在与高校质量保证和问责的谅解备忘录中也明确规定了每所高校对其治理机构的具体责任，并提出大学校务委员会的角色和职能。英格兰高等教育基金委员会要求高校要通过有效的框架（尤其是学术评议会、学术委员会或相当的机构来负责监

---

① Her Majesty's Treasury. Lambert Review of Business-University Collaboration：Final Report [R]. Norwich：Her Majesty's Stationery Office，2003：119-120.

② BIS. Higher Education：Students at the Heart of the System [Z]. London：Department of Business，Innovation and Skills，2011：52.

③④ BIS. A New Fit-for-purpose Regulatory Framework for the Higher Education Sector：Technical Consultation [Z]. London：Department of Business，Innovation and Skills，2011：43，8-24.

⑤ HEFCE. Operating Framework for Higher Education in England [Z]. Bristol：HEFCE，2013：2-6.

管）管理教学质量以及维护学术标准。英格兰高等教育基金委员会指出，高校只有履行这些责任才能获得拨款。①

2015年英国政府在绿皮书《实现我们的潜能：教学卓越、社会流动与学生选择》（Fulfilling Our Potential：Teaching Excellence，Social Mobility and Student Choice）中提出改组英格兰高等教育基金委员会，代之以更为简洁的高等教育监管环境。绿皮书预示将成立一个新的机构——学生办公室，其职能包括用于教学的公共拨款的分配以及高等教育质量保证的监管。此外，学生办公室还将要求所有高等教育服务提供者符合财务可持续性、管理与治理等方面的最低要求。绿皮书也特别强调，学生办公室有责任尊重学术自由和院校自治。②该绿皮书中的主要内容在其后的白皮书《通过知识经济获取成功：教学卓越、社会流动与学生选择》及《高等教育与研究法案》（Higher Education and Research Bill）中得到继承和发展，其中提出保留设立学生办公室的建议，并新设教学卓越基金（TEF）。③

第三节　高等教育的外部治理

外部或国家监管形式的一个特征是它依赖于其他形式的有效实施。在国家管辖范围内，政府垄断行使权力和控制权，而权力和影响力在复杂社会中被视为越来越分散在社会行为者之间，政府只是其中之一。而且，随着人们越来越认识到直接或等级的“命令与控制”形式的国家监管往往是粗糙和无效的，政府通过在“更聪明”或“更响应”的监管形式中纳入自我监管安排来寻求替代方法。各种私人和职业群体（包括媒体、企业、志愿或非政府

---

① HEFCE. Memorandum of Assurance and Accountability between HEFCE and Institutions：Terms and Conditions for Payment of HEFCE Grants to Higher Education Institutions［Z］. Bristol：HEFCE，2014.

② BIS. Fulfilling Our Potential：Teaching Excellence，Social Mobility and Student Choice［Z］. London：Department of Business，Innovation and Skills，2015：60.

③ BIS. Success as a Knowledge Economy：Teaching Excellence，Social Mobility and Student Choice［Z］. London：Department of Business，Innovation and Skills，2016.

组织）不仅仅是监管的目标，也有助于构建和保护监管。因此，作为“元监管者”（meta-regulators）运作并对组织的内部监管安排负责的政府越来越多地利用更多“非中心”或非国家形式的监管来确保合规。国家和高等教育机构彼此之间以及通过规则制定网络进行着不可分割的渗透，高等教育已成为监管型国家的一部分。因此在英国也出现“高等教育监管型国家”（the higher education regulatory state）的说法。①

如前所述，英国大学的法定自治权由皇家特许状、章程或议会通过的法律所保障。虽然这些法定文件规定了它们与政府机构的关系，而且英国大学也很珍惜其自我管理的权力，但有证据表明，目前已被普遍承认的是，大学更加妥协于外部力量，特别是来自国家的力量。②在这种背景下，大学的治理安排往往由国家治理结构通过立法、拨款、评估和控制等制度而形成。③英国政府正是通过分配拨款、设置拨款条件以及对高校办学活动的监管和评估等，在相当大程度上对高校施加影响。同时，高等教育基金委员会、各研究委员会、高等教育质量保证署、高等教育独立仲裁员办公室（OIA）、公平入学办公室等一系列中介机构以及相关政府部门，也都在试图引导高校向符合政府的政策方向发展，尽管这些政策并不总是一致，并且可能突然采取不同的做法。④此外，企业模式作为一种组织理想的影响力越来越大，成为许多国家过去几十年来变革的制度背景压力。这些变化使很多观察家认为，过去几十年大学治理的突出特点就是发生了从“学者的共和国”理想到“利益相关者大学”理想的转向。

---

① Roger Patrick King. Governance and Accountability in the Higher Education Regulatory State [J]. Higher Education，2007，53（4）：414.

② Michael Shattock. University Governance in Flux. The Impact of External and Internal Pressures on the Distribution of Authority within British Universities：A Synoptic View [R]. London：UCL Institute of Education,2017：2.

③ Ivar Bleiklie a and Maurice Kogan. Organization and Governance of Universities [J]. Higher Education Policy，2007，20（4）：487.

④ William Locke. The Academic Profession in England：Still Stratified after all These Years? [C]// RIHE （ed.）. The Changing Academic Profession in International Comparative and Quantitative Perspectives. Hiroshima：Research Institute for Higher Education，Hiroshima University，2008：89–115.

高等教育治理中的权力运动和权力变化使得原来的大学行政领导者如今更类似于管理公司机构的首席执行官。这意味着中央当局通过日常运营和预算决策中的法律和法规进行干预的同时，更多地关注目标和结果的管理。[①]而其中采取的多种治理工具和手段的目的都是在于提升大学在更广泛的社区中可见度和可计数（countable），以及学者在管理者眼中的可见度和可计数。[②]英国教育政策专家斯蒂芬·鲍尔曾将这种趋势描述为"数字的暴政"（the tyranny of numbers）。[③]

一、拨款

拨款是英国政府进行高等教育外部治理的重要途径，而这种治理主要通过高等教育基金委员会这种新载体来实现。监管型/审计型国家（regulatory/audit state）的兴起、公共资金分配竞争机制的创建以及对私人资金的追求，在结构上破坏了高等教育，于是应对这种分裂的政策网络也应运而生。在经济失败和"政治无能"的背景下，高等教育基金委员会的建立是新公共管理治理模式的集中体现，是多元政治的相关扩展，也可以与政策网络中蓬勃发展的政治科学文献联系在一起。可以说，建立高等教育基金委员会这种治理模式是对英国社会政策控制的更广泛思考的一部分，这种新治理模式的出现主要就是为了应对经济和政治危机。[④]

废除大学拨款委员会（UGC）及建立新的治理模式，改变了高等教育政策出台的过程。其目的是通过赋予政府政策变革的主要责任，使英国的高等教育发展更多地处于国家的控制之下。建立一个治理模式甚至在该模式中阐明院校关系是一回事，而塑造嵌入其运作方式中的政治则是另一回事。在

① Ivar Bleikliea and Maurice Kogan. Organization and Governance of Universities [J]. Higher Education Policy，2007，20（4）：481，478，479.

② Jill Blackmore. Academic Pedagogies，Quality Logics and Performative Universities：Evaluating Teaching and What Students Want [J]. Studies in Higher Education，2009，34（8）：857–872.

③ Stephen Ball. Education，Governance and the Tyranny of Numbers [J]. Journal of Education Policy，2015，30（3）：299–301.

④ Ted Tapper. The Governance of British Higher Education：The Struggle for Policy Control [M]. Dordrecht：Springer，2007：18-23.

确定对高等教育的目的、结构和拨款等核心问题的回应时，高等教育基金委员会的治理模式已经成为一种与大学拨款委员会迥异的政治风格。对于高等教育基金委员会来说，政府对国家和社会需求的定义更加重要。值得注意的是，政府的中心主题就是要反复强调：高等教育对于国家繁荣的贡献，以及大学应扩大其社会入学基础的愿望，都要经常出现在教育大臣写给英格兰高等教育基金委员会的年度拨款函中。①

建立高等教育基金委员会治理模式的直接结果是英国教育和技能部权力的增加。但是增强的部门权力不是孤立的情况。社会政策越来越引起财政部的注意，这是任何希望扩大其对公共政策权力范围的政府的明显权力来源。接受公共拨款的院校需要展现其提供了“物有所值”的成果，这种看似合理的要求表明，英国已然开启了一个无所不在的“监管型国家”的时代。②

高等教育基金委员会和大学都需要意识到它们在国家权力的“阴影”下运作，如果它们希望抵制其政策逻辑，则需要一定程度的复杂性。③英国教育和技能部首席经济学家保罗·约翰逊（Paul Johnson）曾在《牛津经济政策评论》（Oxford Review of Economic Policy）上发表文章指出，英格兰高等教育基金委员会对高等教育的资助在某种意义上是一个“被管理的市场”（managed market），其中本科生数量、他们支付（或支付他们）的费用和研究收入都经过谨慎的调控。④

正如《1988年教育改革法》和《1992年继续和高等教育法》所表明的那样，随着大学拨款委员会让位于高等教育基金委员会，新的治理模式逐渐影响了英国人对大学实质的理解。而这种新模式所基于的重要原则就是：（1）政策控制以及指导高等教育发展的能力是国家理所当然的责任；（2）高等教育基金委员会的主要目的是为大学分配公共资金，并制定最能实现政治定义的政策目标的战略；（3）大学有义务在国家和高等教育基金委员会制定的政策范围内尽可能有效地运作。因此，不同于中央计划，在不时的政治干

①②③ Ted Tapper. The Governance of British Higher Education：The Struggle for Policy Control [M] Dordrecht：Springer，2007：11-16，65，19.

④ Paul Johnson. Education Policy in England[J]. Oxford Review of Economic Policy，2004，20（2）：192.

预下，有能力的机构管理将塑造大学的未来。①

二、质量保证

尽管在新的高等教育治理变革中，政府通常可能不那么直接参与高等教育的提供，并且提供的财政投入比以前更少，但政府能够通过其施加的合规和监管报告义务对大学施加重大影响和控制。②高等教育监管形式的增加突出体现在高等教育质量保证署的建立和运行。该机构使用“标准基础设施”（standards infrastructure）来指导其对院校的评估，涉及详细的规则、基准和框架。③

质量运动最初起源于工业界，其后通过“全面质量管理”（TQM）及“持续治理改进”（CQI）等机制不断加以扩展，其目的主要在于实现生产的标准化以及改进用户满意度。在英国，20世纪80年代末至90年代初，作为新公共管理的一个具体组成部分，以及作为改进大学内部管理及问责的一种重要转向，质量开始进入到高等教育政策领域，也被认为是一个重要的高等教育政策问题。由此，虽然高等教育质量已从同行评议、自我评估等“柔和”的机制开始发端，但它的发展趋势则是按照外部驱动的指标和标准，以数据测量形式不断推进。而其结果是高等教育质量由寻求衡量它的指标和目标来界定。④

《1992年继续和高等教育法》提出，高等教育基金委员会应就评估院校提供教育的质量作出规定，并为此要求其建立一个委员会，即质量评估委员会（QAC），其职责是向高等教育基金委员会提供其有关履行职责的建议。此后，英国政府先后建立质量评估委员会和高等教育质量委员会

① Ted Tapper. The Governance of British Higher Education：The Struggle for Policy Control［M］. Dordrecht：Springer，2007：10–11.

② Lee Harvey & James Williams. Fifteen Years of Quality in Higher Education［J］. Quality in Higher Education，2010，16（1）：3–36.

③ Roger Patrick King. Governance and Accountability in the Higher Education Regulatory State［J］. Higher Education，2007，53（4）：417.

④ Julie Rowlands. Academic Governance in the Contemporary University：Perspectives from Anglophone Nations［M］. Singapore：Springer Nature Singapore Pte Ltd，2017：182.

（HEQC）。其中，质量评估委员会具有法定的评估院校质量的责任，并负责向高等教育基金委员会反馈报告。而高等教育质量委员会则向其主管机构——大学校长委员会、多科技术学院校长委员会（CDP）和大学校长常设委员会（SCOP）负责。

高等教育在很大程度上是国家责任，因此外部质量保证通常特定于国家的背景。在英国，正式的外部质量保证只是新要求，并受到政府机构的大力推动。尽管此前已有一些专业认证项目和其他监测高等教育质量的机制，但英国的外部质量保证监测直到1990年才正式开始。1997年，高等教育质量保证署首席执行官约翰·兰德尔（John Randall）指出，质量保证署是使高等教育部门拥有一种质量保证机制，同时也是开发一个能够满足学生、雇主和政府等多方面期望的体系的最后也是唯一的机会。之所以这么说，是因为如果质量保证署失败，那么质量保证的责任将被直接纳入教育和技能部，或者由该部建立一个准政府组织由其来负责。[①]

1997年建立的高等教育质量保证署作为一个独立机构主要负责制定英国高等教育质量规则、开展高等教育提供者的外部同行评议、发表有关英国高等教育学术标准和质量的研究报告，以及就是否授予某所院校学位授予权向政府提出建议。[②]《英国高等教育质量规则》（The UK Quality Code for Higher Education）规定，高等教育质量保证署审核所有英国高等教育提供者必须满足的条件，包括颁发学生资格的最低标准等。[③]

质量保证程序之所以能够得到不断发展，归根结底在于管理主义受到强有力支持。因此，质量保证目前也被视为管理大学的一种主要工具。然而，质量作为一种权力形式，是以牺牲学术和信任为代价来维护国家和院校管理。“良好”或“有质量”的产出需要由绩效指标和目标来界定，但什么是可衡量的或什么是可计算的，仍受到各方面的限制。学术质量保证过程，例

---

① Ted Tapper. The Governance of British Higher Education：The Struggle for Policy Control [M]. Dordrecht：Springer，2007：180.

② 根据英国政府在白皮书《通过知识经济获取成功：教学卓越、社会流动与学生选择》中所提出的建议，质量保证将成为新设立的学生办公室的一项主要职责。

③ QAA. The UK Quality Code for Higher Education [Z]. Gloucester：The Quality Assurance Agency for Higher Education，2015：5.

如以学生满意度分数和成果发表为目标，作为教学和研究质量的替代措施，大大改变了学术工作的性质，也削弱了学术自主权。①由于对“透明度”的信念取代了对专家和专业知识的信任，因此质量保证程序也取代了学者与其院校之间形成的“信任”关系。②

三、科研评估

评估是高等教育治理的又一重要手段。强调绩效、衡量绩效、将绩效与拨款联系在一起，强化市场导向的改革以及引入更多竞争性的要素和程序，这些教学和科研评估的基本特征似乎与基于新公共管理原则的一些关键前提和治理主张高度兼容。③英国大学的教学和科研都通过各种测量措施进行评估，包括各种形式的外部审查、基准和绩效指标，从而将判断从学术职业转向外部机构的院校管理。④

在英国高等教育的评估活动中，科研评估（RAE）尤为典型。科研评估是在政府日益加强对高等教育政治审查的背景下出现的。撒切尔政府决心控制公共资金，同时确保“物有所值”。科研评估过程是科研资源分配的一种机制，它完全符合新公共管理治理模式，因为选择性资源分配是商定的政策目标，而且随着时间的推移已经吸引了更广泛和更强大的政治支持。科研评估作为大学拨款机构的产物是实现上述目标的重要机制。它代表了一种系统、全面和基于学科的院校后期（ex-post）科研评估。⑤自1986年起，科研

---

① Julie Rowlands. Academic Governance in the Contemporary University: Perspectives from Anglophone Nations [M]. Singapore: Springer Nature Singapore Pte Ltd, 2017: 184.

②④ Ivar Bleiklie and Maurice Kogan. Organization and Governance of Universities [J]. Higher Education Policy, 2007, 20 (4): 480.

③ David F. J. Campbell. New University Governance: How the Academic Profession Perceives the Evaluation of Research and Teaching [M] //U. Teichler and E.A. Höhle (eds.). The Work Situation of the Academic Profession in Europe: Findings of a Survey in Twelve Countries. Dordrecht: Springer, 2013: 206-207.

⑤ David F.J. Campbell. The Evaluation of University Research in the United Kingdom and the Netherlands, Germany and Austria [M] //Philip Shapira and Stefan Kuhlmann (eds.). Learning from Science and Technology Policy Evaluation: Experiences from the United States and Europe. Camberley: Edward Elgar, 2003: 110-112.

评估通过建立一个选择性的资源分配过程，取代了此前基于公式拨款的分配模式，其假设是所有学者都同样积极地开展科研活动。可以说，科研评估是20世纪80年代“评估型国家”不断扩展而形成的审计文化中不可或缺的组成部分，它对英国大学的传统观念提出了意识和管理上的挑战。①

上述调整非常明显地体现在英国财政大臣鼓动并由理查德·兰伯特领导的“商业—大学合作调查”即“兰伯特调查”（Lambert Review）中。该调查强调高等教育尤其是学术研究本质上是一种经济资源的观点。调查的目的是了解如何最有效地利用这一资源来适应英国商业企业的发展。因此，对如何确定知识产权、科研双重支持系统以及科研评估过程如何有选择地分配科研收入进行了平衡分析。②与此同时，英国财政部也表达了明确的信息，即商业对于它所认为的大学管理缓慢、官僚和厌恶风险（risk-averse）的风格至关重要。财政部认为，近年来有了很好的变化，许多大学已经建立了强有力的执行机构来取代委员会的管理，并提高了他们的决策和治理质量。③但是财政部显然还不满足于这些进展，“兰伯特调查”成为进一步推进大学管理改革的新契机，甚至连老牌的“牛桥大学”也难以置之度外。“兰伯特调查”提出的一项建议（建议7.6）就是：“三年后，牛津大学和剑桥大学的校长应评估改革的进展情况，并同意政府对两所大学进一步采取步骤的必要性，以维持其全球地位。”④

科研评估对英国大学科研活动以及高等教育产生哪些影响，这是英国高等教育治理和政策的一个关键问题。对大学科研进行系统的事后评估，以及将结合评估结果的结构性公式与公共基本拨款联系起来，是否为高等教育创造了积极和可持续的动力，对此，英国各方面存在着不同的意见。

英格兰高等教育基金委员会无疑在科研评估以及改革后的“科研卓越框架”（REF）评估系统中发挥积极和倡导的作用。它曾委托专业机构（即证

---

①② Ted Tapper. The Governance of British Higher Education：The Struggle for Policy Control［M］. Dordrecht：Springer，2007：187，60.

③ HM Treasury. Lambert Review of Business-university Collaboration：Summary of Consultation Responses and Emerging Issues（Lambert Review）［Z］. London：HM Treasury，2003：6.

④ HM Treasury. Lambert Review of Business-university Collaboration：Summary of Consultation Responses and Emerging Issues（Lambert Review）［Z］. London：HM Treasury，2003：127.

据公司（Evidence Ltd））开展在科研评估背景下英国的选择性科研拨款可能产生的影响的研究。2005年9月，英格兰高等教育基金委员会公布了研究报告，其中的主要发现有四个方面。（1）自20世纪80年代中期以来，英国大学的学术研究表现（例如以学术工作的引用来衡量）在不断提升。（2）英国的大学院系现在处于更有利的地位，也更倾向于扩大“基于研究—拨款”的研究组合。（3）院校之间的差距越来越大，强者恒强，弱者更弱。英国国内大学格局可能会在未来发生变化，因为表现较好的高校会吸引越来越多的公共资源。人们期望大学管理层对评估结果的反应更敏感。（4）学术人员对扩大研究成果的压力有所增加。另一个影响可能是有利于保持在既定的主流研究中，因为跨学科研究风险太大，从而产生不确定的结果。①

而从学者的角度来看，英国高等教育专家沙托克认为外部施加的治理机制，如国家科研评估活动，对院校层面的大学治理具有重大影响，它们强调学术领导，需要院校层面的战略和基于战略的决策，以便确定科研重点并相应地分配资源，使大学能够在通常比较有限的科研经费中争夺更多的份额。② 有学者继而评论认为，这样做的必然结果是，这些决定通常不是由目前执业的学者做出的。虽然校长等职位可能由曾经活跃的研究人员担任，但这些角色的日常需求几乎不可能同时维持研究人员的科研事业。大学管理人员、校长甚至院长都很快就会与教学和科研中的实际情况失去联系，从而可能使实施中的大学战略面临风险。主要学术治理机构内学术声音的减少以及此类机构数量的减少，都加剧了这种风险。③尤其是当选择性拨款本身就是政策目标时，就会出现紧张局势。④

① HEFCE. Research Assessment Exercise 2008：Guidance on Submissions [Z]. Bristol：HEFCE，2005：35-41.

② Michael Shattock. The Context of ‘Modernising’ Reforms in University Governance [M] // Michael Shattock （ed.）. International Trends in University Governance. Oxford：Routledge，2014：10.

③ Julie Rowlands. Academic Governance in the Contemporary University：Perspectives from Anglophone Nations [M]. Singapore：Springer Nature Singapore Pte Ltd，2017：209-211.

④ Ted Tapper. The Governance of British Higher Education：The Struggle for Policy Control [M]. Dordrecht：Springer，2007：19，61.

塔珀对此表达了悲观的情绪，“鉴于这些证据（即‘兰伯特调查’），继续争辩制度自治是不可持续的”。[①]另外，也有学者提出关于评估或“基于绩效”（“科研—拨款”）系统的可能的利益和成本的问题。按照设计者的假设，一开始收益会增加，但是过了一段时间后，收益可能会饱和，然后成本可能会超过收益。[②]

四、大学排行

沙托克曾认为，大学治理变革最重要的一个推动力量就是排行榜文化的到来。[③]在更广泛的背景下，国际大学排名和国家研究评估活动等机制本身就是治理手段。[④]从1992年《泰晤士好大学指南》（The Times Good University Guide）开始，英国各家报纸纷纷利用官方的统计资料以及教学和科研评估的结果推出全国性的大学排行榜。2004年以后，这种排行榜又进一步扩展到世界范围，其中最有影响的就是《泰晤士高等教育》和国际教育市场咨询公司（Quacquarelli Symonds）即QS的世界大学排行榜。

随着国际和国内竞争新时代的到来，相对于治理机构和学术人员，行政管理人员的作用再次得到强化。[⑤]

① Ted Tapper. The Governance of British Higher Education：The Struggle for Policy Control [M]. Dordrecht：Springer，2007：19，61.

② Aldo Geuna and Ben Martin. University Research Evaluation and Funding：An International Comparison [J]. Minerva，2003，41（4）：300–303.

③ Michael Shattock. University Governance in Flux. The Impact of External and Internal Pressures on the Distribution of Authority within British Universities：A Synoptic View [R]. London：UCL Institute of Education，2017：12.

④ Jill Blackmore. Bureaucratic，Corporate，Market and Network Governance：Shifting Spaces for Gender Equity in Educational Organisations [J]. Gender，Work and Organization，2011，18（5）：443–466.

⑤ Michael Shattock. University Governance in Flux. The Impact of External and Internal Pressures on the Distribution of Authority within British Universities：A Synoptic View [R]. Centre for Global Higher Education Working Paper 13. London：UCL Institute of Education，2017：12.

第四节　高等教育的内部治理

英国大学的内部治理有其独特的历史传承和发展脉络。除却牛津、剑桥以外，1880年曼彻斯特欧文斯学院（Owens College）建立了英格兰和威尔士地区大学内部治理的一般模式，其主要结构包括校董会、校务委员会、学术评议会、教师委员会（faculty board）和学系（department）。此后，从1900年的伯明翰大学开始，所有的单一城市大学都复制了这样的治理模式和结构。[①]英格兰城市大学模式“两院制”（bicameral）或两部分治理模式为英国及其前殖民地国家的大学治理奠定了基础。[②]在这种模式中，由非学术专业人士或非利益相关者等外部人员占多数的大学校务委员会负责财务和行政管理事务。而学术评议会是至高无上的学术权力机构。对此，沙托克曾指出，在1945—1980年这段学院治理（collegial governance）期间，“如果不咨询学术评议会，任何治理机构都无法在重大政策问题上采取行动，而且大多数政策问题实际上是在学术评议会层面上启动的”[③]。

与之相应，《1992年继续和高等教育法》允许多科技术学院升格为大学后也形成“高等教育法人”模式这种新的治理模式。这些1992年升格后的新大学普遍采取一种有效的“一院制”（unicameral）结构，即由一些规模较小的治理机构负责决定院校的教育性质和使命，学术委员会（academic boards）仅限于就学术发展和资源需求向治理机构（一般通过校长以间接的形式）提出建议。[④]相较于城市大学模式，在这种模式下，学术委员会仅能发挥很小的作用，拥有更为有限的权力。

---

① Michael Shattock. University Governance in Flux. The Impact of External and Internal Pressures on the Distribution of Authority within British Universities：A Synoptic View [R]. Centre for Global Higher Education Working Paper 13. London：UCL Institute of Education，2017：2.

② Michael Shattock. Managing Good Governance in Higher Education [M]. Maidenhead：Open University Press，2006：9.

③ Micheal Shattock. University Governance in the UK：Bending the Traditional Model[M] // Michael Shattock （ed.）. International Trends in University Governance：Autonomy，Self-governance and the Distribution of Authority. Oxford：Routledge，2014：127.

④ Micheal Shattock. Managing Good Governance in Higher Education [M]. Maidenhead：Open University Press，2006：15.

然而，不论哪种模式，从外部强加给大学的治理制度都对大学内部治理过程和实践产生了重大的影响。过去20年，英国大学内部治理的显著变化就是从“教职人员”（professoriate）转向“管理人员”（manager），而后者则受制于外部市场和政府的监管。①由于基本上由学者所组成的学术评议会不可能经常召开会议，因此，大学需要大量的委员会体系来组织其集体事务，这些委员会通常由校长以“首席学术和行政官”的身份来领导。沙托克也认为，尽管英国大学的治理体系存在一些差异，但在过去20年高等教育部门在治理变革上越来越出现趋同的迹象。政府以“良好实践”（good practices）甚至“最佳实践”（best practices）为规范或准则，制定出“如何实施”的指南，以此鼓励整个高等教育形成善治的单一标准模式。可以说，这种以“非执行董事”（non-executive directors）代表利益相关者利益及监测“行政主管”（executives）活动的“善治模式”直接来源于私人部门公司的“良好实践”。②

一、大学内部治理机构

英国大学治理模式的一般结构主要包括“校务委员会”和“学术评议会”。其中，校务委员会是主要的政策制定机构，由大学独立的“非专业”人员、学术和辅助人员以及学生组成。校务委员会负责大学的战略方向和学术政策。校务委员会提名名誉校长（Chancellor）、名誉副校长（Pro-Vice-Chancellors）和财务主管（Treasurer），由校董会任命，并在与学术评议会协商后任命校长和副校长。

一般而言，学术评议会是大学的学术治理机构，由校长领导，并有多个委员会辅助其工作。校长既是大学的学术领导，也是大学的行政长官（chief executive）。校长的官方角色是为大学提供战略指导和领导，并在国际、国

① Terri Kim. Changing University Governance and Management in the UK and Elsewhere under Market Conditions：Issues of Quality Assurance and Accountability [J]. Intellectual Economics，2008，2（4）：37.

② Michael Shattock. Governance and Management in Universities：The Way We Live Now [J]. Journal of Education Policy，1999，14（3）：277–278.

家和地区层面去定位和代表大学。校长的一个重要职责就是按照高等教育基金委员会的要求以及校务委员会制定的广泛政策进行大学的财务管理。[①]大学章程或大学法的规定中有些是令人误解的，尤其是在大学校董会和校务委员会的角色和权力上，实际上它们只是书面上大学治理中最有权力的机构，同时这两个机构的成员和主席大部分也都是由非专业人士担任的。[②]

（一）校董会

大学校董会是英国大学的一个行政机构。在英格兰的牛桥大学，该机构执行有限的司法功能。而在苏格兰的有关大学中，该机构是最高的管理机构，类似于董事会（board of trustees）。时至今日，在大多数大学中，最高管理机构仍然是校董会。它由当地知名人士、地方政府提名人以及各种地方机构和宗教团体、专业和其他组织机构的代表组成，有的还包括工会、毕业生、教职员工和越来越多的学生代表。在规模上，它的范围从纽卡斯尔大学或约克大学等50~60所院校的不寻常的小型校董会，到谢菲尔德大学等600多名成员的非常大型的校董会，而一般来说平均规模在250人左右。校董会成员往往很少见面，通常每年召开一次会议，很少有人参加。故通常只能间接行使其权力。[③]

（二）校务委员会

校务委员会是大学高级执行机构。它往往由非专业成员占主导地位，其规模比校董会更小，但也更加活跃。罗宾斯委员会（Robbins Committee）的调查显示，1961年至1962年的校务委员会成员人数，阿伯里斯特威斯大学为63人，谢菲尔德大学为55人，曼彻斯特大学为29人，伦敦政治经济学院为14人，其中有9个大学校务委员会的成员在40人左右。20世纪60年代，很多大学的新章程都规定其校务委员会成员在30人左右。除了拉夫堡大学超过40人外，像纽卡斯尔大学、约克大学、赫瑞-瓦特大学（Heriot-Watt

---

① Terri Kim. Changing University Governance and Management in the UK and Elsewhere under Market Conditions：Issues of Quality Assurance and Accountability [J]. Intellectual Economics, 2008, 2（4）: 37.

②③ Graeme C. Moodie and Rowland Eustace. Power and Authority in British Universities [M]. Abingdon：Routledge, 2012：90, 52-53.

University）都少于30人。因此，总的来说，英格兰大学校务委员会的规模越来越小。校务委员会一般要经常召开会议，通常每年6~10次，以使其成员能够了解学校的主要问题。即便如此，校务委员会在很大程度上也是通过其所属的各个专门委员会运作。校务委员会具有立法主动权，也通常具有否决权，但是其立法权力越来越多地受到学术评议会建议的对冲。校务委员会的主要作用在于其对财务和大学实物资产管理的责任。这在传统上一直是它特有的职能范围，尽管在一些较新的大学章程中要求学术评议会就学术预算进行咨询。①

（三）学术评议会

学术评议会一般由校长担任主席，其成员几乎全部为学术人员②。学术评议会的规模差异很大，小的可能不到50人，大的甚至会超过200人。同时，非教授人员的代表性程度也存在一定的差异。学术评议会通常被视为学术问题的最高权威，不做出任命，而且像校务委员会一样，它通常也通过广泛利用各个分支委员会来行使其权力。③

（四）学院和学系

学院（faculties）一般包括某个或某些学科的全部教师。作为一个机构，每个学院都会召开会议进行咨询讨论，但其直接权力通常仅限于院长或校务委员会和学术评议会代表的选举。学院的执行机构是学院委员会（faculty board），它通常包括相当大比例的非教职人员。学院委员会主要通过向学术评议会提供咨询意见或受其委托来行使权力，并主要涉及影响学院课程和考试的有关事项，包括任命考试员（examiner）。传统上，学院以下的机构就是学系。这是一个很少能够立法的机构，完全由教授自行决定，教授负责学系的发展以及开展本学科所有的教学和研究工作。目前，在大多数情况下，特别是在较老的院校中，情况仍然如此。在很多新建立的大学，其学术评议会以下的教学和课程组织也采用了“学院”（school）或教学研

---

①③ Graeme C. Moodie and Rowland Eustace. Power and Authority in British Universities [M]. Abingdon，Routledge，2012：53，54.

② 有些大学的学术评议会也包含图书管理员，有的大学偶尔也会有行政管理人员。

究组（board of studies）的表述形式。这种变化背后的意图是通过建立新的组合体（combinations）来打破传统学科和学院间的障碍，此外也为非教职人员更多参与最底层的管理提供合法性。[①]

（五）其他机构

除了上述机构以外，很多大学还有三个学校层面的组织。一是校友组织（又称convocation）。在许多地方，长期以来各个等级的职员都在校友组织中占有很多的代表，如果他们愿意的话，他们可以主导其所有的活动。二是学生组织，即学生会（student union）或学生代表委员会（students' representative council）。学生组织的作用正在不断增强。尽管有大量描述学生运动的文章，但很少涉及管理，涉及学生参与实际的就更少。但目前，学生在校务委员会、许多其他委员会以及在学术评议会中担任代表的情况越来越普遍。三是最近在一些新大学中发展形成的所有教职员工（staff）的集会。它的功能非常有限，可能只有一些选举权，这与牛津教职员大会（Oxford Congregation）比较起来相去甚远。[②]

（六）名誉校长和校长

按照英国学者的说法，名誉校长是最有显示度的外行非专业人士，其职位是非常荣誉和礼仪性的，此外名誉校长很少从事普通校务管理活动。当其在场时，往往会主持校董会和校务委员会的会议。名誉校长会参加学位授予仪式，偶尔也会发表演讲。因此，名誉校长在很大程度上是一位有用的大学发言人。关于名誉校长的任职资格，现有文献中很难获得相关方面的权威规定。按照旧制来看，“荣誉的保护者”（an honourable protector）这一要求仍然具有现实意义。另外，能够进入到国家政治体系中的高层也仍然是一个重要的考虑因素。大学经常会选择杰出的政治家，特别是首相或是地方要人，担任名誉校长。在20世纪，大学经常会任命政治上活跃的人士担任名誉校长，而如今更多是由王室成员、工业领袖或者在学术、艺术方面取得杰出成就的人士担任。因此，公共荣誉（public

①② Graeme C. Moodie and Rowland Eustace. Power and Authority in British Universities [M]. Abingdon：Routledge，2012：54-55.

honour）几乎成为一个绝对的标准。①

按照枢密院1963年的《模范特许状》（Model Charter）的规定，校长要“对校务委员会负有一般性责任，以维护和提升大学效率和良好秩序”。一般而言，校长有权关注并检查大学内部事务的任何方面。他需要对大学内部事务负责，而且通常需要向外界解释、捍卫或证明他在大学里发生的事情。但实际上，校长对其大学内的任何人或任何事都没有绝对的权力。尽管缺乏对校长活动的具体说明，但校长通常是大学中最重要的人物。无论好坏，他可能会影响整个大学的气候。他的行为、他的个性、他的优点和缺点，以及他的态度都是学术讨论和八卦新闻中的常见话题。②

（七）各机构地位的变化

在19世纪，英国大学的校务委员会不断发展壮大，而学术委员会仅仅是咨询性的。在此之后的20世纪初直至80年代，学术委员会处于权力和影响力的顶峰，其主要原因在于学术自治的趋势和政府资助的高等教育系统的扩张，这反过来也意味着校务委员会很少进行财务决策。在当时，校务委员会由于需要向学术委员会咨询，并向其授予一些具体的决策权（包括任命高级学术人员和处理某些财务事宜的权力）而使自身力量遭到削弱。可以说，这是一个学院治理的时期，大学被视为教授以集体方式共同开展研究和教学的学者共同体，大学是以学者而非首席执行官为领导来运行的。然而，从20世纪80年代开始，这个周期不可避免地转移到了大学校务委员会。21世纪以来，这种趋势仍在不断发展之中。虽然包括英国在内的很多国家都进行了大学治理的改革，但其方向都是更加强化独立的、由外部成员（特别强调具有法律、财务和商业等方面专门知识）构成的校务委员会的作用。由此，校务委员会在院校战略、问责和财务的可持续方面发挥越来越大的作用。

随着大学治理的日益受关注和强调外部的维度，大学治理的内部机制也发生了重大变化，其方式包括院校管理以及行政和管理权力的扩大和集中化，从商业界选取参照点，以及侧重于绩效衡量、风险管理、过程控制和合

①② Graeme C. Moodie and Rowland Eustace. Power and Authority in British Universities [M]. Abingdon：Routledge，2012：91-92，128-129.

规等内部问责机制。而其结果是校长及其行政团队的权力的巩固和扩大，同时教学和研究人员权力被不断消解。虽然从表面上看，这些转变增强了大学校务委员会的作用和功能，但有学者认为，大学校务委员会正在成为“稻草人”（straw men），大多数外部成员缺乏作出明智决定的知识和经验，从而增加了他们对校长的战略建议的依赖。①

西蒙・马金森（Simon Marginson）等人也提出，当代大学的主要特征是，居于主导地位的并不是专业人士，也非大学校务委员会，而是行政人员。②高级管理人员或行政人员特别是校长正发挥越来越重要的作用，其关注的重点也从学术领导急剧转向战略商业管理③，因此，在很多大学，学术委员会已不再是决策过程的一个关键要素。学术上占主导地位的学术评议会的权力与校务委员会、董事会或受托人（trustees）并列或由后者取而代之，他们将来自商业界、公共服务和政治领域的代表纳入其中。这些人士及其各委员会的主席强化了改革后大学的企业性质。④大学治理的这种新文化受到很多学者的批评。担任过利物浦大学、格拉斯哥大学和伦敦大学校长以及英格兰高等教育基金委员会首席执行官的格雷姆・戴维斯（Graeme Davies）曾表示，高等教育治理和领导的变革已将大学定义为企业。⑤而在安德鲁・莱德（Andrew Ryder）看来，大学以效率之名摒弃了学术委员会或校务委员会，并以幕后闭门运作的“大学政治局”（University Politburo）取而代之。⑥

① Julie Rowlands. Academic Governance in the Contemporary University：Perspectives from Anglophone Nations [M]. Singapore：Springer Nature Singapore Pte Ltd，2017：41.

② Simon Marginson and Mark Considine. The Enterprise University：Power，Governance and Reinvention in Australia [M]. Melbourne：Cambridge University Press，2000.

③ OECD. On the Edge：Securing a Sustainable Future for Higher Education [R]. Report of the OECD/IMHE- HEFCE Project on Financial Management and Governance of Higher Education Institutions. OECD Education Working Papers，No. 7. Paris：OECD，2007：49.

④ Ivar Bleiklie and Maurice Kogan. Organization and Governance of Universities[J]. Higher Education Policy，2007，20（4）：479.

⑤ Simon Midgley and Donald MacLeod. Vice Squad [EB/OL]. [2003-04-01]. https://www.theguardian.com/education/2003/apr/01/highereducation.administration1.

⑥ Andrew Ryder. Reform and UK Higher Education in the Enterprise Era [J]. Higher Education Quarterly，1996，50（1）：58.

二、大学治理的一般模式

在大学的治理模式上，英国格林尼治大学高等教育教授伊恩·麦克奈（Ian McNay）借助伯顿·克拉克（Burton Clark）有关大学和政府关系的三角协调模型，提出包括学院（collegium）、官僚（bureaucracy）、法人（corporation）和企业（enterprise）的四象限的大学治理框架。其中，“学院”对应克拉克模型中的学术寡头，“企业”相当于市场。麦克奈把克拉克模型中的国家拆分为两个部分：一个是管制或官僚，另一个是政策制定或法人。可以说，麦克奈的大学治理模式框架既包含了大学的内部，也包括了大学外部的国家和商业部门的实践与价值。①

（一）学院治理

学院治理是20世纪初至80年代盎格鲁-撒克逊国家高等教育系统的主导性治理模式。其核心原则是学者在大学内部决策过程中发挥主要的作用，强调专业自治（professional autonomy）的文化，以及集体内部的共同价值观念。在英国的一些大学中，学院治理传统上被视为是教授的领地，这个群体在历史上更有可能包括年长的白人男性。女性和更多的年轻学者很少是教授，因此当时有被排除在决策过程之外的倾向。学院治理所采用的主要决策手段是学术委员会。正因如此，学术委员会往往被认为是学院治理以至大学本身的象征。英国大学学术委员会的成员通常包括所有教授，但近年来情况也在发生变化，因为很少有大学的学术委员会或类似的机构的成员能够囊括所有的大学教授或学术人员。批评人士认为，学院治理通过各委员会的扩散，形成持久的和内部式的决策，这反过来又鼓励现状而不是促进创新和改变。后来建立的新大学的治理结构较少学院式传统，可以更加紧密地与公司治理模式保持一致，这促成当代大学事务中其他治理模式占主导地位。②

①② Julie Rowlands. Academic Governance in the Contemporary University: Perspectives from Anglophone Nations [M]. Singapore: Springer Nature Singapore Pte Ltd, 2017: 112, 113-114, 115.

（二）官僚治理

官僚治理（bureaucratic governance）与流程和程序、专业管理人员、规则和指令以及决策层级系统等相关。这种治理模式假定组织包含具有可识别角色、程序和审批流程的正式结构。虽然有人认为直到20世纪80年代官僚制一直是盎格鲁-撒克逊国家中主要的大学治理模式，但它很可能叠加在集体共治（collegiality）之上，因此许多大学都采用两种治理模式的混合运作。①

（三）管理治理

管理治理（managerial governance）得以形成和发展的一个重要背景是，管理主义（managerialism）或新公共管理在20世纪80年代以后在英国大学中的盛行。英国大学中的管理主义源于从为从事教学和研究的学术人员提供服务的行政人员，到作为一种控制手段的管理的根本性转变。这种治理模式通过促进大学校务委员会和作为首席执行官的校长的长期战略规划和财务决策来回应对学院和官僚治理模式的批评。在管理模式下，校长不只是高高在上，而是由高级管理人员和"学者经理"（manager academics）团队提供支持，被认为能够比教学和研究型学者更好地回应大学当前和未来的需求。对管理模式的批评包括它将执行人员与实践学者割裂开来，导致沟通不畅和信任感降低，因此主要决策从中心报告而不是在整个组织中发展。②

（四）企业治理

企业治理（enterprise governance）又称创业治理（entrepreneurial governance），源于伯顿·克拉克在其1998年出版的学术专著《建立创业型大学》（Creating Entrepreneurial Universities）中所提出的概念。克拉克在该书中识别出一些能够成功超越限制性资金和官僚惯例的大学，以便进行积极、持续的转变，并在其中找到五个共同要素。他将这些要素描述为"转型之路"（pathways of transformation），因为这些要素促进了创新和协作学术行为的培养，与外部机构建立了伙伴关系，并获得了用以补贴活动并进一步

①② Julie Rowlands. Academic Governance in the Contemporary University：Perspectives from Anglophone Nations［M］. Singapore：Springer Nature Singapore Pte Ltd，2017：115–118.

促进创业学术活动的非政府资助。有关现代的大学治理的文献倾向于将创业主义（entrepreneurialism）和管理主义混为一谈，从而将创业治理归结为新公共管理的所有最坏特征。同样，在更广泛的治理文献中，创业治理或企业治理的特点是企业和市场方法的结合。企业治理使得权力下放项目和基于团队的学术工作能够创新、参与、外向、以客户为中心、致力于解决问题，而不是内向和自满，使得基层学术人员能够参与到大学层面的决策。然而，管理和官僚治理的主导地位削弱了许多大学的学院治理，甚至在其他大学中将其彻底去除。管理治理模式的主导地位限制或阻碍了企业治理的实施，对组织发展、增长以及教学和研究的质量产生了重大的负面影响。①

三、古典大学的治理模式

牛津大学和剑桥大学以其学院为基础，这些学院按照传统的行会模式来组织并获得大量的私人和公共捐赠，由其成员拥有和管理，这通常被认为是大学系统的顶点和院校自治的典范。②牛津大学和剑桥大学其实都是各个学院的总和，两所大学在集体主权（pooled sovereignty）的基础上有效地完成了审查（examining）和学位授予职能。③但即使是这些古老的大学也无法摆脱外部的干预。④很多学者认为，目前牛津大学的治理结构主要基于19世纪中后期政府对大学评审所确立的原则和基本内容⑤，同时也是校内外各种利

① Julie Rowlands. Academic Governance in the Contemporary University：Perspectives from Anglophone Nations［M］. Singapore：Springer Nature Singapore Pte Ltd，2017：116-119.

② Ted Tapper and Brian Salter. Oxford，Cambridge and the Changing Idea of the University：The Challenge to Donnish Dominion［M］. Buckingham：SRHE/Open University Press，1992.

③④ Oliver Fulton. Higher Education Governance in the UK：Change and Continuity［M］// Alberto Amaral，Glen A. Jones and Berit Karseth （eds.）. Governing Higher Education：National Perspectives on Institutional Governance. Dordrecht：Springer，2002：188，205-229.

⑤ Rothblatt，S. The Revolution of the Dons：Cambridge and Society in Victorian England［M］. London：Faber and Faber. 1968；Kenny，A. and R. Kenny. Can Oxford Be Improved?：A View from the Dreaming Spires and from the Satanic Mills［M］. Exeter：Imprint Academic，2007.

益相关方持续进行协商谈判的一部分。①

（一）治理基础

牛津大学是一个非营利法人（lay corporation），最初由普通法建立。它没有创始人也没有章程。该大学的早期历史表明它是由一群在12世纪后期居住在牛津的教师（Masters）和学生组成的。1214年，牛津大学的教师和学者团体被置于名誉校长的管辖之下。从那时起，牛津大学名誉校长、教师和学者很快被认可为一个与众不同的法人团体。

牛津大学的建立与其各个学院的基础形成鲜明对比。牛津所有的学院都是由皇家特许状许可设立的，其中大部分是为了永久分配其创始人的捐赠而建立和赋予的。今天牛津的一个基本特征是独立和自我管理的学院以及作为学院制大学（collegiate university）一部分的永久私人学堂（permanent private halls）。每个学院都有自己的法规、捐赠和治理机构。《1923年牛津大学和剑桥大学法》（The 1923 Oxford and Cambridge Act）提供了连接这些学院大学的相互依存的组成部分的核心法律框架，并反映了学术自治的强大传统。

牛津大学新的治理改革始于1964年，当时大学成立了由伍斯特学院（Worcester College）教务长奥利弗·弗兰克斯（Oliver Franks）主持的“弗兰克斯委员会”（Franks Commission），该委员会提出改革方案，以便确保大学更有效的管理，同时保留其强大的学术自我管理传统。牛津大学于1999年批准了对大学内部结构做出进一步重要变革，该立法于2000年10月生效。这些变革是在1997—1998年度由时任校长彼得·诺斯（Peter North）担任主席的委员会对大学的组织、管理和资金进行调查和审查后做出的，并在其后由时任校长科林·卢卡斯（Colin Lucas）主持的治理联合工作组进一步审议。正如诺斯委员会所建议的那样，2002年颁布了一套新的章程。

---

① 参见：Halsey，A. H. Decline of Donnish Dominion：The British Academic Professions in the Twentieth Century[M]. Oxford：Oxford University Press，1995; Beesemyer，L. Who Runs Oxford? An Examination of the University's Governance Structures [D].Oxford：University of Oxford，2006; Tapper，T. and D. Palfreyman. Collegial Tradition in the Age of Mass Higher Education[M]. London：Springer，2010.

（二）治理结构

牛津大学的章程和相关法规中规定了大部分的治理安排。其治理结构主要包括教职员大会、校务委员会、学院及学院会议等。[①]

1. 教职员大会

教职员大会是牛津大学的最高权力机构。教职员大会相当于大学的“议会”，并有权约束校务委员会。教职员大会中有5000多名成员，包括学术人员、学院和社团治理机构的负责人以及高级研究人员、计算机和图书馆工作人员、行政人员。[②]教职员大会的会议安排在每个完整学期的第一、第二、第四、第六和第八周的星期二，每个完整学期后的第二个星期二，以及名誉校长或校长确定的其他时间。如果没有反对的事项或任何其他理由召开会议，校长可宣布议程上的任何议题在未举行会议的情况下获得批准。如有反对通知或讨论议题，会议将在完整学期举行。

教职员大会的主要职能有三项：一是审议校务委员会或教职员大会成员提交给它的重大政策问题；二是选举校务委员会和其他大学机构的成员，批准任命校长；三是批准对界定大学治理结构的大学章程和规定的修改。

教职员大会通过的任何决议或其根据章程和规定所做的其他行动或决定都会对整个大学产生约束。校务委员会受到教职员大会通过的所有决议以及教职员大会采取的所有其他行动和决定的约束，并且“应尽一切努力使其生效”。教职员大会有权干预、反对或修改校务委员会提出的决议。

教职员大会一般可采取两种主要行动——立法提案（legislative proposals）和决议（resolutions）。立法提案是校务委员会为修改、废除或增加章程或规定而发布的提案。这类提案的通知在会议日期之前至少19天发布在《大学公报》（University Gazette）上。决议可由校务委员会或任何20名及以上的大会成员提出。决议要么指示校务委员会提出立法建议，要么可能

① University of Oxford. A Brief History and Overview of the University's Governance Arrangements [EB/OL]. [2018-05-16]. https://www.admin.ox.ac.uk/councilsec/governance/governancestructures/theuniversitysgovernancestructure/gov_expl/.

② University of Oxford. Governance [EB/OL]. [2018-07-02]. https://www.ox.ac.uk/about/organisation/governance?wssl=1.

涉及与大学政策或管理有关的任何其他主题。决议将在适当的会议召开前至少19天在《大学公报》上公布。此外，无论校务委员会，还是任何20名及以上的大会成员，也可以在教职员大会上提出任何与大学有关的议题。校务委员会有责任考虑讨论中的有关意见，但与“决议”不同，校务委员会不必就该议题采取任何进一步行动。

2. 校务委员会

校务委员会是牛津大学的执行管理机构。根据其章程的规定，校务委员会负责“推进大学的目标、行政管理、管理其财务和财产”，并具有“履行其职责所需的一切权力”。因此，校务委员会负责大学的学术政策和战略方向，包括大学的对外关系。有关大学的所有决定均由校务委员会或被校务委员会授予此类决策权的任何其他机构或个人作出，但其所有活动始终受到教职员大会权力的约束。校务委员会定期召开会议。其普通会议（ordinary meetings）在每个完整学期的第一周和第五周以及整个学期后的第一个星期一举行，在长假期（long vacation）举行两次，每年共举行11次会议。此外，校务委员会也可在校长指定的其他时间召开特别会议。

校务委员会由不超过28名成员组成。其中，有4名成员为外部成员，他们由提名委员会推荐、校务委员会提名，最终由教职员大会批准通过。其余成员包括校长（校长也是校务委员会的主席）、学院会议主席、审计员（proctor）、评估员（assessor）、学院会议推选的1名教职员大会成员、4个学术部门的负责人、11名教职员大会推选的教职员大会成员，以及由校务委员会推选的不超过3名教职员大会成员。此外，3名学生成员有权在校务委员会非保留事务（unreserved business）会议上列席并发言，但不参加投票。校务委员会成员为慈善事业受托人（charity trustees），受信托义务的约束，因此他们必须按照慈善事业的目标，确保大学的收入和资本得到负责任的管理和分配。

校务委员会负责决定大学运作的内部控制系统，并监督控制环境的充分性和有效性。正如牛津大学在《年度财务报表》中的“公司治理声明”（Corporate Governance Statement）所述，校务委员会已就大学活动的主要战略风险达成一致，并定期对这些风险进行审查，以确定发展情况并考虑需要解决的任何其他事项。此外，校务委员会还就满足基金委员会与大学之间《财务备忘录》（Financial Memorandum）的条件向英格兰高等教育基金委员会负责。除其他事项外，校务委员会必须采取合理措施，确保有适当的财务和管理控制措施，以保护公共资金免受其他方面的影响，并保护大学的资产，防止和查明欺诈及其他违规行为。

校务委员会下设总目标委员会（GPC）、教育委员会、人事委员会、规划和资源分配委员会（PRAC）以及研究委员会等5个主要的委员会。这些委员会主要负责校务委员会根据有关规章或其他方式委托他们处理的事项。这些委员会的作用通常是审查、监督、协调、监测和规划，尽管它们确实具有有关规章规定的某些决策权。这些委员会审议各部门提交的报告，并在适当情况下向校务委员会提出建议。总目标委员会由校长担任主席，教育委员会、人事委员会、规划和资源分配委员会及研究委员会由各相关副校长担任主席。

校务委员会还设有审计与审查委员会、财务委员会、提名委员会、高级管理人员薪酬审查委员会和投资委员会。审计与审查委员会每年召开会议，其职责包括调查其认为必要的事项，审计评估以及风险管理、控制和治理有效性的审查。该委员会有9名成员，其中5名是外部成员，3名由教职员大会选出，1名是当然成员（即学院会议主席）。财务委员会的职责包括审查并向校务委员会提出有关规划和资源分配委员会可用的总体“财务范围”（financial envelope）的建议，以满足大学的收入和资本需求。财务委员会的成员为6名，包括3名校务委员会的外部成员。提名委员会的成员为10名，包括2名校务委员会外部成员和由教职员大会推选的4名成员。高级管理人员薪酬审查委员会由审计与审查委员会主席担任主席，另有5名成员，其中2名必须是校务委员会任命的校务委员会外部成员。

3. 学术部门

牛津大学所有的学术性系科、学院和研究中心统合为人文、社会科学、数学、物理与生命科学以及医学等4个学术部门。这些部门拥有相当多的授权学术决策权，以及预算范围内的预算和财务权限。每个部门都有一名全职负责人和一个选举产生的部门委员会。部门负责人全面负责该部门的活动

（但须经校长同意），可以授权其中一些活动的运营责任。每个部门委员会的主要职责是：（1）对组织、开发和提供课程进行监督；（2）制订和提出战略性五年计划和年度运作报表；（3）对预算、空间、教学大纲和人员配备等所有事项的总体监督和责任。除了这些委员会之外，学术部门也会向各个院系授权一些责任。校务委员会批准每个学术部门的预算。各学术部门向校务委员会或其他委员会提出建议，以便在各自领域作出重大决定。

4. 学院及学院会议

牛津大学拥有38个学院，每一个学院都是独立和自治的，但却构成了大学的核心要素，它们与大学的关系类似一种联邦制。牛津的每个学院都获得枢密院批准的“特许状”。根据“特许状”的规定，每个学院由一名院长和一个治理机构（Governing Body）负责管理。该治理机构由一些“院士”（Fellows）组成，其中大多数“院士”都拥有大学教职。牛津大学还有6个常设私人学堂，由不同的基督教教派建立，至今仍保留其宗教特色。①

设立学院会议（Conference of Colleges）是为各个学院、永久私人学堂和社团提供一个咨询论坛，以处理共同利益和共同目标的问题，并以连贯的方式开展工作。其目的是成为一种收集各个学院意见和建立共识的途径，以此反映学院治理机构的观点，并向大学进行传递。这些意见一经收集并达成共识后，学院会议为学院集体提供与大学磋商的手段。

学院会议的主席是校务委员会的当然成员，同时也是规划和资源分配委员会、总目标委员会及审计和审查委员会的成员。学院会议的主要机构是由1名主席和10名成员组成的指导委员会，此外还有负责学术和财务等事务的分支委员会。

5. 校长和副校长

牛津大学的校长是学校的主要学术和行政官员，任期为7年，通常由校务委员会的一个常设委员会提名，然后校务委员会将提名提交教职员大会批准通过。其角色是为学院制大学（collegiate university）提供战略方向和领

---

① University of Oxford. Governance [EB/OL]. [2018-07-02]. https://www.ox.ac.uk/about/organisation/governance?wssl=1.

导，以及在地方、国家和国际层面作为大学的代表。校长还是英格兰高等教育基金委员会指定的会计官员。校长是校务委员会和教职员大会的主席，同时可提名代表担任其他委员会的主席。校长与校务委员会、各学院、各学术部门、学院会议及教职员大会共同开展工作，确保大学所有组成部分的一致愿景，并确保大学的治理、管理和行政的有效和高效。根据校务委员会的常规，校长有权采取其认为履行校务委员会职责所必需的措施，但须咨询校务委员会或向校务委员会报告任何行使此权力的行为。此外，校长还在大学的筹款活动以及发展与校友的关系中发挥主要作用。

除校长以外，牛津大学还有5位具有特定职责的副校长分管发展和对外事务、教育、规划与资源、研究与创新以及花园、图书馆和博物馆。另有1位副校长专门负责英国脱欧战略以及平等和多元化事务。此外，牛津还有多达8位没有特定职责的副校长，主要是代表校长承担主持学位仪式和选举委员会等职责。①

（三）治理改革

在牛津，不断变化的环境要求大学重新审视和考虑其治理改革问题。尽管大学内部提供了一些支持，但政府拒绝了皇家委员会的建议，建议牛津大学首先找到自己的解决方案。由此导致了1964年弗兰克斯委员会开展的内部审查。这项审查旨在提高牛津大学获取高等教育部门的研究经费的竞争力以及响应不断增长的入学要求。

弗兰克斯委员会审查后的30年里，整个英国的高等教育发生了重大变化，牛津大学也发生了同样的变化。在新的发展背景下，牛津大学决定开展自己新的内部审查。1994年，牛津大学建立由时任校长诺斯担任主席的调查委员会，其主要任务是对牛津大学的运行和结构及其决策机制等一系列广泛的问题进行回顾和检讨。委员会原计划的工作周期是18个月，但考虑到国家高等教育调查委员会（即迪林委员会）的报告要到1997年夏季才能提交，该委员会的工作也推迟到《迪林报告》发布以后结束。《迪林报告》提出，

---

① University of Oxford. Governance [EB/OL]. [2018-07-02]. https://www.ox.ac.uk/about/organisation/governance?wssl=1.

英国的大学处于公共领域，大学应对其运营及其治理结构承担公共责任。这种观念不可避免地对牛津大学的治理变革产生影响。虽然据诺斯称，牛津大学是在没有受到包括政府在内的特定外部机构的任何压力的情况下考虑改革的。然而，他承认确实存在环境问题，这有助于他对大学治理的思考。[①]尤其是新兴的全球高等教育市场和高等教育的经济意义这两个外部环境压力影响了牛津大学如何组织大学的思考，这也导致少数人感到大学需要重新考虑其运营结构。

《（诺斯）调查委员会报告》（（North） Commission of Inquiry Report）主要关注三个方面的问题：一是牛津学术决策过程与资源分配并没有得到充分的整合，也没有得到明确的阐释，这些内容应该更明确地加以说明并更紧密地结合在一起；二是牛津需要将决策中更大的代表性以及改善战略思维能力结合起来；三是牛津需要更好地认识到它正在发展的方向以及个人决策的更广泛影响，并提高就其长期方向作出明确决策的能力，而不是让这种方向成为累积的较小决策的结果。该报告认为，通过应用这些一般原则，牛津大学将更有能力朝着其成员所希望的方向发展，而不仅仅是依靠外部压力。[②]为此，诺斯委员会在大学治理上提出两个重大的改革建议。一是废除作为牛津大学1923—1926年改革产物的大学委员会（General Board），从而使牛津形成只设有校务委员会的“一院制”（unicameral system）体制。大学委员会因拥有非常大的权力而受到诟病，所以该提议获得多数支持。新的校务委员会以一种混合式的方式体现其代表性，其中既有直选选择的代表、也有各学院的代表，以及担任某些职务的当然代表。二是尽管遭到很多反对意见，诺斯委员会仍提出将校长的任期延长至7年。[③]经过反复的讨论和辩论，诺

---

① Andrew M. Boggs. Changing Concepts of ‘The University’ and Oxford’s Governance Debates, 1850s–2000s[M]. // Ana Simões et al. （eds.）. Sciences in the Universities of Europe, Nineteenth and Twentieth Centuries. Dordrecht：Springer，2015：59–60.

② University of Oxford. Commission of Inquiry Report：Summary of Conclusions and Recommendations [EB/OL]. [2018-07-21]. https://www.admin.ox.ac.uk/coi/commissionofinquiryreport/summaryofconclusionsandrecommendations/.

③ G. R. Evans. The University of Oxford：A New History [M]. London：I. B. Taruis & Co Ltd，2010：72–73.

斯委员会提出的改革组织、管理和财务等大学内部架构的建议于1999年获得批准，并于次年生效。

而后的一次以强化外部力量为重点的治理改革则引起更大的波折。2004年新西兰人约翰·胡德（John Hood）当选牛津第270任校长后，成立以其为主席的工作组，开始着手商讨大学治理改革。该工作组与《诺斯调查委员会报告》相对应开展了新的自动审查（automatic review）。这种自动审查符合《迪林报告》中的第57条建议，即大学每5年对治理运行情况进行一次审查。胡德的任命具有历史意义，因为他是从牛津外部招聘而来的，而且他的经验主要是私营部门的公司治理。2005年3月，牛津大学发表绿皮书——《牛津的治理结构：一份绿皮书》（Oxford's Governance Structure：A Green Paper），该文件在牛津建校800年以来首次提出牛津大学校务委员会全部由外部成员组成。同年9月，在经过强烈抗议之后，牛津大学发布了一份经过修改的绿皮书，其中提出校务委员会规模缩小，并增加更多的非专业人员。2006年5月，牛津大学发表《大学治理白皮书》（White Paper on University Governance），其中胡德确认校务委员会将拥有大多数外部成员，包括那些具有强烈企业利益的成员。白皮书一经发表就激起广泛的争论。同年11月，牛津学者提出保留校务委员会中学术成员占多数的修正案，并在当月的教师议会即教职员大会辩论中以730票对456票否决了胡德提出的议案。而后，近200名学者也在邮寄投票中拒绝了胡德的提案。胡德誓言继续担任校长。① 应该说，胡德上任后的2004—2006审查过程中产生的争论主要集中在大学治理结构中的外部代表问题上，包括执行委员会的重组，大多数成员来自大学以外，尽管可能是牛津校友。胡德改革提出的建议将使牛津大学更接近北美和英国大多数其他大学所常见的“两院制”大学治理结构，正如英国大学主席委员会制定的《治理行为守则》（Governance Code of Practice）和《治理的一般原则》（General Principles of Governance）所规定的。②

---

① Jessica Shepherd. Timeline：Oxford University Reform [EB/OL]. [2018-07-21]. https://www.theguardian.com/education/2007/ aug/08/highereducation.administration.

② Andrew M. Boggs. Changing Concepts of ‘The University’ and Oxford's Governance Debates，1850s–2000s[M] // Ana Simões et al. （eds.）. Sciences in the Universities of Europe，Nineteenth and Twentieth Centuries. Dordrecht：Springer，2015：65.

很大程度上，牛津最近治理改革中的矛盾冲突也反映出英国高等教育发展大环境的问题。高等教育大众化的发展导致高等教育机构规模不断扩大、结构更加复杂，由此学院治理让位于官僚和创业主义。高等教育部门经历了政府不断加码的问责，而治理成为国家和大学间的一种中介，并有助于扩大大学与企业和行业之间的关系以追求经济回报。[①]持续不断的大学治理变革运动加剧了这样一种局面：各大学的工作条件在政治层面上变得标准化，大学领导正在不断加强，新的管理结构正在建立，学院制结构（collegial structures）受到削弱，取而代之的是利益相关者委员会和更强大的官僚机构线性组织，以及对内部组织流程更加坚定的自上而下的把握。[②]

在这种形势下，牛津大学的治理也在发生缓慢而持久的变革。以往负责牛津治理的人员几乎完全是来自大学的学术成员，这通常也被称作“学院式自我治理”（collegial self-governance）。然而，大学成员的确切定义随着时间的推移而发展。在19世纪以前，尽管节奏缓慢，但牛津确实在不断变化的环境中发展。而且，虽然政府对牛津大学的治理进行了审查，但改革更多的是牛津社区成员本身，包括校友和学术人员。20世纪后半叶，竞争激烈的全球高等教育市场，对公共资金问责制的关注以及围绕公司治理的新思维同样影响了对大学治理良好实践的看法。对于牛津来说，这已经转变为150年来对其治理结构和运营的严格审查。这些治理审查和改革一直在产生动荡，使大学的学术人员从治理中分离。正如博格斯对牛津大学19世纪中期至21世纪以来的治理发展所作出的判断：受社区和非专业代表（lay representatives）组成事务委员会（business board）监督的大学单一首席执行官的概念曾经并将继续成为牛津大学的诅咒。[③]

---

① Julie Rowlands. Academic Governance in the Contemporary University：Perspectives from Anglophone Nations [M]. Singapore：Springer Nature Singapore Pte Ltd，2017：40.

② Ivar Bleikliea and Maurice Kogan. Organization and Governance of Universities [J]. Higher Education Policy，2007，20（4）：480.

③ Andrew M. Boggs. Changing Concepts of ‘The University’ and Oxford’s Governance Debates，1850s–2000s[M] // Ana Simões et al.（eds.）. Sciences in the Universities of Europe，Nineteenth and Twentieth Centuries. Dordrecht：Springer，2015：65–66.

第七章　英国教育治理的困境与展望

英国教育治理在西方社会以及更广泛的国际社会引起的关注无疑是巨大的，其产生的影响也无疑是深远的。在看到英国教育治理纷繁多样的理念、举措、实践与成果的同时，其实施推进过程中引发的市场价值与公共价值、政府控制与多元参与乃至有效治理与治理失败的悖论更加值得注意。而未来英国教育治理的发展仍取决于多种主体、动力和因素的力量博弈、协调与平衡。

第一节　教育治理面临的困境

英国的教育治理具有鲜明的新自由主义取向和特征。瑞典著名教育学家胡森在对北欧国家和英国教育治理考察的基础上，也将新自由主义视为教育治理变革的一个首要特征。而且，在新自由主义思想影响之下，英国教育治理的模式、结构和关注的重点都发生了重大的变化（参见表7-1）。这种变化也带来一系列的治理困境。

表7-1　英国教育政策背景变化表

教育管理	教育治理
社会民主	新自由主义
中央集权	分权
科层制	多层级
标准化	差异化
福特主义	后福特主义

续表

教育管理	教育治理
中央控制（计划型国家）	自我管理与“柔性”指导（评估型国家）
关注的重点	**关注的重点**
消除差别（平等主义）	社会进步（雄心壮志）
面向所有人的学校（平等）	个体化（市场）
政府举措	公私伙伴关系
社会平等	选择
投入	产出（绩效）

资料来源：Christine Hudson. Governing the Governance of Education：The State Strikes back？［J］. European Educational Research Journal，2007，6（3）：269.

第一是市场价值与公共利益的悖论。自20世纪80年代教育领域的新自由主义革命以来，历届英国政府都将教育机构纳入市场价值和实践，从而最终创造了今天可以被描述为市场主导的、以消费者为导向的教育体系。英国学者甚至指出，英国没有一所学校、学院或大学能够摆脱亲市场政府（pro-market governments）和后福特经济的双重要求。由此对教育产生多方面不利的影响。其一，由于被迫采用基于效率、竞争、创新和灵活性的框架、话语和策略，教育机构已被纳入商业和企业文化的逻辑和词汇中，并被束缚于管理官僚的实践（managerial-bureaucratic practices），其重点是加强教育机构对企业界的理解，并且可以提供面向消费者的服务。其二，政府通过引入多样性来促进教育市场不受约束的运作。然而值得注意的是，在此情境下，多样性这一术语连同公平和平等等语言与传统的社会民主福利国家的承诺已是背道而驰。人们认为，国家资助的教育已成为过时、标准化和令人沮丧的，并受到地方政府垄断的阻碍，民主已经变得“无法承受”。[①]其三，为回应新自由主义政策议程，英国的学校类型和范围正在迅速增加，以扩大选择作

① Andrew Wilkins. Commodifying Diversity：Education and Governance in the Era of Neoliberalism［J］. Human Affairs，2012，22（2）：124-125.

为提高教育标准的机制。曼彻斯特大学教育研究所史蒂文·考特尼（Steven J. Courtney）也认为，没有迹象表明过去30年推动学校类型多样化将停止任何行政力量的支配，因为长期以来在以新自由主义解决提高教育标准“问题”的适合性上已形成跨党派共识。[①]其四，私人部门和精英个体的权力和利益不断膨胀。新自由主义是一种在当地实现的全球现象，因此其结构表现形式在世界范围内得以复制。公立自治学校就是一个全球趋势的国家实例，旨在赋予私人部门特权，同时赋予专业自主权。美国、瑞典、澳大利亚、新西兰、智利、哥伦比亚等国家都在不断促进私人利益或公司化专业实践和认同，因此这种发展可被看作全球资本、经济和象征性朝向业已资本化的精英转移的一部分。[②]同时，我们还应看到，英国政府所提倡的教育提供的多样性有助于产生一种关系领域，在这种关系领域，即使表面上看起来已经退却，但实际上国家权力会变得更大，即所称的“管理型国家”。在这种治理模式的背景下，集权化和非集权化的过程与中央国家权力的减弱以及非国家行为者的扩张相结合。换句话说，随着新自由主义治理的来临，我们所看到的并不是国家的倒退；相反，我们目睹的是通过非国家行为者推动国家权力，以及将国家责任和权力外包给个人和福利机构。[③]

第二是政府控制与多元参与的悖论。其一，治理的一个核心要义就是通过多元参与来实现共治和善治，治理背后的修辞语也暗示它就是吸纳和影响大众，把权力下放并授予投票者、消费者等普通公民。而从英国的政策与举措来看，政府在很大程度上却是与之“背道而驰”。有人批评，利益相关者的参与和学校治理的民主问责目标已经转向了一个明确的目标，即以相对狭隘的配置方式提高制度绩效。[④]也有学者指出，“行政和地理的去中心化自身并不必然带来普通公民的更大影响力和更多的参与……提供给公众的只不

---

①② Steven J. Courtney. Mapping School Types in England [J]. Oxford Review of Education, 2015, 41（6）: 799-814, 815.

③ Andrew Wilkins. Commodifying Diversity: Education and Governance in the Era of Neoliberalism [J]. Human Affairs, 2012, 22（2）: 129-130.

④ Chris James. Trends in the Governance and Governing of Schools in England [J]. Local Government Studies, 2014, 40（6）: 894.

过是象征性的而非真正的参与，而象征主义招致冷漠。参与要求承担义务、需要成本，而长远来看，这些是难以持续的……分权、授权、机构和执行力量的增长，网络和公共—私人伙伴关系的增长，所有这些都使得普通大众更难把握政府。期望公众参与的改革可能有时适得其反。已经出现了令人不安的迹象：选民正在日益脱离主流政治”。①其二，虽然政府视其为权力下放，但实际上则加强了中央集权的可行性。通过提供中央集权的管理框架来削弱地方政府的控制权也同样可以被看作加强中央集权的表现。②正如有学者指出的，20世纪90年代以来的教育或许会比以往更加政治化。政府显然不愿意把教育交给教育家，政府也不愿意把制定教育政策的责任下放给地方当局或者学校和学院的管理者。③其三，尽管在新自由主义思想的冲击下，教育已被商品化，并作为个人之间的私人事务重新构建，然而国家仍在干预，自由市场特殊性与新保守主义对知识定义和生产的侵占之间的紧张关系，意味着国家以预定的方式控制选择。因此，教育提供者的增加掩盖了国家是如何变得越来越强大，而不是越来越弱的问题。但由此带来的更为重要的影响是，新自由主义和新保守主义区分并按等级排列学生的方式不同，前者通过市场的方式，后者是通过维护一种文化任意性（cultural arbitrary）的形式（即以法定的课程来排斥一些学生的利益）。这种状况造成的不可避免的后果是教育供应将越来越多地再现社会隔离（societal segregation）。④至于有学者所谓的“被掏空的国家”（hollowed state）的说法则有些夸大其词和不切实际。相反，正像一些学者所称，国家可以主导交易。中央政府通过开展督导、制定学校绩效的预期标准以及指导机制来设置和推动其议程。⑤

第三是有效治理与治理失败的悖论。英国教育治理尤其是高等教育治

---

① 比尔·考克瑟，林顿·罗宾斯，罗伯特·里奇. 当代英国政治［M］. 孔新峰，蒋鲲，译. 4版. 北京：北京大学出版社，2009：657-658.

②③ 迈克尔·希尔. 理解社会政策［M］. 刘升华，译. 北京：商务印书馆，2005：115-116，260.

④ Steven J. Courtney. Mapping School Types in England [J]. Oxford Review of Education，2015，41，（6）：814-815.

⑤ Michael Connolly，Catherine Farrell and Chris James. Trends in the Governance of Education in the UK [J]. Local Government Studies，2014，40（6）：889.

理所采取的机制和手段具有强烈的新自由主义和新公共管理色彩。从20世纪80年代开始，全球化和新自由主义对大学施加越来越大的压力，使其表现得像企业一样。新的公共管理和问责关系已经扩展到英国大学，并成为其管理机构改革的理论基础。①珍妮特·纽曼（Janet Newman）和约翰·克拉克（John Clarke）曾在《管理型国家》一书中指出，在英国，与旧的学术自律专业主义和官僚主义相比，引入社团主义管理的合法化在高等教育管理领域尤为引人注目，其主要特征就是把强调管理的价值视为创新，以绩效为中心、以消费者为中心，提高治理的透明度，要求对外部负责并经过市场考验，以结果为导向，制订务实的战略。②这种方式使他们更有效地提供大量的教育和研究服务，在国际市场上更具竞争力，更好地获得外部资金，从而减少他们对公众支持的依赖。为了使大学能够应对这些挑战，大学改革者已着手整合大学，加强大学组织不同部分之间的联系，以使其更加高效、易于管理和负责任。③但其代价却是学术文化的改变、学术价值的扭曲和学者士气的打击。新公共管理的一个主要假设是私营部门的管理理念优于公共部门，而且公共部门管理与私营部门管理之间存在一种跨越公私情境的“通用管理”（generic management）而非存在实质性的差异。有批评指出，以效率为导向的工具理性只会引导人们关注达成既定目标的手段，而忽略对目标本身的关切。在工具理性下的种种行动，将使行政工作越来越远离社会价值的体现，只是斤斤计较于减少行政成本，从而沦为公务产生过程中的工具，以致完全丧失作为行政体系行动本身的道德内涵。④尽管这种批评针对的是政府部门的公共服务，但对教育部门来说同样如此，同样适用。用罗宾·米德赫斯特（Robin Middlehurst）的话来说就是，当前大学公司治理和管理模

① Terri Kim. Changing University Governance and Management in the UK and Elsewhere under Market Conditions：Issues of Quality Assurance and Accountability [J]. Intellectual Economics，2008，2（4）：36.

② Janet Newman and John Clarke. The Managerial State [M]. London：Sage Publications，1997.

③ Ivar Bleikliea and Maurice Kogan. Organization and Governance of Universities [J]. Higher Education Policy，2007，20（4）：484.

④ 王定云，王世雄. 西方国家新公共管理理论综述与实务分析[M]. 上海：上海三联书店，2008：66.

式形成于20世纪的工业革命并且主要用于制造企业，现已完全不适应、不足以满足全球化时代的挑战和当前进行的知识、通信与信息革命。①事实上，也有很多人开始从治理本身进行反思。人们热衷于以治理机制对付市场和国家协调的失败。治理的确可以弥补国家和市场在调控和协调过程中的某些不足，但治理也不可能是万能的，它也内在地存在着许多局限，它不能代替国家而享有政治强制力，它也不可能代替市场而自发地对大多数资源进行有效的配置。事实上，有效的治理必须建立在国家和市场的基础之上，它是国家和市场手段的补充。在社会资源配置中不仅存在国家的失效和市场的失效，也存在着治理失效的可能。正如杰索普指出的，治理的要点在于：目标定于谈判和反思过程之中，要通过谈判和反思加以调整。就这个意义而言，治理的失败可以理解成是由于有关各方对原定目标是否仍然有效发生争议而未能重新界定目标所致。②

第二节　未来教育治理的展望

英国教育正经历一个重大变革时期。这是由政治、文化、经济和技术等很多因素驱动的，而且这些变革趋势的范围是全球性的，影响深远。它们影响着教育发展的方方面面，影响着大学和中小学校运营的环境，影响着它们未来需要提供什么，影响着它们的结构和资金筹措，等等。而其中，新自由主义的影响仍将是一个重要的动力。尽管一些评论家宣称新自由主义作为一个全球主导框架已然结束，但从现实和预期来看，新自由主义的“幽灵”将继续困扰和“殖民”想象中的指导政府“现代化”和改革福利服务的

① Robin Middlehurst. Changing Internal Governance：Are Leadership Roles and Management Structures in United Kingdom Universities Fit for the Future? [J]. Higher Education Quarterly，2013，67（3）：291.

② Bob Jessop. The Rise of Governance and the Risks of Failure：The Case of Economic Development [J]. International Social Science Journal，1998，50（155）：38.

种种努力。[①]

在可预期的未来，英国基础教育治理仍将延续既有的主题向前发展。这些主题包括：改善学校表现和学生成绩的动力，学校治理的非政治化，作为管理监督（managerial scrutiny）的学校治理的发展，教育标准局影响的增长，教育机构形式和治理结构的日益多样化，学校治理机构日益相互冲突的角色，校长在管理中的作用的加强，地方政府在学校治理方面的影响力整体下降，利益相关者模型的变化影响，以及治理性质、有效性和未来前景的变化，等等。而这些主题中，学校（处于边缘位置）自主性与政府（居于中央位置）控制和指导之间紧张关系的加剧，以及作为中央治理关注点的整体绩效转移是两个最为突出的问题。[②]同时，英国中央政府、地方政府及私人部门在教育治理中的关系也将继续发生深入的调整和变化。当前关于英国教育未来尤其是英格兰教育未来的大部分辩论的关键主题就是利用私营部门的专业知识和资源，以弥补在这一领域中地方民主（local democracy）和国家提供（state provision）的失败的可能性。正如布莱尔在其执政早期向地方政府代表发表讲话时所指出的：如果你（地方政府）不愿意在现代议程中工作，那么政府将不得不寻求其他合作伙伴。[③]随着英国政府的治理安排朝向培养和维持国家控制的校本教育和早期教育市场方向发展，中央政府与地方政府的角色和作用正经历此消彼长的过程。

未来英国教育治理发展取决于多种因素的力量对比与影响作用。英国大学协会认为，影响教育治理方式的政策工具包括许多“推”和“拉”在内的驱动因素。对这些因素的评估能够为大学领导提供一个机会，使其能够确定在塑造高等教育部门未来议程方面最有可能发挥重要作用的因素，并在15~20年的时间里考虑这些因素的影响。

---

① Andrew Wilkins. Commodifying Diversity：Education and Governance in the Era of Neoliberalism [J]. Human Affairs，2012，22（2）：125.

② Chris James. Trends in the Governance and Governing of Schools in England [J]. Local Government Studies，2014，40（6）：907.

③ Carol Campbell and Geoff Whitty. The Governance of Urban Education in the UK：A Public，Private or Partnership Future? [M] // W. T. Pink and G. W. Noblit （eds.）. International Handbook of Urban Education. Dordrecht：Springer，2007：1123.

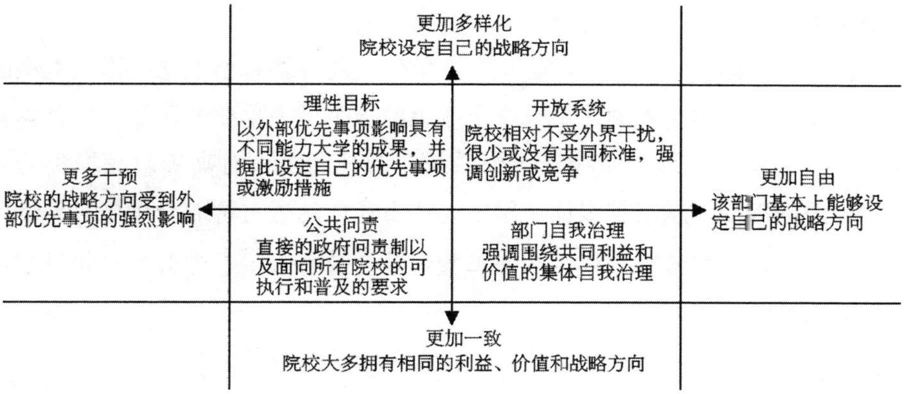

图 7-1　英国高等教育部门治理趋势图

资料来源：Universities UK. Futures for Higher Education：Analysing Trends [M]. London：Universities UK，2012：10.

如图7-1所示，在四象限的驱动因素中，横向维度是导致更大或更小的自主性，而纵向维度是更大或更小的同质性，而核心的因素包括理性目标（rational goals）、开放系统、公共问责和部门自我治理（sector self-governance）。如果朝向需求主导的拨款以及放宽新供应商进入壁垒的政策发展，则表明高等教育体系更加开放和具有竞争力。同时，这种发展趋势还伴随着其他特征，例如通过提高高等教育提供的公开数据的质量来减少信息的不对称性。转向更加开放和竞争的系统的特点包括：转向以需求为导向的拨款和放松对地方的管制；政策议程旨在向具有不同治理和交付模式的更广泛的提供者开放该系统；向第三方组织开放高等教育统计局数据，以提供支持学生选择的市场信息；在拨款改革的支持下，逐步取消对院校之间学生人数控制的管制；适用竞争法和公平交易办公室（OFT）审查。越来越依赖高等教育的竞争可能会鼓励使用新形式的监管和治理。其中的主要内容是围绕质量和财务管理而展开的新的问责制要求，允许通过学生支持和拨款资金在各种院校中进行广泛的比较。使用激励措施来塑造该部门所需的特定成果也在不断强化。这些将使院校可以根据自己的具体使命、愿景和战略自由度灵活地设定自己的方向。[①]

英国大学协会强调指出，除了经济价值，高等教育系统也会提供大量的公共利益。这仍然是大学在未来产出成果的一个至关重要的特征，并且需要在一个日益强调市场的系统（这个系统非常强调个人对高等教育投资的回报）中得到维护。越来越多地使用市场和市场化的语言可能会排挤对大学提供更广泛的公共产品的考虑，然而这些公共产品对大学未来的角色和目的却是至关重要的。[②]

①② Universities UK. Futures for Higher Education：Analysing Trends [M]. London：Universities UK，2012：9，11.

参考文献

中文文献

[1] 胡伯特·埃特尔，喻恺 . 欧盟的教育与培训政策：五十年发展综述[J]. 教育学报，2009，5（1）.

[2] 曹建明 . 欧洲联盟法——从欧洲统一大市场到欧洲经济货币联盟[M]. 杭州：浙江人民出版社，2000.

[3] 邓特 . 英国教育[M]. 杭州大学教育系外国教育研究室， 译 . 杭州：浙江教育出版社，1987.

[4] 奈杰尔·福尔曼，道格拉斯·鲍德温 . 英国政治通论[M]. 苏淑民， 译 . 北京：社会科学文献出版社，2015.

[5] 霍华德·格伦内斯特 . 英国社会政策论文集[M]. 苗正民， 译 . 北京 商务印书馆，2003.

[6] 鲍勃·杰索普 . 治理的兴起及其失败的风险：以经济发展为例的论述[J]. 国际社会科学杂志（中文版），1999（1）.

[7] 埃德蒙·金. 别国的学校和我们的学校——今日比较教育[M]. 王承绪，邵珊，译. 北京：人民教育出版社，2001.

[8] 金津 . 英国政府为什么“钟爱”中国教育？[N]. 英中时报，2016-05-20（A2）.

[9] 丹尼斯·卡瓦纳 . 英国政治：延续与变革[M]. 刘凤霞，张正国，译 . 4 版 . 北京：世界知识出版社，2014.

[10] 比尔·考克瑟，林顿·罗宾斯，罗伯特·里奇. 当代英国政治[M]. 孔新峰，蒋鲲，译. 4版. 北京：北京大学出版社，2009.

[11] 刘茗 . 传统与现代有机结合的教育管理体制——英、美、法、德教育管理体制比较[N]. 中国教育报，2003 -08-16（4）.

[12] 马亮 . 行为科学与循证治理：治国理政的创新之道[J]. 经济社会体制比较，2016（6）.

[13] 瞿葆奎．教育学文集·英国教育改革[M]. 北京：人民教育出版社，1993.

[14] 卡特林娅·萨里莫娃. 当代教育史研究与教学的主要趋势[M]. 方晓东，译. 北京：教育科学出版社，2001.

[15] 王承绪，徐辉．战后英国教育研究[M]. 南昌：江西教育出版社，1992.

[16] 王晓辉．比较教育政策[M]. 南京：江苏教育出版社，2009.

[17] 戴维·威尔逊，克里斯·盖姆．英国地方政府[M]. 张勇，胡建奇，译．北京：北京大学出版社，2009.

[18] 约瑟夫·威勒. 欧洲宪政[M]. 程卫东，译. 周弘，校. 北京：中国社会科学出版社，2004.

[19] 迈克尔·希尔．理解社会政策[M]. 刘升华，译．北京：商务印书馆，2005.

[20] 徐辉，郑继伟．英国教育史[M]. 长春：吉林人民出版社，1993.

[21] 俞可平．全球化背景下的治理、善治和全球治理[R]. 台北：财团法人夏潮基金会，2001.

[22] 中国大百科全书总编辑委员会《教育》编辑委员会. 中国大百科全书·教育[M]. 北京：中国大百科全书出版社，1985.

英文文献

[1] Robin J. Alexander. Culture and Pedagogy: International Comparisons in Primary Education [M]. Oxford and Boston：Blackwell, 2001.

[2] Alberto Amaral, Glen A. Jones and Berit Karseth（eds.）. Governing Higher Education: National Perspectives on Institutional Governance[M]. Dordrecht: Springer, 2002.

[3] Alberto Amaral, Guy Neave, et al.（eds.）. European Integration and the Governance of Higher Education and Research[M]. Dordrecht, Heidelberg, London and New York: Springer, 2009.

[4] Maria Balarin and Hugh Lauder. The Governance and Administration of English Primary Education [R]. Cambridge: University of Cambridge, 2008.

[5] Stephen Ball. Education, Governance and the Tyranny of Numbers [J]. Journal of Education

Policy, 2015, 30（3）.

[6] John Banks. European Co−operation in Education[J]. European Journal of Education, 1982, 17（1）.

[7] Catherine Bargh, Peter Scott and David Smith. Governing Universities: Changing the Culture? [M]. Buckingham: SRHE and Open University Press, 1996.

[8] BIS. Higher Education: Students at the Heart of the System [Z]. London: Department of Business, Innovation and Skills, 2011.

[9] BIS. A New Fit−for−purpose Regulatory Framework for the Higher Education Sector: Technical Consultation [Z]. London: Department of Business, Innovation and Skills, 2011.

[10] BIS. Fulfilling Our Potential: Teaching Excellence, Social Mobility and Student Choice [Z]. London: Department of Business, Innovation and Skills, 2015.

[11] BIS. Success as a Knowledge Economy: Teaching Excellence, Social Mobility and Student Choice [Z]. London: Department of Business, Innovation and Skills, 2016.

[12] Jill Blackmore. Academic Pedagogies, Quality Logics and Performative Universities: Evaluating Teaching and What Students Want [J]. Studies in Higher Education, 2009, 34（8）.

[13] Tony Blair. Leading the Way: A New Vison for Local Government[M]. London: Institute for Public Policy Research, 1998.

[14] Ivar Bleikliea and Maurice Kogan. Organization and Governance of Universities [J]. Higher Education Policy, 2007, 20（4）.

[15] Jean Bocock and Richard Taylor. The Labour Party and Higher Education: The Nature of the Relationship [J]. Higher Education Quarterly, 2003, 57（3）.

[16] David F. J. Campbell and Elias G. Carayannis. Epistemic Governance in Higher Education: Quality Enhancement of Universities for Development [M]. Dordrecht: Springer, 2013.

[17] CBI. Taking Stock: CBI Education and Skills Survey 2008 [R]. London: CBI, 2008.

[18] CBI. First Steps – A New Approach for Our Schools [R]. London: CBI, 2012.

[19] CBI. Leading the Way: Improving School Governance and Leadership [R]. London: CBI, 2013.

[20] CBI. Helping the UK Thrive: CBI/Pearson Education and Skills Survey 2017 [R]. London: CBI, 2017.

[21] Charles Clarke. Department for Education and Skills: Five-year Strategy for Children and Learners [Z]. London: DfES, 2004.

[22] Mark Considine. Making Public Policy: Institutions, Actors, Strategies [M]. Cambridge: Polity, 2005.

[23] Philip Cerny. Paradoxes of the Competition State: The Dynamics of Political Globalization [J]. Government and Opposition, 1997, 32（2）.

[24] Commission of the European Communities. The Principle of Subsidiarity: Communication of the Commission to the Council and the European Parliament[Z]. SEC（92）1990 final, 1992.

[25] Commission on Global Governance. Our Global Neighborhood: The Report of the Commission on Global Governance [M]. Oxford: Oxford University Press, 1995.

[26] Steven J. Courtney. Mapping School Types in England [J]. Oxford Review of Education, 2015, 41（6）.

[27] Robert Cowen and Andreas M. Kazamias（eds.）. International Handbook of Comparative Education [M]. Dordrecht: Springer, 2009.

[28] CUC. Guide for Members of Higher Education Governing Bodies: Supplementary Guide Regarding the Role of University Governing Bodies in Relation to Student's Unions [Z]. London: Committee of University Chairs, 2011.

[29] CVCP. Report of the Steering Committee for Efficiency Studies in Universities（Jarratt Report）[R]. London: Committee of Vice-Chancellors and Principals, 1985.

[30] Philip Davies. What Is Evidence-based Education? [J]. British Journal of Educational Studies, 1999, 47（2）.

[31] DCSF. The Composition of Schools in England [Z]. London: DCSF, 2008.

[32] DCSF. Your Child, Your Schools, Our Future: Building a 21st Century Schools System [Z]. London: The Stationery Office, 2009.

[33] DCSF. A Guide to the Law for School Governors [Z]. London: The Stationery Office Limited, 2010.

[34] H.C. Dent. The Education Act 1944 [M]. London: University of London Press Ltd, 1972.

[35] DfE. The Case for Change [Z]. London: DfE, 2010.

[36] DfE. The Importance of Teaching: The Schools White Paper 2010 [Z]. London: The Stationery Office, 2010.

[37] DfE. Academies Annual Report 2010/11 [Z]. London: The Stationery Office, 2012.

[38] DfE. Statutory Guidance for Local Authorities on Services and Activities to Improve Young People's Well-being [Z]. London: DfE, 2012.

[39] DfE. The National Curriculum in England: Framework Documents [Z]. London: DfE, 2013.

[40] DfE. Do Academies Make Use of Their Autonomy? Research Report [R]. London: DfE, 2014.

[41] DfE. Governors' Handbook: For Governors in Maintained Schools, Academies and Free Schools [Z]. London: DfE, 2014.

[42] DfE. Listening to and Involving Children and Young People [Z]. London DfE, 2014.

[43] DfE. Reforming Assessment and Accountability for Primary Schools: Government Response to Consultation on Primary School Assessment and Accountability [Z]. London: DfE, 2014.

[44] DfE. Academies Annual Report: Academic Year: 2013 to 2014 [R]. London: DfE, 2015.

[45] DfE. Educational Excellence Everywhere [Z]. London: DfE, 2016.

[46] DfE. Consolidated Annual Report and Accounts 2016–17 [Z]. London: DfE, 2017.

[47] ESFA. Business Plan for the Financial Year 2017 to 2018 [Z]. London: ESFA, 2017.

[48] European Commission. Erasmus Facts, Figures & Trends: The European Union Support for Student and Staff Exchanges and University Cooperation in 2013–2014 [M]. Luxembourg: Publications Office of the European Union, 2015.

[49] European Commission Education, Audiovisual and Culture Executive Agency. Support Mechanisms for Evidence-based Policy-making in Education [R]. Brussels: Education, Audiovisual and Culture Executive Agency, 2017.

[50] Sonia Exley. The Politics of Educational Policy Making under New Labour: An Illustration of Shifts in Public Service Governance [J]. Policy and Politics, 2012, 40 (2) .

[51] John Fitz and Stephen G. Chris. School Admissions after the School Standards and Framework Act: Bringing the LEAs Back in? [J]. Oxford Review of Education, 2002, 28

（2&3）.

[52] Henry Fowler. A Dictionary of Modern English Usage [Z]. Oxford: Oxford University Press, 2003.

[53] Michael Di Francesco. The Contract State and the Public Interest [M] // Dennis Glover, Glenn Palmore and Gary Jungwirth(eds.). For the People: Reclaiming Our Government. Sydney: Pluto Press, 2000.

[54] H. G. Frederickson and Kevin B. Smith. The Public Administration Theory Primer [M]. Boulder, Colorado: Westview Press, 2003.

[55] Sacha Garben. EU Higher Education Law: The Bologna Process and Harmonization by Stealth[M]. Alphen aan den Rijn, The Netherlands: Kluwer Law International, 2011.

[56] Aldo Geuna and Ben Martin. University Research Evaluation and Funding: An International Comparison [J]. Minerva, 2003, 41（4）.

[57] Neil Gilbert and Barbara Gilbert. The Enabling State: Modern Welfare Capitalism in America [M]. Oxford: Oxford University Press, 1989.

[58] John Greenwood, Robert Pyper and David Wilson. New Public Administration in Britain [M]. 3rd ed London: Routledge, 2002.

[59] Sotiria Grek. Governing by Numbers: The PISA "Effect" in Europe [J]. Journal of Education Policy, 2009. 24（1）.

[60] Lee Harvey and James Williams. Fifteen Years of Quality in Higher Education[J]. Quality in Higher Education, 2010, 16（1）.

[61] HEFCE. Research Assessment Exercise 2008: Guidance on Submissions [Z]. Bristol: HEFCE, 2005.

[62] HEFCE. Operating Framework for Higher Education in England [Z]. Bristol: HEFCE, 2013.

[63] HEFCE. Memorandum of Assurance and Accountability between HEFCE and Institutions: Terms and Conditions for Payment of HEFCE Grants to Higher Education Institutions [Z]. Bristol: HEFCE, 2014.

[64] HEFCE. HEFCE Business Plan 2015–2020: Creating and Sustaining the Conditions for a World–leading Higher Education System[Z]. Bristol: HEFCE, 2015.

[65] HEFCE. HEFCE's Accounts Direction to Higher Education Institutions for 2015–16 Financial Statements [Z]. Bristol: HEFCE, 2015.

[66] Miriam Henry, et al. The OECD, Globalization and Education Policy [M]. Oxford: Pergamon Press, 2001.

[67] HM Treasury. Lambert Review of Business–university Collaboration: Summary of Consultation Responses and Emerging Issues（Lambert Review）[Z]. London，Norwich: Her Majesty's Stationery Office, 2003.

[68] Her Majesty's Treasury. Lambert Review of Business–university Collaboration， Final Report [R]. Norwich: Her Majesty's Stationery Office, 2003.

[69] Dermot Hodson and Imelda Maher. The Open Method as a New Method of Governance: The Case of Soft Economic Policy Co–ordination[J]. Journal of Common Market Studies, 2001, 39（4）.

[70] Christopher Hood, et al. The Government of Risk: Understanding Risk Regulation Regimes [M]. Oxford: Oxford University Press, 2001.

[71] Achim Hurrelmann et al.（eds.）. Transforming the Golden–age Nation State [M]. Basingstroke: Palgrave Macmillan, 2007.

[72] Chris James. Trends in the Governance and Governing of Schools in England [J]. Local Government Studies, 2014, 40（6）.

[73] Bob Jessop. The Rise of Governance and the Risks of Failure: The Case of Economic Development [J]. International Social Science Journal, 1998, 50（155）

[74] Paul Johnson. Education Policy in England[J]. Oxford Review of Economic Policy, 2004, 20（2）.

[75] Terri Kim. Changing University Governance and Management in the UK and Elsewhere under Market Conditions: Issues of Quality Assurance and Accountability [J]. Intellectual Economics, 2008, 2（4）.

[76] R. Kimber and J. J. Richardson（eds.）. Pressure Groups in Britain [M]. London: Dent, 1974.

[77] Roger Patrick King. Governance and Accountability in the Higher Education Regulatory State [J]. Higher Education, 2007, 53（4）.

[78] Beate Kohler–Koch. The Transformation of Governance in the European Union [M]. London: Routledge, 1999.

[79] Maurice Kogan. Educational Policy–making [M]. London: Allen and Unwin, 1975.

[80] Maurice Kogan and Stephen Hanney. Reforming Higher Education[M]. London: Jessica Kingsley, 2000.

[81] Martin Lawn. Governing through Data in English Education[J]. Education Inquiry, 2011, 2 (2) .

[82] Sverker Lindblad and Thomas S. Popkewitz (eds.) . Education Governance and Social Integration and Exclusion: National Cases of Educational Systems and Recent Reforms [M]. Uppsala: Department of Education Uppsala University, 1999.

[83] William Locke, et al. (eds.) . Changing Governance and Management in Higher Education: The Perspectives of the Academy [M]. Dordrecht: Springer, 2011.

[84] Martin Loughlin. Understanding Central–local Government Relations [J]. Public Policy and Administration, 1996, 11 (2) .

[85] Kerstin Martens, Alexander–Kenneth Nagel and Michael Windzio (eds.) . Transformation of Education Policy [M]. Basingstoke: Palgrave Macmillan, 2010.

[86] Kerstin Martens and Anja P. Jakobi (eds.) . Mechanisms of OECD Governance: International Incentives for National Policy–making? [M]. Oxford: Oxford University Press, 2010.

[87] Kerstin Martern, Philipp Knodel and Michael Windzio (eds.) . Internationalization of Education Policy: A New Constellation of Statehood in Education? [M]. Basingstoke: Palgrave Macmillan, 2014.

[88] Ken Mayhew. UK Higher Education and Brexit [J]. Oxford Review of Economic Policy, 2017, 33 (S1) .

[89] Heinz–Dieter Meyer and Aaron Benavot (eds.) . PISA, Power and Policy: The Emergence of Global Educational Governance [M]. Oxford: Symposium Books Ltd, 2013.

[90] Edward S. Miller (ed.) . The New Collection[M]. Oxford: New College, 2010.

[91] Graeme C. Moodie and Rowland Eustace. Power and Authority in British Universities [M]. Abingdon: Routledge, 2012.

[92] Michael Moran. Politics and Society in Britain [M]. London: Macmillan, 1989.
[93] Michael Moran. Review Article: Understanding the Regulatory State [J]. British Journal of Political Science, 2002, 32（2）.
[94] Karen Mundy. Global Governance, Educational Change [J]. Comparative Education, 2007, 43（3）.
[95] NCTL. National College for Teaching and Leadership Annual Report and Accounts for the Year Ended 31 March 2016 [Z]. London: NCTL, 2016.
[96] Guy Neave. On the Cultivation of Quality, Efficiency and Enterprise: An Overview of Recent Trends in Higher Education in Western Europe, 1986–1988 [J]. European Journal of Education, 1988, 23（1/2）.
[97] OECD. Labour Market Policies for the 1990s [R]. Paris: OECD, 1990.
[98] OECD. DAC Orientations on Participatory Development and Good Governance [Z]. OECD/GD（93）191. Paris: OECD, 1993.
[99] OECD. Evaluation of Programmes Promoting Participatory Development and Good Governance [Z]. Paris: OECD, 1996.
[100] OECD. OECD Work on Education 2005−2006 [Z]. Paris: OECD, 2005.
[101] OECD. Education at a Glance 2010: OECD Indicators [M]. Paris: OECD Publishing, 2010.
[102] OECD. School Autonomy and Accountability: Are They Related to Student Performance? [J]. PISA in Focus, 2011（9）.
[103] OECD. PISA Results from PISA 2012: United Kingdom Country Note [Z]. Paris: OECD, 2013.
[104] OECD. PISA 2012 Results: What Students Know and Can Do — Student Performance in Mathematics, Reading and Science（Volume I, Revised edition）[M]. Paris: OECD Publishing, 2013.
[105] Ofqual. Ofqual Governance Framework [Z]. Coventry: Ofqual, 2016.
[106] Ofsted. Ofsted's Corporate Governance Framework [Z]. Manchester: Ofsted, 2017.
[107] V. Darleen Opfer. Beyond Self−interest: Educational Interest Groups and Congressional Influence [J]. Education Policy, 2001, 15（1）.

[108] Johan P. Olsen. Europe in Search of Political Order: An Institutional Perspective on Unity/Diversity, Citizens/Their Helpers, Democratic Design/Historical Drift, and the Co-Existence of Orders[M]. Oxford: Oxford University Press, 2007.

[109] Sylvia Ostr. International Economic Cooperation Past and Future [J]. OECD Observer, 1993（179）.

[110] Jenny Ozga Governing Education through Data in England: From Regulation to Self-evaluation [J]. Journal of Education Policy, 2009, 24（2）.

[111] Catherine Paradeise, et al.（eds.）.University Governance: Western European Comparative Perspectives[M]. Dordrecht: Springer, 2009.

[112] Jon Pierre. Debating Governance: Authority, Steering, and Democracy [M]. Oxford: Oxford University Press, 2000.

[113] Jon Pierre and Guy B. Peters. Governance, Politics and the State [M]. New York: St. Martin's Press, 2000.

[114] Mark A. Pollack. Creeping Competence: The Expanding of the Agenda of the European Community[J]. Journal of Public Policy, 1994, 12（2）.

[115] Christopher Pollitt and Geert Bouckaert. Public Management Reform: A Comparative Analysis—New Public Management, Governance, and the Neo-Weberian State[M]. 3rd ed. Oxford: Oxford University Press, 2011.

[116] Michael Power. The Audit Society: Rituals of Verification [M]. Oxford: Oxford University Press, 1999.

[117] QAA. The UK Quality Code for Higher Education [Z]. Gloucester: The Quality Assurance Agency for Higher Education, 2015.

[118] Dinae Ravitch and Joseph P. Viteritti, Making Good Citizens, Education and Civil Society [M]. New Haven: Yale University Press, 2001.

[119] R. A. W. Rhodes. The New Governance: Governing without Government [J]. Political Studies, 1996, 44（4）.

[120] David Richard and Martin J. Smith. Governance and Public Policy in the UK [M]. Oxford: Oxford University Press, 2009.

[121] RIHE（ed.）. The Changing Academic Profession in International Comparative and

Quantitative Perspectives [C]. Hiroshima: Research Institute for Higher Education, Hiroshima University, 2008.

[122] Eric Robinson. The New Polytechnics: The People's Universities [M]. Harmondsworth: Penguin, 1968.

[123] James N. Rosenau and Ernst-Otto Czempiel (eds.). Governance without Government: Order and Change in World Politics [M]. Cambridge: Cambridge University Press, 1992.

[124] Julie Rowlands. Academic Governance in the Contemporary University: Perspectives from Anglophone Nations [M]. Singapore: Springer Nature Singapore Pte Ltd, 2017.

[125] Brain Salter and Ted Tapper. The State and Higher Education [M]. Ilford: Woburn Press, 1994.

[126] Scottish Parliament Information Centre. SPICe Briefing: Administration of School Education: International Comparison [Z]. Edinburg: Scottish Parliament Information Centre, 2010.

[127] Michael Shattock (eds.). The Structure & Governance of Higher Education [M]. Guildford: Society for Research into Higher Education, 1983.

[128] Michael Shattock. Managing Good Governance in Higher Education [M]. Maidenhead: Open University Press, 2006.

[129] Michael Shattock. University Governance in Flux. The Impact of External and Internal Pressures on the Distribution of Authority within British Universities: A Synoptic View [R]. Centre for Global Higher Education Working Paper 13. London: UCL Institute of Education, 2017.

[130] Sam Sellar and Bob Lingard. The OECD and the Expansion of PISA: New Global Modes of Governance in Education [J]. British Educational Research Journal, 2014, 40 (6).

[131] Philip Shapira and Stefan Kuhlmann (eds.). Learning from Science and Technology Policy Evaluation: Experiences from the United States and Europe[M]. Camberley: Edward Elgar, 2003.

[132] Ana Simões, et al. (eds.). Sciences in the Universities of Europe, Nineteenth and Twentieth Centuries [M]. Dordrecht: Springer, 2015.

[133] Paul Smeyers, et al. (eds.). International Handbook of Interpretation in Educational

Research [M]. Dordrecht: Springer, 2015.

[134] STA. Standards and Testing Agency Annual Report and Accounts for the Year Ended 31 March 2017[Z]. London: STA, 2017.

[135] Strategic Policy Making Team, Cabinet Office. Professional Policy Making for the 21 Century [Z]. London: The Cabinet Office, 1999.

[136] Robert Stevens. From University to Uni: The Politics of Higher Education in England since 1944[M]. London: Politico' s Publishing, 2004.

[137] Gerry Stoker. Governance as Theory: Five Propositions [J]. International Social Science Journal, 1999, 50（155）.

[138] Ted Tapper. The Governance of British Higher Education: Struggle for Policy Control [M]. Dordrecht: Springer, 2007.

[139] George Taylor and John B. Saunders. The New Law of Education[M]. 7th ed. London: Butterworths, 1971.

[140] U. Teichler and E.A. Höhle（eds.）. The Work Situation of the Academic Profession in Europe: Findings of a Survey in Twelve Countries [M]. Dordrecht: Springer, 2013.

[141] Laurel S. Terry. The Bologna Process and Its Impact in Europe: It' s So Much More than Degree Changes[J]. Vanderbilt Journal of Transnational Law, 2008, 41（1）.

[142] The Council of the European Union. Council Conclusions of 12 May 2009 on a Strategic Framework for European Cooperation in Education and Training（'ET 2020'）[Z]. Official Journal of the European Union. C 119, 2009-05-28.

[143] The International Bank for Reconstruction and Development / The World Bank. Sub-Saharan Africa: From Crisis to Sustainable Growth [R]. Washington: World Bank, 1989.

[144] The International Bank for Reconstruction and Development / The World Bank. Governance and Development [R]. Washington: World Bank, 1992.

[145] The National Committee of Inquiry into Higher Education. Higher Education in the Learning Society [R]. London: Her Majesty' s Stationery Office, 1997.

[146] The Prime Minister and the Minister for the Cabinet Office. Modernising Government [Z]. London: The Stationery Office Limited, 1999.

[147] The Student Loans Company. The Student Loans Company Ltd: Framework Document

[Z]. Glasgow: The Student Loans Company, 2009.

[148] The UK Higher Education Europe Unit. The European Higher Education Area: Celebrating a Decade of UK Engagement [R]. London: The UK Higher Education Europe Unit, 2010.

[149] The Wellcome Trust and the National Governors' Association. A Framework for Governance: A Flexible Guide to Strategic Planning [Z]. London: The Wellcome Trust, 2015.

[150] The What Works Team. The What Works Network: Five Years On [R]. London: What Works Network, 2018.

[151] Treaty of Lisbon: Amending the Treaty on European Union and the Treaty Establishing the European Community [Z]. Official Journal of the European Union, C 306, 2007-12-17.

[152] John Ugoani. Dimensions of Public Policy and Governance [J]. Journal of Public Policy and Governance, 2014, 1（2）.

[153] UK Parliament. Education Reform Act 1988 [Z]. London: Her Majesty's Stationery Office, 1988.

[154] UK Parliament. Education Act 1993 [Z]. London: Her Majesty's Stationery Office, 1993.

[155] UK Parliament. Education Act 1996 [Z]. London: The Stationery Office Limited, 1996.

[156] UK Parliament. Education Act 2002 [Z]. London: The Stationery Office Limited, 2002.

[157] UK Parliament. Education and Skills Act 2008 [Z]. London: The Stationery Office Limited, 2008.

[158] UK Parliament. Academies Act 2010 [Z]. London: The Stationery Office Limited, 2010.

[159] UK Parliament. Education Act 2011 [Z]. London: The Stationery Office Limited, 2011.

[160] UK Parliament. The School Governance（Role, Procedures and Allowances）（England）Regulations 2013[Z]. London: The Stationery Office Limited, 2013.

[161] UK Parliament House of Commons Education Committee. Secondary Education: Fifth Report of Session 2004–05 [Z]. London: The Stationery Office Limited, 2005.

[162] UK Parliament House of Commons Education and Skills Committee. The Bologna Process: Fourth Report of Session 2006–07 [Z]. London: The Stationery Office Limited, 2007.

[163] UK Parliament. Children, Schools and Families Act 2010 [Z]. London: The Stationery

Office Limited, 2010.

[164] UK Parliament House of Lords European Union Committee. The Modernisation of Higher Education in Europe: 27th Report of Session 2010–12［Z］. London: The Stationery Office Limited, 2012.

[165] UK Parliament House of Commons Education Committee. The Role of School Governing Bodies: Second Report of Session 2013–14（Volume I）［Z］. London: The Stationery Office Limited, 2013.

[166] UK Parliament House of Commons Education Committee. Academies and Free Schools: Fourth Report of Session 2014−15［Z］. London: The Stationery Office Limited, 2015.

[167] UNDP. Public Sector Management, Governance, and Sustainable Human Development［R］. New York: UNDP, 1995.

[168] UNESCO. Overcoming Inequality: Why Governance Matters［M］. Oxford: Oxford University Press, 2008.

[169] UNESCO. UNESCO Science Report: Towards 2030［R］. Paris: UNESCO, 2015.

[170] UNDP. Governance for Sustainable Human Development: UNDP Policy Document［R］. New York: UNDP, 1997.

[171] UNDP. Reconceptualising Governance: Discussion Paper 2［R］. New York: UNDP，1997.

[172] Universities UK. Futures for Higher Education: Analysing Trends［M］. London: Universities UK, 2012.

[173] Universities UK. Higher Education in UK: Facts and Figures 2017［Z］. London: Universities UK, 2017.

[174] Anne West. Education Policy and Governance in England under the Coalition Government（2010–15）: Academies, the Pupil Premium, and Free Early Education［J］. London Review of Education, 2015, 13（2）.

[175] Richard Woodward. The Organisation for Economic Co−operation and Development（OECD）［M］. London and New York: Routledge, 2009.

译名对照

A

ACT Association of Christian Teachers
基督教教师协会

AHM Association of Head Mistresses
女校长协会

AHRC Arts and Humanities Research Council
艺术与人文研究委员会

AMS Association of Muslim Schools
穆斯林学校协会

APPG All-Party Parliamentary Group
议会跨党派小组

ASCL Association of School and College Leaders
学校与学院领导者协会

ATL Association of Teachers and Lecturers
教师与讲师协会

ATTI Association of Teachers in Technical Institutions
技术院校教师协会

B

BBSRC Biotechnology and Biological Sciences Research Council
生物技术与生物科学研究委员会

BEIS Department for Business, Energy and Industrial Strategy

	商业、能源与产业战略部
BIS	Department for Business, Innovation and Skills
	商业、创新与技能部
BSA	Boarding Schools' Association
	寄宿学校协会
BYC	British Youth Council
	英国青年协会

C

CACE	Central Advisory Council for Education
	中央教育咨询委员会
CBI	Confederation of British Industry
	英国工业联合会
CCTA	City College for Technology and the Arts
	城市技术与艺术学院
CDP	Committee of Directors of Polytechnics
	多科技术学院校长委员会
CISC	Catholic Independent Schools' Conference
	天主教独立学校协会
CITB	Construction Industry Training Board
	建筑业培训委员会
COBIS	Council of British International Schools
	英国国际学校理事会
CoE	Council of Europe
	欧洲委员会
CGG	Commission on Global Governance
	全球治理委员会
CUC	Committee of University Chairs
	大学主席委员会
CVCP	Committee of Vice-chancellors and Principals

大学校长协会

D

DCSF Department for Children, Schools and Families

儿童、学校与家庭部

DECC Department of Energy and Climate Change

能源与气候变化部

DELNI Department for Employment and Learning of Northern Ireland

北爱尔兰就业与学习部

DES Department of Education and Science

教育与科学部

DFE Department for Education

教育部

DfE Department for Education

教育部

DfEE Department for Education and Employment

教育与就业部

DfES Department for Education and Skills

教育与技能部

DIUS Department for Innovation, Universities and Skills

创新、大学与技能部

E

ECITB Engineering Construction Industry Training Board

工程建筑业培训委员会

EDI Education Development International plc

教育发展国际有限公司

EHEA European Higher Education Area

欧洲高等教育区

EHRC Equality and Human Rights Commission

平等与人权委员会

EFA Education Funding Agency
教育资助局

EI Education International
教育国际

ENQA European Network for Quality Assurance in Higher Education
欧洲高等教育质量保证网络

EPI Education Policy Institute
教育政策研究所

EPSRC Engineering and Physical Science Research Council
工程与自然科学研究委员会

ESE European School of Economics
欧洲经济学院

ESFA Education and Skills Funding Agency
教育与技能资助局

ESRC Economic and Social Research Council
经济与社会研究委员会

EU European Union
欧洲联盟

G

G8 Group of Eight
八国集团

GLA Greater London Assembly
大伦敦议会

GSA Girls' Schools Association
女子学校协会

H

HEFCE Higher Education Funding Council for England
英格兰高等教育基金委员会

HEQC Higher Education Quality Committee

	高等教育质量委员会
HESA	Higher Education Statistics Agency
	高等教育统计局
HMA	Headmasters' Association
	校长协会

I

IOG	Institute on Governance
	（加拿大）治理研究院
IRM	Independent Review Mechanism for Fostering and Adoption
	抚养和领养独立审查机制
ISA	Independent Schools Association
	独立学校协会

K

KCL	King's College London
	伦敦国王学院

L

LEA	Local Education Authority
	地方教育当局
LSE	London School of Economics and Political Science
	伦敦政治经济学院

M

MRC	Medical Research Council
	医学研究委员会

N

NACTST	National Advisory Council on Training and Supply of Teachers
	全国师资培训与供应咨询委员会
NASUWT	The National Association of Schoolmasters Union of Women Teachers
	全国女教师校长联合会
NATFHE	National Association of Teachers in Further and Higher Education

	全国继续和高等教育教师协会
NAPTE	National Association for the Promotion of Technical Education
	全国技术教育促进会
NATO	North Atlantic Treaty Organization
	北大西洋公约组织
NCETM	National Centre for Excellence in the Teaching of Mathematics
	国家数学教学卓越中心
NCIHE	National Committee of Inquiry into Higher Education
	国家高等教育调查委员会
NCSL	National College for School Leaders
	国家学校领导学院
NCTL	National College for Teaching and Leadership
	国家教学与领导力学院
NERC	Natural Environment Research Council
	自然环境研究委员会
NEU	National Education Union
	全国教育联盟
NGA	National Governor Association
	全英学校校董协会
NGSA	National Grammar Schools Association
	全国文法学校协会
NIHCE	National Institute for Health and Care Excellence
	国家卫生与保健卓越研究院
NUET	National Union of Elementary Teachers
	全国小学教师联盟
NUS	National Union of Students
	全国学生联盟
NUT	National Union of Teachers
	全国教师联盟

O

OECD Organization for Economic Co-operation and Development

经济合作与发展组织

OECDDAC Organization for Economic Co-operation and Development–Development Aid Committee

经济合作与发展组织发展援助委员会

Ofqual Office of Qualifications and Examinations Regulation

资格与考试监督局

OfS Office for Students

学生办公室

Ofsted Office for Standards in Education, Children's Services and Skills

教育标准局

OFT Office of Fair Trading

公平交易办公室

OIA Office of the Independent Adjudicator for Higher Education

高等教育独立仲裁员办公室

OSA Office of the Schools Adjudicator

学校事务仲裁员办公室

P

PPIW Public Policy Institute for Wales

威尔士公共政策研究所

Q

QAA Quality Assurance Agency for Higher Education

高等教育质量保证署

QAC Quality Assessment Committee

质量评估委员会

S

SCCE Schools Council for the Curriculum and Examinations

学校课程与考试委员会

SCOP Standing Committee of Principals
大学校长常设委员会

SHA Secondary Heads Association
中学校长协会

SFA Skills Funding Agency
技能资助局

SMC Social Mobility Commission
社会流动委员会

SOAS School of Oriental and African Studies
亚非学院（伦敦大学）

SLC Student Loan Company
学生贷款公司

STA Standards and Testing Agency
标准与考试局

STRB School Teachers' Review Body
中小学教师审议机构

T

TDA Training and Development Agency for Schools
学校培训与发展局

TECs Training and Enterprise Councils
培训与企业委员会

TRA Teaching Regulation Agency
教学监管局

TUC Trades Union Congress
英国工会联盟

U

UCL University College London
伦敦大学学院

UCU University and College Union

大学和学院联盟

UGC University Grants Committee

大学拨款委员会

UKADIA United Kingdom Arts and Design Institutions Association

英国艺术与设计院校协会

UKFCS UK Federation of Chinese Schools

英国华文学校联会

UKYP UK Youth Parliament

英国青年议会

UNESCO United Nations Educational, Scientific and Cultural Organization

联合国教科文组织

UNDP United Nations Development Programme

联合国开发计划署

UNRISD United Nations Research Institute for Social Development

联合国社会发展研究所

UUK Universities UK

英国大学协会

W

WISERD Wales Institute of Social and Economic Research, Data and Methods

威尔士社会经济研究、数据与方法研究所

WTO World Trade Organization

世界贸易组织

WUN Worldwide Universities Network

世界大学网络

后　记

治理理论为理解当代世界社会、经济和政治提供了一个非常有价值的分析框架和视角。也正因如此，对治理问题的研究成为目前学术研究中的一个热点，并体现出强烈的实践需求和现实意义。中共十八届三中全会公报指出，全面深化改革的总目标是完善和发展中国特色社会主义制度，推进国家治理体系和治理能力现代化。而这一表述，也被完整写入中共十九大报告，成为习近平新时代中国特色社会主义思想的重要组成部分。建立现代教育治理体系，提高现代教育治理能力，是当前和今后我国教育深化改革、全面推进教育现代化的一项重大任务，也是实现教育优先发展，落实对教育工作一系列重大决策部署的根本保证。他山之石，可以攻玉。研究外国教育发展为本国教育改革提供借鉴参考，是比较教育研究者一项传统而重要的使命。非常荣幸在周洪宇教授的信任和鼓励下，以及在王建梁教授的支持和帮助下，加入“全球教育治理”的研究团队，并承担本书的撰写工作，使我有机会对英国教育治理进行深入的了解与学习。过去几年我承担的研究生课程“当代英国教育研究”以及指导的研究生也将英国教育治理作为主要的研究和讨论主题，学生们在论文写作和课程参与中提出的很多有价值的观点和查阅的重要文献，也为本书的撰写提供了诸多帮助。最后要感谢华中师范大学方彤教授对本书初稿提出的审读意见。感谢余欣然、万婵、邓珍珍三位编辑，没有他们协调和督促，就不可能有本书的问世。本书的出版只能说是一个阶段性的任务的完成，也是一个非常初步的探索和尝试，围绕英国教育治理仍有很多值得关注、反思和深入研究的课题，将留作后续的研究任务。由于时间和精力所限，本书还存在不少的疏漏与错误，敬请学界同仁批评指正。

阚　阅

戊戌初秋完稿于北京海淀